...archipelagi...

Witold Wedecki

Czarne rondo

wydawnictwo w.a.b.

Patronat medialny

Kiedy się stanie w kierunku Marcinkiszek od strony Ponieździla, Barbaryszek i Dugnów, czyli twarzą na północ, wzrok prześlizgnie się po rojstach i karłowatych, kępami rozsypanych zagajnikach, z kosołoziną i wierzbą, z kruszyną, osiką i brzózką. Tam, powiadano, gleby gliniaste, białosine, tam, powiadano, aluminium choć gołymi rękami wygarniaj. Tam, powiadano, wodzi. To wina aluminium, że kiepskie urodzaje na tych gruntach. Nie obsiewano ich, nie meliorowano, jakby za karę. Nad tymi terenami, powiadano, wiedźmy siodłają miotły i na sabat śpieszą, mleko krowom w wymionach warzą. Pyliły i płonęły trakty w pobliżu, grzmiała palba, trup padał gęsto. Tamtędy bano się przechodzić. W zimowe rozchwieje tam wodziło grzesznych, ludzie na śmierć zamarzali, wilki watahami napadały, tam też, w połowie drogi polno-leśnej między Marcinkiszkami a Ponieździlem, rosła olbrzymia grusza, która rodziła zatrute owoce, do gruszek niepodobne. Tamtędy też w dawnych czasach wiódł gościniec z Dajnowy do Ejszyszek, największego miasta w tych stronach, gdzie odbywały się cotygodniowe targi, handlowano bydłem i końmi, wszystkim i niczym, i gdzie królowali

5

kieszonkowcy, prawdziwi panowie bazaru i bożyszcza młodzieży. Nosili modne kolorowe marynarki i szerokie spodnie, ręce w kieszeniach, papierosy w zębach. Grali na ustnych harmonijkach i tańczyli wprost na placu, wziąwszy się pod boki. Nikogo się nie bali, bo władza z nimi trzymała. Odór końskiego moczu pomieszanego z potem wisiał nad targowiskiem, drażnił nozdrza, przenikał kożuryny, od wrzawy pękały bębenki w uszach, ciekła krew z rozbitych nosów. Wielu sztukmistrzów i cyrkowców występowało na scenie z beczek po solonych śledziach i ogórkach. Napinali muskuły, prężyli torsy, łamali podkowy i rwali łańcuchy. Dziewczyny przyjezdne obnażały cycki, proboszcz z ambony rzucał klątwy. Nie brakowało gapiów podziwiających atletów. Popiskiwały z uciechy panny na wydaniu, pocierały udami rozbudzone wdowy. Złodzieje lgnęli do ludzi. Koło kościoła zaś nawiązywano o wiele przyjemniejsze kontakty, tam tworzyły się narzeczeńskie pary, przed ołtarzem i ksiądz miał swój zarobek.

Trakt między Dajnową a Ejszyszkami. Tamtędy dzieciaki bały się przechodzić, konie się ochwacały, siarę zamiast mleka krowy dawały, chleb był skażony trującym kwasem. Winne temu było ponoć aluminium w glinie, chociaż z tej gleby lepiono chlewy i gumna, a i chałupy, mieszając glinę z jałowcem, słomą i krowim łajnem. Wczesnym latem ze ścian lepianek wyrajały się trzmiele.

– O, widzisz, widzisz, wiedźma leci – wykrzykiwała dzieciarnia i pstrykała palcami w niebo.

– Czego ta hałastra tak wyje?! – gniewali się sąsiedzi.

– Na wieniku wiedźma, patrzajcie.

– Ale wystawiła cycki białe.

– Toż to chmary tak poukładali sie jak hurmy śniegu.

– Poszła won, hałastra! – baby wylewały zza progu pomyje.

– Czego bluźnisz, onaż odziana w sukienki przeźroczyste.

– Akuratnie, w sukienki...

– Zwidy, to chmary pędzą i zapadają za horyzont.

Chmury się kłębiły, różnokolorowe, układały w coraz to inne formy, pobudzały złaknioną sensacji wyobraźnię. Z chmur na niebie, kto potrafił, mógł wyczytać całą swoją przyszłość.

– I gdzież, poganna, wybrała sie, że na wieniku, na samym kiju siedzi?

– Patrzajcie, musi narada będzie w rojstach – maglowano temat.

– Gruszki wyzbiera, na półmiskach z naszej gliny rozsypie.

– Nażrą się, szalone, i zdechną, aluminium to trucizna.

– Złego nic nie otruje.

– Z sinej ziemi siny rozum, bo błękit to świętość, tak?

Ganiała dzieciarnia po podwórkach rozproszonych obejść, wszczynała niesnaski – krótkie majtki na szlejkach, pokaleczone, brudne kolana, utrapienie wszystkich matek. Gestykulowała, zaczajała się na wiedźmy, wypijała z dzież saładuchę. Saładuchę rozczyniano na upalne dni, dla dorosłych, a tu plaga drobnicy i takie ubytki. I byłoby wesoło, wróżby z chmur byłyby dobre, gdyby nie czas wojenny. Sadyby zastraszone. Łupiono kontyngentami, zapędzano na odrabianie szarwarku. Szaulisi plądrowali i mordowali, kręcili się partyzanci. Biali, zieloni, czerwoni, a każdemu daj. Najstraszniejsze były noce, bałeś się położyć spać, bo nie wiadomo, czy się obudzisz. Ale psoty Rabego, Pietruka, Wićki i Kościuka, okolicznych niespokojnych duchów, pozwalały na chwilę zapomnieć o koszmarze. Wytchnienie jak łyk orzeźwiającej saładuchy. Otaczająca sadyby puszcza kryła tajemnice ziemianek. Każdy jej skrawek był zryty okopem, transzeją, walała się broń na polach bitewnych, koło Zubiszek Staniewicza, przedwojennego ministra, koło pytlowego młyna w Wersoce Siedlikowskiej. W Lasach Rudnickich można było napotkać pomniki powstania styczniowego. Wzdłuż rzek Solczy, Wersoki i Mereczanki ciągnęły się wsie i pastwiska, łąki i czarnoziem orny, wzdłuż Nieździlki – Wały Napoleońskie, z których zimą zjeżdżało się na sankach. Zamożniejsze gospodarstwa przeplatały się z ubogimi chatami. Księżyc prószył przeraźliwą poświatą jednako, jednako miał w swojej opiece majestatyczne drzewa, sterczące żurawie i zaganianych ludzi. Nad wszystkim jednako panowała bojaźń i drżenie. Tylko dzieciarnia traktowała grozę lekceważąco, śmierć najbliższych uznawała za

przygodę. Goniła wrzaskliwą gromadką, wyciągała mię-
tusy spod kamieni w lodowatych strumykach, piekła
grzyby i kartofle w oprysku ognisk, ciskała kamieniami
do celu, zabijała wiejskie koty i wpychała żabom do
dupy słomki, by je nadmuchiwać do rozmiarów piłki.
Uradowani, zziajani, niemiłosiernie poobijani, tworzyli
groźną zgraję dla rówieśników z obcych wsi. Miejscowi
nazywali ich bandami albo hałastrą, ale głośno tego nie
wypowiadali, bo groziło to odwetem, nawet pożarem.
Dlatego Raby często miał zakaz wychodzenia z domu,
by nie nawykać do złego.

– Nie uczą się, nieroby, przepadają w lasach, wyrastają na zbójów – skarżyli się szeptem jedni drugim
– o, ten, dla przykładu, Raby, istne utrapienie. Nawet
Żmogus go nie upilnuje.

* * *

Za lasem podobno i ptasiego mleka nie brakuje.
Nic na pewno, podobno. A tu same kłopoty. Nawet
padchadiaszczej baby na lekarstwo. Same wymacane,
wycyckane, wybraki. Na rabunek późno.

Raby dorastał. Kiedyś z głodu całą paczkę płatków
owsianych zjadł, aż go wzdęło. Aż się wyrzygał. Może
z nerwów, zanim doniósł do domu. Ot, puść szczeniaka
do miasteczka, atrament wypije, a na ptaszka smoczek
wciągnie. Zaszargany, ale pociągający świat za lasem,
za tą zorzą krzywą nad kreską horyzontu, za tym bu-
kietem karminu rozlanego od wschodu po zachód. Las,
o, to impregnowana, nieprzemakalna zasłona z zieleni

i czerni, górą korony, dołem jałowiec. Płatki owsiane, prawie nieosiągalny przysmak. Łojenie w dupę nie pomaga. Coś go roznosi, za czymś goni. Płatki wciął, wzdęło, porzygał się i zdrów. Jedyna pociecha. Pytam: czemu tyle? A on, że smakowały, jakby z kremem, język pociągnęło... Ja już mu za karę nieruchaną wynajdę. Całymi dniami dłubie pod korą, lada dzień osoka z niego pocieknie. Sam upór i opryskliwość. Nikogo nie uznaje, taka w nim hardość i przekora. Szkoda, że u mnie już bliżej niż dalej. Nieśmiertelność minęła, trzask-prask i minęła. Kiedyś na skórze mróz tajał. Para kłębami buchała, gorąco od środka. Siedzę w tej przeklętej dziurze, czegoś pilnuję, o co nikt nie prosił, jakby przywiązany. Już dawno po wojnie. Listy przysyłają, pytają, kiedy wyjadę, bo wszyscy już wyjechali, a ja na posterunku marynarkę zakładam, dwa kamienie do kieszeni, żeby nie wywiało, i siedzę, trwam, niczym pies wody z kałuży się nachłepcę, wisielcze pomysły w głowie: zaczaić się nocą i wyrżnąć bandę, wyrżnąć tych, co najechali, co nowe porządki wprowadzili, czerwonym sierpem i młotem machają. Złowieszcze czasy za lasem. U mnie na razie jak u Pana Boga za piecem. A oni w listach, żem głupi, że kamienie w kieszeniach to za mało. Czekam. Tyle lat. Rozproszyliśmy się od Australii po Kołymę. Pod sufitem się kiełbasi, niczego nie rozumiem, alem przywiązany, duchów pilnuję, czekam na zmartwychwstanie. Słucham, kapuś do kapusia mówi: kapujesz... Takie niewinne żarciki. Ich relikwia: towarzysz Lenin. Wszystko splądrowane, dookoła podejrzliwość. Torba to norma. W listach zapraszają, a ja się odczepić nie mogę, coś trzyma, choroba, kiedy człowiek za głęboko korzenie zapuści. Od czasu do czasu nażłopię się berberuchy, ucisk serca ustaje, nostalgia ogarnia, wracają dawne czasy, tłok pod powiekami, w uszach szum, płozy skrzypią przed gankiem po grząskim śniegu, rżą konie, łzy same ciekną. Zmącenie ustąpi, znów wszystko płowieje, stwory wsiąkają w ziemię. Jak nie zgłupieć...

Tych dwóch też pamiętam. Wpadli raniutko. Dawaj żarcie, picie. Wysuszeni na suchary, zgłodniali. Zacząłem coś szykować, coś konkretniejszego, rozesłałem obrus na stole, przygotowałem łyżki. Robota w rękach się paliła. No i nikt nie zdążył – ani ja, ani oni. Zaraz za nimi Niemcy. Od drzwi: Halt, halt, Hände hoch! Kosili na oślep ze szmajserów. Wbiłem się w ścianę. Taką moc ma strach. Ci przez okno do sadu. Mieli zimną krew, trzeba przyznać. W sadzie Niemcy ich dopadli i ścięli. Juden, Juden... Cieszyli się, zacierali z radości dłonie, że niby się udało. Najpierw mnie nikt się nie czepiał. Pomyślałem, że ujdzie na sucho. Zamiast jedzenia trzeba było przygotować łopatę. Kazali trupów zakopać, tam gdzie padli. No, to po bożemu zakopałem. Dygot został w środku. Jakbym to ja zabił. Strach nie wart funta kłaków. Oni z wciągniętymi brzuchami, pasy rzemienne, na sprzączkach „Gott mit uns”... Niczym nie różnili się od teraźniejszych czerwonych. Emblematy inne, ale podejście do ludzi takie samo. Chapnąć, zachachmęcić, ukraść... Na wszelki wypadek proponuję – w szafce coś by się jeszcze znalazło. Patrzą na mnie spode łba: nein, nein, i nie wychodzą, węszą, przepytują, kto bywa, dlaczego bandytów przechowuję, gdzie partyzantów najwięcej. Nie wiem, rozkładam ręce, szukajcie, nikogo nie przechowuję, znienacka wpadli, przecież zaraz za nimi wy. W ich wodnistych ślepiach wściekłość tli się, nienawiść, sienniki bagnetami prują, zaglądają do komórek, do chlewików. Idę się odpryskać, łapią za kark, tłumaczę, że nasikam do spodni, nic nie pomaga, pokazuję na migi, nicht gut, nicht gut.

Zarazy, uwzięli się. Pokusa we mnie – złapać siekierę i w te mordy. Dopiero potem, mściwe ścierwa, i mnie ustawili pod ścianę. Widocznie do ściany pasowałem... ściana pomogła. Ustawili i dają znaki, żebym śpiewał. W oczach koła, ani słowa wydusić, a tu żądają śpiewów. Sing, sing, du Schweine. Sing bandietische Lied... Tyle rozumiałem... Sprzeniewierzył się człowiek ślubowaniu. Bo wtenczas ślubowałem w duchu, że jeżeli cud mnie uratuje, to do kościółka w Dubiczach na piechotę zajdę, przed obrazem Najświętszej Matki ofiarę złożę i pacierz odmówię... Nie poszedłem i nie odmówiłem. Może kiedyś... No, ale nie śpiewam. Spotniały, milczę. Ten bliżej, co stał, uniósł pistolet... Zimność po krzyżach. Zaharatają. Uhmmm, tylem zdążył spostrzec, a raczej usłyszeć. Trrrach-trrrach – i po łomocie. Ułamek sekundy. Snop jasności pod powiekami, olśnienie. Reszta – czarna jama. Nawet nie sprawdzali, nie czekali. Może miałem drgawki? Nie wiem... Byli pewni swego. Odeszli z tym swoim gardłowym śmiechem. Zlikwidowany, gut-kaput.

Na moje szczęście tylko mięso podziurawili. Sito ze mnie było, krew sikała. Mnie cała seria nie zabiła, a czasami jedna kulka i fertig... Kości nie naruszyli ani żyły nie drasnęli. Najpaskudniejsza kulka między czerepem a skórą uwięzła. Ta dokuczała długo. Krwi ze mnie wyciekło niczym z kabana. Nie mam pojęcia, kiedym odzyskał przytomność. Alem się ocknął i myślę: cholera, czy to już w niebie? W oczach mętnie, gwiazdy. Niezła łaźnia. Lepka kałuża i ja w niej... Czyżby po mnie? Macam się, obszczypuję. Świat nade mną znajomy... Bez ruchu na razie, ostrożnie, żeby czegoś nie popsuć, żeby nie wrócili... Rozglądam się: swoje kąty. Żadne niebo. Ziemia. Radość porwała... Jakbym się drugi raz narodził. Jakbym zmartwychwstał. Zginam rękę, nogę, podciągam się... W porządku. Ból. Dawaj na brzuchu czołgać się w stronę domu. W skroniach dudni i pić, pić, sucho w gardle... Strach, że oni gdzieś przyczajeni, że dla żartu pozwalają, bawią się, że zaraz pociągną za spust i ogłuszą na zawsze. Taka gra z trupem. Ale naprawdę poszli. No i do dziś... Oto, ile wart łut szczęścia. Ile warta ściana. Tylko ci padli. W Dzień Zaduszny zawsze stawiam świeczkę moim niedoszłym gościom. Należycie, świeczka w butelce, na talerzyku. Kielicha wychylam na ich cześć. Niby na stypie. Ot, mogiłki, mogiłki... Nie wiem skąd, dokąd szli, ani imion. Mogiłki leśnych... Tyle po nich i dokładnie tyle samo w przyszłości po nas... Zamarła we mnie jakoś ta zwierzęca nienawiść. Zespokojniałem.

Zalesiony nasz kraj. Strony dzikie, partyzanckie. Wymarzone miejsca. Nisko rozsiadła, szerokolistna leszczyna. Gęste krzewy łoziny. Skudlone łopuchy, osty, bagna, oparzeliska. Małoż to czasu spędziłem w lesie... Bezpieczniej i u samego Pana Boga nie jest. Z tamtych czasów utkwiły mocno w pamięci wyziębłe noce, cierpki zapach leśnej zakwaski i dojmujący brak jedzenia. Przeklęte, jątrzące mżawki. Zawsze skośne, zawsze prosto w twarz. I chłoszczące namokłe witki. Odparzone stopy i chlupot w butach. Zatęchłe onuce. Omszałe trzęsawiska po pachy i wieczna trwoga. W głębokich bajorach mrocznie rozjarzone zwodnicze ognie. Rzewny urok przycupniętych na skrajach zagajników chałup. Kołowanie... Rozgarniasz przed sobą w nieskończoność lepkie piekło i brniesz. Dyszysz w czyjąś potylicę, w czyjś kark podgolony. Czujesz czyjeś rzężące sapanie, jakby kto płuca zamierzał wycharczeć. Gorąc czyjegoś sapania na twoich plecach. Forsujesz zwały burej bryi. „No, szybciej do przodu. Jaja za ciężkie?" Braterskie troskliwe ponaglanie starszyzny. A nogi z ołowiu. Ledwie podźwigasz, ale wciąż zipiesz. Karabin niczym armata. Tylko w brzuchu nadzwyczajna lekkość. Do mdłości, do zawrotów głowy. Anarchia kiszek... Tak, anarchia, choć z zewnątrz żelazna dyscyplina. Wojsko bez dyscypliny niczym ziarno luzem. Uff, byle nie zostać w topieli, boś przepadł. Kto ciebie wyciągnie, jeżeli ugrzęźniesz? Tu nawet sam czort zapałką nie błyśnie, nie mrukine „dobranoc"... Rozlana bryja i ciężarna zieleń. Twoje przekleństwo i jedyny ratunek... Tępiłbyś zarazę, zniszczyłbyś i siebie. A ludzie podziwiają. Na chwilkę wpadną: „Ach, jak u was pięknie, wprost żyć, nie umierać". Zapachy... Ćmiakały kroki. W miarę możności miarowo i cicho. Rytm rządzi światem i utrzymuje przy zdrowiu. Lufy karabinów w dół, przepisowo, i niekiedy świdrujący dym samoskrętów z rękawa, bo surowo zakazane. Nie było komendy „spocznij, palić wolno". Coraz rzadsze przyjemne komendy. W płucach łaskocze. Rozbrajające omdlenie. Powieki zamykają się same. Wrastają nogi, gdzie stoisz. Oooo, nie można się rozkleić. Pohybel w kipieli... Lufy w dół, żeby proch nie zamókł. Odrezanki pod połą. Kopyta za pasem sterczą niby wylazłe żebra. Niektórzy pobrzękują, przepasani na krzyż taśmami naboi. Zdobyczne skarby...

Mundziuk Jaremowicz. Piękny, pleczysty, prawie z obrazka. Smukły, wysoki, smagły, kudrawy włos, słowiczy głos... W chórze parafii pierwszy. Nagle potknął się. Podbiegłem z pomocą. Padł niby podcięty, w pół słowa przełamany. Coś opowiadał i przerwał. Nawet strzału nikt nie słyszał. Zbłąkana kula go znalazła i pocałowała.

Daleki trzask, jakby kto suchą gałąź złamał, i życie pękło, rozsypało się w proch. Potem dowiedziałem się, że w tym samym czasie u matki w domu struna w wiszącej na ścianie gitarze pękła. W jego gitarze. Ni stąd, ni zowąd pękła. Magia? Przesądy? A pękła. Znak niechybny, że czyjeś życie się urwało.

Stara Jaremowiczowa, rwąc włosy i wyliczając, krzyczała nad trumną: – Wiedziała ja, wiedziała, uprzedzała, nie słuchał. Prosiła, nie idź. Poszedł i ma, ma za swoje. – Tarzała się w rozpaczy. Gryzła do krwi palce.

U nas mówiono o niej: listonoszka, bo w Wilnie, przed wojną, jej mąż listy roznosił. Uciekli z miasta na wieś. Nie uciekli za daleko... „Listonoszuka zabili, słyszeli?" – szła posępna wieść pocztą pantoflową po okolicy. Tym szybciej, że niektóre dziewczyny szalały za Mundziukiem, za jego urodą, delikatnością. Niejedna brzuch w ukryciu miętosiła z tego powodu. Pod wieczór, kiedy letni dzień miał się ku zachodowi, niejedna słabła na charakterze i ulegała. Wprost nie dziewczyna, a wosk... Gorące zarazy w naszych stronach, pod miechem w kuźni hodowane. Gorące i kotne jak króliki...

Struna w gitarze pęknie i komuś życie na początku drogi urwie się raptownie. Komuś bliskiemu. No, chryja – ale wygraj z taką durną struną, niechaj nie pęknie. Jaremowiczowa zachłystywała się: – Synok, moj synok, ty, opiekun, czemu nie wstajesz, matce nie pomożesz? – tarmosiła ciało. – Wstawaj, a ktoż mnie pochowa? Kto polankow mnie, starej, nieudałej brzemko pod piecka rzuci. Bożeż ty moj, za kara... Kto na prostki do mnie przyleci jak anioł...

A ludzie na klęczkach szeptali: – Anioł zwiastował Pannie Maryi... Wieczne odpoczywanie racz jemu dać, Panie, a światłość wiekuista niechaj jemu świeci. Amen... – Żegnali się w trwodze. Struchlałe wargi nieposłusznie odmawiały modlitwę. A nuż Niemcy... A nuż ktoś doniesie. Wyliczania i lamenty nie pomogły, Mundziuk nie zmartwychwstał. Tylko żałobny wiatr nad nim młyńca zakręcił, zakotłował, zawirował szaleńczo.

Garść liści porwał i het, w górę, na wiwat rzucił. Piachu grudkę na usypany kurhan sypnął i poleciał innych rzeźwić przy leśnej robocie albo grzebać, nad innymi rozpaczać. Wiatr, lekkoduch, zawsze pod ręką, kiedy trzeba, ale i znika, kiedy jeszcze mógłby chwilkę pozostać. Po nim niedosyt. Dlatego zawsze tak mile oczekiwany i tak wielce treściwy, kiedy przyleci.

– Akuratnie ty musiał, ty – groziła niebu listonoszka. Zachłystywała się porywistymi zawiewami. – Ty, synok moj, kwiatuszek ostatni. Karmiciel.

Wierzchołki drzew sztywne, na baczność, rozpalone karminowym, słabym słońcem. Na twarzach kładły się fioletowo-rdzawe plamy. Kremowe chmury krążyły po widnokręgu. Rosa siadała na trawę. Drzewa nad rozpaczającą matką trzymały wartę, skłaniały się nisko, chyliły korony. Nawilgłe gałęzie kitami miękkich liści obkładały nasze umartwione czoła. Złamany wracałem z pogrzebu. Tracić bliskich na wojnie niby rzecz zwyczajna, ale ciągle bolesna.

Pod koniec partyzantowania między nawisłymi brzegami puszczańskiej Solczy ukrywaliśmy broń i amunicję, rzemienne pasy i ładownice, wiązki granatów. Kurtki mundurowe i orzełki z koronami zamienialiśmy w przygnębieniu na samodziałowe kapoty i kaszkiety z grubo walonego sukna ze złamanym kozyrkiem.

Łamaliśmy po wiejsku daszki, że niby bardziej zniszczone... Wojna wygrana, my przegrani. Nie jako zwycięzcy wracaliśmy do domów. Nie wiedzieliśmy, komu i jak służyć dalej. Wracaliśmy w niepewność, ale w lesie też bezpieczeństwa zabrakło. Z opuszczonymi i wtulonymi w ramiona głowami, wstydliwie, a może tylko płochliwie, w strachu przed wydaniem, wracaliśmy. Na swoje, a jakby nie nasze, na obce... Już wyłapywano, już gnano na Sybir za zdradę, już pod sąd polowy niejeden trafił. A białych niedźwiedzi nikt nie miał ochoty odwiedzać, więc wracano chyłkiem, ze zmartwieniem na twarzach... Całe szczęście, że Raby w porę się napatoczył. Przynajmniej zajęcie. Też, nieborak, zagubiony. Rozbitek jak ja. Wrócił sens. Warto było rozpoczynać od nowa. Po omacku, ale od nowa. Jedliśmy śnieg, grzaliśmy się w blasku księżyca. No i trwamy... Splątani w węzeł nie do rozplątania. Ściskanie łapy białej niedźwiedzicy – perspektywa żadna, a my, wiadomo, odtrąceni.

Po kostki w rzadkiej mazi. Roztopy wiosenne i na zmianę jesienne szarugi. Zimnica. Do znudzenia.

A nie najgorzej było robić zasady na wroga i trrrach, seriami, między szyje a krocza. W głowy nikt nie celuje. Za mały punkt. Wojna to nie brawura i nie zawody sportowe, nie popisy. Liczy się skuteczność przy najmniejszym zużyciu amunicji. Najtrudniej było zdobywać wyżywienie. Ludzie wymordowani kontyngentami, szarwarkami, wygłodniali. I jak tu rekwirować ostatki... Wchodzisz. Wszystko poupychane po kątach. W skrytkach. Nawet kury nie widać, a kura w każdym gospodarstwie obowiązkowa... Nędza, a zabrać coś trzeba, mus, bo zdechniesz z głodu... No to do katucha. I tam pustki...

– Odkręcili głowy... I kurki, i jajeczki zabrali, panoczku, zabrali...

– Łżesz, czego breszesz, gospodynia, dla swoich żeż. Nie szkoduj...

– Jaż, dalibóg, nie szkoduja, ale kiedy nie ma, panoczku. Zbawicielu...

I łup na kolana. I do rąk. Dawaj całować... Trzeba było mieć doprawdy kamienne serce i żelazne nerwy, żeby nie roztajać.

– Odliga tej zimy za bardzo, panoczku, zbawicielu, i bulba pogniwszy, zaparzywszy sień. Niczego nie ma, Matko Ostrobramska, nie ma...

I pełznie za tobą babinka na kolanach. Musisz okazać twardość, inaczej sam się rozpłaczesz.

– A gdzie dzieci? Mąż?

Trwożliwie rozgląda się na strony.

– Można prawda gadać?

– Mówcie, byle szybciej...

– Do lasu za leśnymi poszli. Już szmat czasu, ani słychu, ani dychu...

Rozterki rozterkami, a zabrać coś musimy. Po tośmy przyszli. Nie na pogaduszki. Chyba żeby się zgodzić na powolne wyzdychanie. Trzeba wybierać, podejmować decyzje między złym a gorszym.

– Nie płaczcie, gospodynia, po wojnie dobytek pomnożymy. Zabrane oddamy.

I szperamy. Myszkujemy. Kobiecina pełza za nami.

– Nie oddacie. Już tyle wojnow ja przeżyła. Wojaki nie oddajo, co raz zachapali. Wiem. Pomsty w niebie na was nie najdziesz...

Nie do wytrzymania.

Albo gdzie indziej, w innych zagrodach, kobietom ręce drżą. Nerwowo dzieci kołyszą. Dzieci wrzeszczą. My tłumaczymy:

– Swoi, swoi...

– Wszystkie tak gadajo...

I nikt nikomu nie wierzy. Tłumy „swoich" przewalają się, trudno się rozeznać, jaka kostka pasuje do jakiej. Pomieszanie... Trochę większe dzieci trzymają się matczynych podołków. Żal serce ściska. Stropione karmelkowe miny: skrzywdzą czy pastylką sacharyny poczęstują... Wojenny przysmak... Ekstrakt niepewności na umorusanych buźkach. No i zabierać? – w nas również wątpliwości. Trwa przeszukiwanie w świrenkach, stodołach, pod krejkami, na wyżkach. Czy nie wisi gdzieś ukryty połeć słoniny, smakowita kiszka, kumpiak albo i kindziuczek. Wszędzie nos wtykamy, wszędzie nas pełno. Przetrząsamy słupy i kieszenie z omłotem, kopy siana, stogi. Kłujemy szpikulcami. Nagle jakiś dziki wrzask. Aha... Okazuje się, trafiliśmy na kryjówkę.

– Kto tam?

– Uwaga, gotuj – pada komenda, któryś z bronią w pogotowiu odskakuje do tyłu, na osłonę.

Rozwalamy słomę i wywlekamy dekownika.

– Ja, panoczku, przed łapanko, żeb do Niemcow nie wywieźli na roboty...

Stoi zgnębiony, trzęsący się, zmięty.

– Dlaczego naszej ziemi nie bronisz? Dlaczego nawet jedzenia nie chcesz dać? Gdzie obowiązek? Odczuwamy głupotę retorycznych pytań. Ale dekownik kruszeje i nam złość opada. Dzielimy się niemal jak bracia. Wykupuje się chętnie, byle go w spokoju zostawić. Prowadzi na skraj lasu. Odgarnia płachtę darni. Włazi do jamy. My ubezpieczamy... Wyciąga prowiant: ser, jajka, słoninę silnie zasoloną.

– A co ostrzejszego na ząb? – apelujemy, bo widać, że kutwa i nie najbiedniejszy.

– A owszem, owszem, najdzie sia...

Już taszczy butlę mętnej, ale dobrze schłodzonej hary. Wypijamy duszkiem w szklankach po falbanki. Zwyczajowo wpierw się wzdragamy, ocieramy rękawem usta, wąchamy skorynkę chleba i przegryzamy kanczarkiem kwaszonego ogórka. Maczamy słoninę w pieprzu. Uch, i chorobę przepali. Trudno chwycić powietrze...

– Mocna ona hara. I trupa oczuchałab – chwalą kompani samogonkę.

Rozstajemy się w najlepszej komitywie i wiemy, że odkryliśmy metę. Częściej będziemy tu zaglądać, żeby gospodarz w sadło nie obrósł. Drobny szantażyk i zysk pewny a niebagatelny. Mamy i na ząb, i na przepłukanie kiszek. Jeszcze na odchodne błagają, żeby ich ochronić, bo bandy grasują...

– Dobra, dobra – odpowiadamy na odczepnego. Pocieszamy, a przecież pewnie i my w ich opinii należymy do bandy.

Skruszeli i znalazło się, co trzeba. Nieraz żałość. Nieraz zadowolenie. Taka służba poganna. Zabierało się, dobierało do schowków, rekwirowało. Ludzie łgali i klęli ze świątobliwymi minami, życzyli nam noża w plecy. Nieraz i rzeczywiście niewiele mieli. Niektórzy, bardziej zorientowani, prosili o pisemne potwierdzenia. Niezłomna wiara w potęgę biurokracji, w czar świstków papieru, w pieczątki. Tłukliśmy im te magiczne stempelki na pocieszenie z frajerską przyjemnością. Jeżeli takim kosztem mają być szczęśliwi, proszę bardzo. Uroczyście przynoszono papier, koniecznie kratkowany albo do kaligrafii, w skośne linijki. Podstawiano lampę naftową, kałamarz, rondówkę. Nad stołem jasny krąg spod blaszanego, emaliowanego na biało abażuru. Skupione twarze pokrywała kreda powagi o niebieskawym odcieniu. Brakowało tylko potańcówki, bo niekiedy i panny asystowały, tłoczyły się ciasną gromadką na ławach pod ścianami i popiskiwały z zachwytu. Wyposzczone, spragnione, gotowe na skinienie palcem. Byle połasować przyjemności. Pocieszyć swoje szesnaście lat, bo na wsi powyżej to późne staropanieństwo, a po dwudziestce prawie starość. Trzeba korzystać na chybcika. Po spisaniu pokwitowania co bardziej wygłodzeni, z wojskowym drygiem, choć prawdziwej musztry nie znali, jak który uważał, kiwali głowami i brali pod pachy wylęknione dziewczęta...

– Odprowadź, nu, choćby za drzwi. Czegoż boczysz sie? Niedotkniona – zachęcali ceremonialnie.

– Boja sień... Nieznajomy...

– Ot, wyjdziem na podwórze i poznajomim sia...

Buchał zadziorny młodzieńczy rechot pod niebiosa. No i wychodzili „znajomić sia".

– Tylko, chłopcy, szybko, zaraz zbiórka – rzucał srogo dowódca. – Nie rozłazić mi się i uwaga na broń...

Mądrych uwag nigdy dość, a strzeżonego Pan Bóg, tak, tak... Podochocą się zbytnio i coś im jeszcze we łbach zakwitnie niezdrowego: tęsknota za matczyną spódnicą, za domowym ogniskiem – a to gorzej niż żołnierska śmierć.

– Ot, dzienkujem pienknie za kwitek. Przed inszymi bendzie czym potłumaczyć sie. – Troskliwie zwijali papier i pakowali za obraz. – Rozmaitych grupow po lasach zatrzensienie. Badziajon sia bez tołku i rabujo, oj, przepraszam, zabierajo...

Fakt, rozbój się zdarzał nierzadko pod płaszczykiem partyzantowania. Załatwiano wewnętrzne porachunki. Strzelano do siebie przez drzwi bez uprzedzenia. Rabowano. Odczytywano fikcyjne wyroki. Wykonywano je. Puszczano z dymem zabudowania. Łuna nocą falowała nad wioskami.

Przejmująco ryczały krowy wleczone na rzeź, kwiczały konie, beczały owce. Ludzie w pośpiechu pędzili, co się dało. Martwe ciała wpychali pod żelazne łoża, pod ławy. Mężczyznom krępowano ręce drutem kolczastym. Gwałcono kobiety. Nie uszanowano ani wieku, ani błogosławionego stanu. Na zgliszczach i popieliszczach

23

sadyb podkradały się cudem ocalałe koty swoje stare kąty obwąchać, zwinąć się w kłębek i podrzemać. Kładły się koło sterczących w niebo i cuchnących sadzą i spalenizną resztek pieców, kominów. Oszalałe psy tykały nosami kamienie podmurówek, siadały i wpadały w trans wycia, zadzierały głowy i wyciągały szyje, ich ciała podrygiwały. Zamroczone swoją pieśnią zagłady, często dawały się podejść całkiem blisko. A potem, zaskoczone, zrywały się i gnały w pobliskie zarośla, by tam wiernie oczekiwać powrotu swoich właścicieli. Tylko psy i koty potrafiły tak wiernie czekać i ufały niezłomnie w powrót, w ocalenie. Potem albo ktoś je brał na przechowanie, albo gdzieś ginęły bezpańsko, jak ludzie.

Ze zgliszcz wiatr podrywał snopy iskier i tumany popiołu. Odsłaniał wybielone kości. Piołuny porastały popieliszcza... Ucztę mordowania suto zakrapiano krwią. Lękali się wszyscy wszystkich. Noc była przekleństwem każdego dnia. Nocą nagle ożywały lasy i opłotki, trwoga biła w krzyże okien.

I znowu przemawialiśmy do sumienia opornych, przemawialiśmy czule i braliśmy, co trzeba...

– A ty, gospodyni, żałujesz nam, swoim? – gospodarze rzadko się zdarzali – żałujesz jedzenia?

– Skąd my żałujem... A wiadomo to, kto swój? – rezolutnie odpowiadały gospodynie i dzielnie odpierały nasze rekwizytorskie zapędy. – Kto czyj, po czym poznać? W nocy wszystkie koty czarne...

Zapierały się i dalej ani rusz. Pozostawała przemoc.

– Wiadomo, że swoi – perswadowaliśmy cierpliwie. Ale na zbuntowanych, wyrwanych ze snu późną nocą nie ma innej rady nad krzyk. Wystarczało podnieść głos, jasność umysłu natychmiast wracała. Strzępy snu ulatywały. Obsiadały suszącą się na sznurach za oknem bieliznę, pryskały w górę, w spowite pajęczyną gniazda mroku. Chybotały ponure cienie na ścianach. Czerwone refleksy filowały na szybach.

– Wiadomo, że swoi. Nie widać? – Tykaliśmy palcem orzełki na rogatywkach. – Dotknijcie i sprawdźcie, korony. To nie kury bez koron. Prawdziwe... – pletliśmy rozmaite dyrdymały.

Kobiety cofały się przezornie, ocierając nerwowo dłonie o fartuchy. Czym jeszcze mieliśmy przekonywać?

– Co, niedowiarki, za mało? Rogatywki, orły w koronach. Co jeszcze?

– A my nic takiego nie mówim – i dalej tępota w oczach – gadacie swoi, nu, to swoi... A czyjeż wy? Wszystkie swoje – bąkały w popłochu. Biegły do kuchni. Coś smażyły, pobrzękiwały garnkami, patelniami...

– Swoje, swoje – niósł się mocno wyciszony szept – wstawajcie, jajkow trzeba podsmażyć...

Jeżeli się trafiały bogatsze obejścia, obowiązkowo jajecznica na skwareczkach wjeżdżała na stół. Zasłaniano szczelnie okna. Wystawiano warty i często przeczekiwano w zamaskowaniu dzień do następnej opiekuńczej nocy. Dopiero po zażyciu zasłużonego odpoczynku w prawdziwym domu ruszano w ciemną głuszę bez kierunku. Cichły spory. Rozpoznania dokonywano już w marszu. Rozsyłano czujki, zasięgano języka, przodem podążał zwiad. Napotkani przypadkowo wędrowcy pierzchali niczym zjawy w gęstwinie. Niekiedy udawało się ich przyłapać. Ot, pijani wracali z wieczorynki albo od narzeczonej, bo życie się toczyło po staremu. Zdarzało się też, że decydowali się iść z nami, czyli dla domu przepadali bez wieści. Powiadamiali po kilku tygodniach, że zostali w lesie. Jakoś przecież należało uzupełniać straty. Na nasz widok ludzie w przerażeniu opuszczali wzrok, zapadali się pod ziemię, omijali, udawali, że nie widzą. Wiadomo, straceńcy... Spotkać uzbrojonego znienacka – słaba przyjemność. Ani rozpoznać, ani zapytać, bo od pytań uzbrojeni, nie cywile. Cóż rzeczywiście znaczyło: swój, swoi? Dla każdego coś odmiennego. No, prawie dla każdego... Mało zdarzało się prowokacji? Podmian? Kiedyś w Ejszyszkach pomordowanych Litwinów pokazywano publicznie ku przestrodze. Leżeli rzędem na chodniku. Potem Żydów ułożonych rzędami przy cmentarzu. Polaków... Nikogo nie brakowało. Ku przestrodze. Kiedyś może się okazać, że to my, Polacy, rozpętaliśmy II wojnę i że hitlerowcy z Sowietami pierwszego i siedemnastego września 1939 roku pośpieszyli z pomocą Żydom przeciwko Polakom maltretującym i mordującym innowierców. Wszystko możliwe. Obym tych dni nie dożył, kiedy powiedzą uczeni historycy, że Polacy wiarołomnie wbili nóż w plecy hitlerowcom i Sowietom. Odtrącony zawsze zostanie niepokorny.

Ot i polka-trepietucha, raz na mokro, raz na sucho: swój, swoi. Płynność. Pamiętam tego sługusa gestapowskiego, szaulisa. Stał pochylony nad zabitymi Litwinami i powtarzał z fałszywym żalem: „su Diewu, su Diewu"... Nie wierzyłem w żadne jego słowo. Morderca, a klepał: su Diewu... Ileż on ludziom krzywdy wyrządził? A tu nagle: su Diewu... Co akurat miał wspólnego z Bogiem? Chyba tyle, że potrafił wymawiać to słowo i ludzi wyprawiać na śmierć.

Żegnał młodych chłopców przed spuszczeniem do wspólnego dołu. Leżeli w zielono-granatowych mundurach z czerwonymi wypustkami. Okazało się, że swoi swoich przez pomyłkę załatwili. Hasło się poplątało? Odzew? Ileż znaczeń posiadało niewinne słowo: swoi... Zieloni, czerwoni, biali, faszyści, szaulisi. Dla jednych swoi, dla innych obcy.

Od pstrokacizny mundurów we łbie się ćmiło. Należało z największą ostrożnością odgadywać, rozpoznawać i przyznawać się do swoich. Za każdym załomem, za każdym kamieniem mógł czaić się nieproszony „swój", najgroźniejszy z groźnych. Szaulis. Łapczywa sobaka. Mnie jedynie oszczędził... Nie wiedzieć czemu, cieszyłem się u niego dziwnym mirem. Na coś liczył? Na ewentualne względy w przyszłości? Bandzior. Wzdragam się nawet mówić o tej bestii w ludzkim ciele. Od jesieni 1939 do 22 czerwca 1941 roku – prześladowania, wywózki. Pierwsi Sowieci. No i jeszcze gorsze lata 1941–1942, właściwie do 1943. Zaczęliśmy organizować samoobronę, Związek Walki Zbrojnej,

AK, słynny „Wachlarz". Największe rozpasanie szaulisa przypadło akurat na przełom 1941 i 1942 roku...

Wiedział o mnie wszystko – mieszkał po sąsiedzku. I nie sypnął... Co żyło, drżało na jego widok, a do mnie na pogaduszki zachodził... Coś go widocznie hamowało. Byłem mimo woli jego cichym zakładnikiem i wspólnikiem. Parszywe awanse...

Upodobał sobie... Darzył mnie zaufaniem, drań, chałuj, łachudra. I zmuszał do tego samego. Porzygać się można. Grałem. Udawałem. Nadskakiwał, szachrował i szantażował, posuwał się do połajanek i gróźb. Skończył tak, jak na to zasłużył. Mierziło mnie, kiedy odwoływał się do dobrosąsiedztwa i otwartości, kiedy się szczerze obrażał, kiedy mnie nakłaniał do pracy na dwa fronty, jednym słowem, do współpracy z gestapo. Złote góry obiecywał. Wykręcałem się jak piskorz, moje życie wisiało na włosku. Musiałem taktycznie znosić te zniewagi. Na samą myśl ciarki przeszywają. Ościerwiały, najnikczemniejszy pod słońcem bydlak. Podłe, plugawe barachło.

* * *

Blaszany księżyc wisiał nad nami niby znak dobrej nadziei. Wierzyłem, że koszmar minie... W liściach szurszało. Zrywaliśmy się ze snu obrzmiali i niepewni: skąd serie? Nasłuchiwaliśmy. Czyżby tylko liście? Ale serie nieustannie w uszach terkotały. Rozsadzały głowę. Wiatr w liście się wplątał i takie zamieszanie... Żwirem o szyby. Nogi pudowe. Onuce przepocone, mokre i prześmierdłe. Człowiek tygodniami niemyty, niegolony, nieczesany. Palce – jedyny grzebień. Łeb zawszony. W każdym szwie ubrania wszy. Trwały wściekłe ataki snu i potępieńczej jawy. Błąkały się zwidy po rozstajach, bojąc się własnego cienia. Szczęk zamków. Obowiązkowe czyszczenie broni. Ty możesz być brudny jak nieboskie stworzenie, ale broń... I nieustanne oczekiwanie, czy w potylicy ołów nie uwiązł. Poczułbyś aby? Teraz to brzmi zbyt patetycznie: partyzantowanie...

* * *

Po latach odwiedzałem Wilno. Nowe dzielnice. Lazdynai. Wysoko, nowocześnie. I widziałem kamienice stare, przedwojenne czynszówki. Coś za serce ściskało...

Widziałem kominiarzy szmygających po dachach. Czarni marszałkowie wysokości z ołowianymi buławami. Taka dachowa partyzantka, też tylko raz można się pomylić.

Płasko, stromo, ślisko. Ich dola, myślałem, podobna do partyzanckiej. Wiecznie bocianie gniazdo. Wieczna wachta na mostku. Niezgrabne porównanie. Niepewni dnia ani godziny. Zawieszeni między niebem a ziemią. A niech puści ubezpieczenie, noga niechaj się omsknie... Ale kiedy skończy się burza w życiu, człowiek raptem kapcanieje, chamieje, grubą skórą obrasta. Szczytne porywy jełczeją i zamieniają się w sadło. Marzenia blakną w zderzeniu z szarością. Przełomy. Życie kominiarzy to przypowieść o ryzykanctwie. Odwaga to wcale nie deficyt wyobraźni, nie desperacja, tylko obliczanie szans w każdym momencie... Dwie nogi, dwie ręce, dwoje oczu, uszu, ale jeden łeb i serce. Należy uważnie skradać się, mieć smykałkę i rozum, żeby przewidywać, no i niezbędny dar. Za bary z niebezpieczeństwem. Jej Wysokością. Wysokość wymaga poważania. Kapryśna mocno pani. Ponętna i kapryśna. Wysokość narkotyzuje, poraża jak grzmot. Człowiek nakręcony, na najwyższych obrotach. Nie może być uchyby: idzie, staje, balansuje. Gdzieś tam w dole kpią, układają głupie zagadki: cały czarny, a koniec biały. Kto? – Żmogus uśmiechnął się. Idiotyczny kawał. Przygryzł wargi – oczywiście – kominiarz. Partyzant, ani chybi.

Podniebne tropy. Stromizny. Urwiska. Pod stopami zdradliwe skrzypienie, niczym człapanie po rozkisłych wertepach. Uważny nasłuch. Gdzieś piorun huknął. Dalekie granie wichru w telegraficznych drutach. Sypią się skorupy dachówek, gontów. Sypią się iskry. Odpadają płaty blachy. Z deszczułki na deszczułkę, niby na trampolinie, z gzymsu na gzyms. Wycelowane w niebo lunety kominów. Dyszą ciepłem czarne czeluście.

Głębokimi kanionami spływa barwne ludzkie mrowie, ty między ciszą a zgiełkiem, ponad ludzkimi troskami zawieszony. Łagodne szemranie przestworzy i kojący bulgot instalacji domów. Balansujesz. Rozedrgana przejrzystość, porywający bezkres.

Nierozważny ruch – i korkociąg na dół. Cierpnie skóra. Dreszcz wzdłuż grzbietu. Odrętwienie. Moment niepewności. Nie ma mowy o rutynie. Co dzień trzeba mierzyć krok. Wystarczy zmylić kierunek, nierozważnie zachybotać deską. Napięta uwaga i niezdrowo podniecający magnetyzm: zaryzykować. Brzęcząca cisza jak symfonia. Refleksy światła. Pozory spokoju. Mgliste smugi i przymrużenie oczu: widnokręgi i tabuny pędzących koni, wiśniowe zady, kłęby sierści, dzwonki uprzęży, tętent i kwik źrebaków, przerażenie tropionej zwierzyny.

Uniesione ramiona: poddanie czy zamiar uderzenia... Wycelowane lufy. Z czarnych paszcz kipiel i krople prochu. Język uczepiony podniebienia. Pachnący mięsem ołów... Bluzga ogień. Burzy się biologia. Chce się rzygać. Ktoś uchem przypadł do ziemi, do szyn, do dachów. Słychać wrogie dudnienie? Kombinacja żaru i węgla, prochu i spłonki. Zakwitają róże, pióropusze nad kołnierzami kominów.

Jeżeli towarzyszy łut szczęścia: zwycięstwo. Gzyms wytrzyma, w porę złapany, nie obsuną się cegły. Byle szybciej z opresji, byle wyrwać się z piekła. Udało się... W porę zadziałał instynkt.

Rotacja ciała: w lewo, w prawo. Straszliwy wysiłek mięśni, podciągnięcie się na koniuszkach palców, ślisko, następny ruch robaczkowy. Podciąganie się w górę, wsparcie na łokciu. Pierwszy etap wygrany i gorzka świadomość: nikt nie pomoże. Karaskasz się z tamtego świata na stronę słońca. Byle się utrzymać, nie puścić. Głębokie karby na własnej skórze, krwawe pręgi. Odczytywanie hieroglifów, bo w każdym karbie sekret zaklęty. Łomot w skroniach. Płytki oddech, krótka decyzja

– ku słońcu. Blacha pod językiem, niepojęta sucha ślina. Pot oczy zalewa. Milimetr po milimetrze, ku ocaleniu, z czeluści niebytu. Szatan już podgrzewa kotły, miesza smołę rydlem. Już w szponach kielich na wiwat.

Wpierw palec, następnie dłoń, łokieć, przegięcie w pasie. Byle coś trwalszego pod stopą. Mogę się pobożyć: nigdy dobrowolnie na taki manewr bym się nie połasił. Można nie zapanować nad straceńczym odruchem.

Wpierw broda na półkę, robaczkowy ruch palców. Poszukiwanie oparcia. Mocne złapanie się krawędzi.

Pełne dłonie zbawienia. Czujesz wszechświat wraz z metafizyką. Asymptotycznie dotykasz ziemi. Nadludzkim wysiłkiem wciągasz brodę za krawędź. Każda rotacja fotograficznie utrwalona. Wyobraźnia podsuwa sto rozwiązań, wszystkie nieprzydatne. Każdą fazę można odtworzyć z dokładnością mikromierza i tabliczki mnożenia. Wtarabaniłem pierś, uff, ciężko, szykuje się odlot, ale skrzydła zwinięte, trwam na posterunku podniebnym, już brzuch po stronie zwycięstwa, tułów, zranione kolana. Byle się prześlizgnąć przez szatańskie ucho igielne. Zbawienne tarcie, jak najmniej poślizgów. Byle przesadzić poprzeczkę, byle ciało przeważyło na dobrą stronę. Niech piekło pochłonie słabość.

* * *

Zabijaki, ledwo od ziemi odrośli, ledwo im mleko pod nosem obeschło, już rwą się na cudze, już łase by coś zachachmęcić. Jakieś zasadzki urządzają. Dziewczyn przez most do kościoła nie puszczają. Wodą od spodu pompkami szprycują, gapią się pod spódnice, niezadługo zdzierać zaczną, szatańskie nasienie. Kto im się sprzeciwi? Koło młyna Pryszmonta strach przechodzić – mówili – Raby napada z bandą oberwańców. Grasuje przeklęta chebra bezkarnie, zakłóca porządek od wieków ustalony. Podobnoż okręt majstrują, ostatnio jakby trochę przycichli. Tyle dobrego. Znalazła zajęcie gówniarzeria, korbą kręcą, dziury świdrują, siekierą machają. Plaga boska.

Młyn Pryszmonta zastępował miarę dobrego wychowania: jeżeli przez most udało się, jeżeli pokonało się piaszczystą groblę i pod górkę przez chwojniak, to jakby zbawienie, ratunek z nieba. Miód na serce. Mimo kruchego spokoju i majstrowania przy okręcie w powietrzu wisiała niepewność, jakby zagrożenie.

Podobnoż z żaglem – mówiono przez ściśnięte usta – podobnoż z bierwion ociosanych, z szałasem zamiast kabiny. No, niby tratwa, a prawdziwy okręt. Pitraszono plotki z zapamiętaniem: mieszano szczupaki i płotki, a świat był daleko, za lasem, cierpliwy.

* * *

– Nagle odludek z Rabego, za las nosa nie wyściubia. Przynajmniej spokój w okolicy. – I coś przeczuwali, coś się kroiło. A jeżeli krowy ryczą, to przeważnie dojne. Trudno, obejdzie się smakiem – poburkiwał Wićka, dłubiąc przy kamaszach, co je w prezencie dostał. Kamasze to świętość, na co dzień bosonóż albo w kłumpiach.

– Stary rzemieniem częściej plecy garbuje Rabemu. Tęgi bzik, choć dba o dzieciuka, i do sąsiadów wcale nie garnie się.

– Chłopca chowa na odludka. Nie będzie jak Beniuk, co niezadługo kogoś kułakiem zdzieli czy nogę podstawi – mówili. – A Wićka Songinów czy ten niedorobek Wiereszkuć z Bartowtów istni obwiesie, czorty, nie dzieci. Wojna jeszcze nikogo na porządnych nie wykierowała.

Jucha na przywitanie, postna polewka.

– Beniuk-kindziuk – przezywał Piećka Arnolbik kolegę, co później zmarł na czerwonkę, krzepkiego wyrostka o niemiłosiernie zwichrzonej czuprynie i krzywych nogach. – Kabłąki – mówiono. – Kto tobie nogi na beczce prostował? Gadaj po dobroci.

– A u ciebie giry kliszawe – odgryzał się Beniuk zajadle.

Już się dopadali. Już kurzyła trawa, brali się za bary i przewracanego, w dążki, już z nosów krew ciekła. Hurmą gnali przed siebie. To nie przelewki gdzieś takich spotkać, odzież zmarnowana, a z odzieżą krucho.

– Chodźcie, prendzej, pacany, podpylim czyja pompka z roweru.

– Wiem, gdzie Kisiel rower trzyma.

Natychmiast ruszali galopem, znów się naparzali. Z dzikością. Nie bliżej – a dalej. Tak tkali na krosnach, jak się udawało.

Dla dodania sobie lat i dorosłego fasonu kurzyli skręty, mocno się sztachając, głośno przeklinali, żeby ich słyszano. Skręty ukręcali ze znawstwem, cierpliwie, z urywków gazet, ze skrawków książek, sypali samosiej multanowy, na proch utarty, suszony na słońcu, dla polepszenia krojoną machorkę kruszyli w garściach. Liście tytoniu z papuszek brali, przekleństw zadziornych uczyli ich starsi. W niedzielę włosy czesali na mokro lub mazali sadłem, przed ułomkiem luster przywdziewali koszule z krochmalonego płótna – drewniane guziki, gestka i stójka – na bakier kaszkiety. Paradowali wsiowymi dróżkami-steckami, wzdłuż płotów, przy sadach, żeby bliżej uli. Dziewczyny z bojaźnią trzaskały oknami, chłopcy im na palcach wyznawali miłość, demonstrowali, jak się dzieci robi. I co w trawie piszczy, jeżeli przylepna która i się łatwo zgodzi. Zapraszali do lasu, rechocząc na całe gardło: że pod krzaczkiem ciepło i że bezboleśnie rozwiążą kokardy, co pod szyją noszą, że na przypiecku rodzi się bździna i smrody w komórce.

– Chodźcie, pokażem wam szczaw zajęczy i gniazda sikorek, jak jagody rosno i jak dośpiewajo.

Dziewczyny z ciekawością mrużyły oczy, zerkały na biodra, rozgniatały piersi, ale nieodważnie, trochę po kryjomu, żeby nie za dużo mogli zobaczyć, czmychały do komórek i z ukrycia, przez szparę, liczyły pocałunki. Której się śpieszyło, oknem skakała.

– Ty znowu do zbirów – gromiła matka.

W powrotnej drodze z lasu chłopcy nieśli im w kubkach z kory poziomki, maliny, czernice, trochę pijanic. Sypali do mleka. Szykowali ucztę na cztery fajery. Jedli z namysłem, mocno posiorbując dla dekoracji, smakowicie przegryzali chlebem, pierwszy od rana posiłek.

– Kto chciałby pokopcić czy łyknąć siwuchy – wołali z zachętą – niechaj spróbuje, na prosty charakter, a przed wieczorem gramy w kaciołkę, możecie popatrzeć.

– Nu i patrzajcie, jagoda sień zesrała – dowcipkował Wićka. – Sok cieknie, puściła – tokował niewinnie i miął przyrodzenie.

– W mleko jakby kto juchy napuścił, jakby nalał czarnego atramentu – zgadzała się reszta. Beniuk palcem mieszał w głębokiej misce.

– Nie bełtaj, bo zwonituja.

– Nu i obrzyda, gęba jak siewienka, nogi jak hołobli. Ja myślał, że tylko ze smarkami w jajcach nie możesz poradzić, a ty z jagodami w poprzek. Nie nastarcza mięsa, jagody wtryniaj – drażnił się Pietruk – te zarodki w jajcu to ciąża u baby.

– Obrzyda, obrzyda – nie ustępował Beniuk, ciągnąc karafkę z kredensu.

– Nie ruszaj, nie gabaj, bo to papusia, on na pączkach nalał, na spirytusie – broniła dziewczyna dostępu do skarbów – ty klejnotów pilnuj i u mnie nie grzebaj.

Mimo ostrych swarów jedzenie znikało błyskawicznie.

– Ot tak, bez opieki niczyjej, rosną jak staubuny, jak grzyby na deszczu w polu, jak lebioda w pokrzywach czy piołun na śmietnisku, czartapałochy – mówili dorośli – zaniedługo zbrzuchacą dziewczyny, im po czternaście. Szesnastka im strzeli, ani zgadniesz, kiedy się która odwinie i majtki potraci, a tych gagatków nie powstrzymasz, tylko się czają, tylko węszą. I kto upilnuje, krzaków w lesie dużo. Im śpieszno, aż się trzęsą, w gaciach moszny miętoszą. Nie ma zmiłowania i nie ma ratunku, trza posag szykować, sprzedać co na targu, żeby i dla księdza, i na weselisko, no i chrzciny szybko, albo jeszcze szybciej, zanim sie pożenio. Istna kołomyja z tymi bachorami, rosno jak na drożdżach, ot i takie krosna i wątek z osnowo, że brzuch nos podpiera, choć jeszcze siuśki w majtkach. Gdzie tu sprawiedliwość, któro Pan Bóg stworzył.

– Nie gabaj, zaraza, ślipia podmalujo, kamieniem w limo – bronił Piećka Arnolbik swego posiadania, pierwszeństwa do złowionej ryby. Sam jo wyciągnął z mułu. – Upieczem, pośpiejesz, dorwiesz się do miodu, skosztujesz. Sam porcji wydziela, bo to moja ryba.

– Nikto nie zaprzecza i tobie nie broni, udław sia. Ja nie zabieram. Ja żeż po dobroci, tylko kanczarek, ot, co miękciejszego.

– Chitry, na miękości jego zebrało. Chitiorek, chitiorek.

– Uch i wielka, musi z kilogram – zazdrościli chłopcy, ognisko rozwodząc. Znosili gałęzie i chrust, żegary, dmuchali w węgielki, rozżarzali ogień. Trzaskały polana, lizały języry nawilgłe drewno. – Upieczem na rumiano, żeby chrupiała – połykali ślinę.

– Nieboskie stworzenie – ganili sąsiedzi, co obok, gościńcem, na sumę śpieszyli z osełkami masła i z jajkami w koszach – zamiast na mszę świętą, wyciągają rybę, staw ogołacają.

Narzekaniom dorosłych nigdy końca nie ma, kto im dogodzi. Bosonóż, plaskając stopami o świeżo zaorane bruzdy, przez uczesane broną zagony mknęli na prostki do żłobu, przez chwojniak, gdzie w sierpniu zatrzęsienie rydzów. Wracali zawiedzeni. Znów rozpalali ognisko. Na skrajach płonęło, na polanach wilgoć i cień rozłożysty. Wszystko odwiedzali, każdy zakamarek, pełno ich było, gdzie ich nikt nie posiał.

– Może na polance, głębiej, dym do góry rośnie? – któryś proponował.

– Tu prendzej, kiszki marsza grajo, do żłobu matka nie podała bobu, bo krowa jałówka i zgorzkniałe mleko jak piołun. Siaro zajeżdża. Nu tak samym chlebem czego opychać sia.

Dymiła upragniona uczta, skwierczała ryba.

Od dziewcząt jasność biła niczym od świętych. Podbijając udami spódnice, szorowały gęsiego albo parkami, pod rękę, do kościoła. Kawaleria wylegała nieśpiesznie po rowach, dla przeglądu. Dziewczęta szły w szpalerze ich łakomych spojrzeń, honorowo wyprężone. Sprośne zaczepki podążały w ślad za nimi. I kiedy tak tabunem przemknęły, zrywali się chłopcy z legowisk, pośpieszali z tyłu, zamykali korowód, dogadując kąśliwie, wypatrując za marudami. Trawa w krzakach przyjemna, w pogotowiu rozesłana – barchanowe prześcieradła nagrzane. Tym bardziej pilnowały się dziewczyny, kroczyły zwartą grupką, bez przystanków, płochliwie zerkając dookoła. I w kościele panowało wielkie udawanie. Markotni nadskakiwacze pokornie gięli karki przed głównym ołtarzem, rozcierając krople święconej wody na czołach. Ksiądz Montwiłł odprawiał mszę, surowo marszcząc brwi. Grzmiał z ambony niczym sam Pan Bóg, unosząc się nad falującym tłumem w suto wyszywanym ornacie, z rozwianą stułą, waląc pięścią o pulpit z przygotowanym kazaniem. Nie trzymał się tekstu, mówił od siebie, od serca, nie dbając o zgrabne słowo, o porządek rzeczy. Grubo nazywał występki, po imieniu. Nad zasłuchaną ciżbą górował.

– Oto grzech wiekuisty, oto obraza boska, złodziejstwa i mordowanie w narodzie, samogon w każdym domu, a jakoś skruszonych nie widać. Hardo łby uniesione, bez pokory. Na kolana, pogańskie grzesznicy, błagać Najwyższego o przebaczenie. I wy, kusicielki, nie zapomniałem o was, o waszych kusych spódniczkach, co tak powieki opuszczacie? Na kolana przed Stwórcą, do zapowiedzi jeszcze kawał czasu, szkoda gadania. Muszę w waszych sercach bojaźń zasiać, ziarno zbawienia. Korniej, niżej, więcej skruchy, do samej ziemi, o kamień w skrusze, żeby grzechy zmiękły, żeby rozum wrócił do łbów zakutych, żeby zamiary zgubne pomiarkować. Kto z was dziś Pismo Święte czyta? Nikt – odpowiadał sam sobie z nutką zawodu. – Jeden Pryszmont, młynarz, bo stary, darz go, Panie Boże, wiekuistą nadzieją i pomyślnością, żeby z hołotą dawał rady, żeby się nie bał i nie drżał, żeby mu nigdy strawy nie brakowało i jeszcze żeby mógł się podzielić, żeby nikt, kto zajdzie, głodny od niego nie wyszedł i żeby na drogę dostał zawiniątko.

Wszyscy rozumieli, o kim to wielebny prawi.

– Biblii nie czytacie, przykazań świętych nie przestrzegacie, heretyki z was i z dzieci waszych, modlitw nie pamiętacie, jak wam język nie kołowacieje, kiedy do Najświętszego Sakramentu przystępujecie! Kto z was nauki Pierwszej Komunii zna? Kto zna katechizm? Nikt, zakały i pyszałki, skąpcy śmierdzący, nawet skarbonkę i tacę omijacie, antychrysty pogańskie. Na kolana, krzyżem na ziemię i skamleć o zmiłowanie Boże. Wypatrywać zabobon wam śpieszno, wiedźmy na miotłach podziwiać, swoją aluminiową ziemię wąchać, gruszki zatrute pożerać, przeklęte heretyki, na gliniastych uroczyskach ptasie jaja wydzierać śpieszno, osikowe kołki ciosać, na łozowych fujarkach grać, pogańcy. W pobliżu nie ma na was silnych, do Biblii zapędzić was nie sposób, nie ma kto wam kości porachować ani karków zgiąć, a po rozum do głowy za późno, to przynajmniej po wyjściu z Domu Bożego niech któryś rozglądnie się z pokorą nie tylko za uciechami w kusych spódniczkach. Swój kuszący wzrok niech poskromi, te pończoszki w rozmaite wzorki, ręcznie, nie ręcznie wydziergane. Skromności więcej, mniej obrazy, kuszenia, kolorowych wstążeczek we włosach. Szelest fatałaszków i prawie gołe kolana, odsłonięte szyje, dekolty aż za pas, zamiast skromnie zapiętych kołnierzyków. Hadko powiedzieć, niekończące się szyje. A co w dekoltach? Gołe staniki. A w gołych stanikach? Dech zapiera mówić. W gardle sucho. Oto grzech się krzewi bezwstydnie od góry do dołu, oto na pokuszenie ciała wystawione. Ale pamiętajcie, jeżeli diabły w duszy się gnieździły, anioły również żyły w niej. Każdy może być zbawiony i każdy może mieć anioła za przyjaciela. Niech każdy, najgłębiej zaszyty w swoim lesie, wie, że do piekła daleko, a niebo widać. Pędzić szeszka do nory, borsuka do nory, szatana z serca, oswajać Sakrament Boży, przyjmować zbawienie. Przypomnijcie, Pan Jezus na krzyżu miał opaskę na biodrach, choć był mężczyzną, kobiety przed krzyżem klęczały i włosami jego stopy ocierały. Nie zostaliście stworzeni po to, żeby purchawki na ścieżkach zgniatać. Pożytek musi być. To nieprawda, że i ty goła, i ja goły, będą dzieci jak anioły. Sakrament potrzebny. Zakasać spódnicę nie sztuka. I wy, młodzież, do zadzierania spódnic zdążycie, Bogu świeczkę zapalcie. „Hak w smak" często słyszę od was, czyż po chrześcijańsku? A pomocną dłoń wyciągnąć do potrzebującego, a nikczemność odrzucić? Każdy wie, że przy ognisku z odchyloną połą od strony ognia trzeba spać, odchylcie skrawek duszy swojej dla Pana Boga. Od strony Boga najprzytulniej. Przełomy was czekają, przyjmijcie te przełomy serdecznie. Wystrzegajcie się publicznych połajanek, rozgorączkowania i zemsty, wiadomo, szatan nie śpi, czyha i dopada znienacka. Popędliwość wypędźcie z duszy. Zaprawdę, kiedy już opuścicie Dom Boży, krzyż święty na piersiach złożywszy, kiedy już książeczkę do nabożeństwa i różaniec pochowacie, bo tylko przed kościołem je wyjmujecie. Czy kto pamięta, że i w domu modlić się trzeba? Najwyższy jest wszędzie, zaprawdę. Na co liczycie? Na cud? Na Opatrzność? Nic za darmo. Jak Kuba Bogu, tak Bóg Kubie. No i co, małowierni, tylko kupczyć chcecie? Zaklinam, wejrzyjcie w siebie. I co zobaczycie? Rozejrzyjcie się wokół siebie. I co zobaczycie? Prawdziwą Biblię. Lenicie się czytać? Ano to zobaczycie prawdziwy zapis Boga Odwiecznego, Biblię w naturze, dzieło Stwórcy na dotyk, na węch, na własne oczy, zakute parafialne łby. Cóż to są drzewa, trawa, zboże i wy, razem z kotami i psami, stworzenia Boże, wy, maluczcy. Bo co to niebo i słońce, i chmury – zapis Boży, pyszałki, zapis w naturze, porządek, przełomy jesieni i zimy, wiosny i lata. A jak to wszystko mądrze uporządkowane, ułożone w ważności, uszeregowane, jedno drugiemu nie przeszkadza, a wspomaga, niczym bogatszy biedniejszego, spragniony tego, który już zdążył się ożłopać. Ożłopać się to wy potraficie, bądźcie przeklęci. Wybacz im, Wszechmogący – unosił ręce ku górze. I po namyśle: – I mnie wybacz popędliwość, możem się zagalopował. – Skromnie składał dłonie i na pewien czas zalegało grobowe milczenie.

– Jak zdrowy chorego, jak Jezus Łazarza wspomagał, wspomóżcie Kościół. Otóż to, co wokół nas, to Biblia dla niepiśmiennych i małowiernych, to nektar dla zdrowia, to obraz Boży całego świata, naszej ziemi umęczonej. Co macie macać się nawzajem, dotknijcie Jego dzieła, otwarte, pod ręką, dostępne. Zastanówcie się nad własnymi uczynkami. Obłapiać każdy potrafi, żłopać każdy potrafi, miłować – rzadko który. – Znów się zasępił, zalał ich przecież potokiem słów. Czy trafiły? Ramiona wyrzucił do przodu, jakby pragnął ogarnąć tłum, który z namaszczeniem i w ogromnej ciszy przysłuchiwał się płomiennym słowom. Skupienie rysowało się na twarzach.

– Niech każdy w głębi rozważy, niech dotknie swojego krzyża, jak chrzcielnicy dotyka, jak niegodny dotyka ran Chrystusa, kiedy o krzyżu rozmyśla, a krzyż dźwigamy wszyscy. Ale czy który z was myśli? Krzyż upokorzenia dźwigamy codziennie, krzyż biedy dnia powszedniego, krzyż zawieruchy, barbarzyńskiego zniewolenia. Tyle nieszczęść na nas nagle runęło. Krzyża – rozłożył dramatycznie ramiona – niech każdy dotknie, to zrozumie, że go przybywa, że nieszczęścia za nami jak czarne kruki. Nawała bolszewicka do wzeszłego roku – wszyscy dobrze pamiętali lato czterdziestego pierwszego, kiedy bolszewicy uciekali przed Niemcami – a i teraz nie lepiej. – Więcej ksiądz nie mógł powiedzieć głośno. – Musimy się tułać niczym Jan bez Ziemi. Czarne kruki, czarne krzyże, cienie zmarłych. Musimy się trzymać, inaczej przekleństwo na nasz dom.

Przez barwne witraże kaplicy sączyły się dróżki do nieba. Wnętrze wydawało się przedsionkiem raju. Na dróżkach kłębił się kurz, podróżowały nimi zastępy owadów: efemerydy, ćmy, których wieczność trwa czasem od rana do wieczora, potem usychają i przemieniają się w kurz. Pachniało kadzidłem i żywicą, zleżałym suknem i zbutwiałymi starymi księgami. Przez zakrystię przemykały białe cienie ministrantów. Wąsaty organista Łopato zawzięcie kalikował, by wydobyć z piszczałek najdelikatniejsze tony. Piszczałki prześcigały się w zharmonizowanych trelach. W równych szeregach przed konfesjonałem siedzieli starsi mężczyźni w samodziałowych kapotach i w wytartych jermiakach, także kobiety okutane kolorowymi chustami. Zastygli, poważni, skupieni na żarliwej modlitwie.

– Krzyż nikogo nie ominie – ciągnął kapłan – ślepy, który tego nie dostrzega, głuchy, który nie słyszy. Szubrawiec i przyzwoity, nikt Stwórcy nie oszuka, bo każdy śmiertelny. Młodzi, oni bluźnierczo wierzą w swoją nieśmiertelną gwiazdę, ale i ich dosięgnie gniew Boży. Zgasną, nim się zorientują, że wydorośleli. Marność nad marnościami i wszystko marność, tak mówił Eklezjasta. Młodość to herezja, bezbożność, a chwała wieczna dla Stwórcy na wysokościach. Tej żywej Biblii zapisanej w naturze przyglądajcie się, kiedy pług rozdziela ziemię niczym żywe ciało, brona czesze skiby niczym grzebień, układa zboże w zagony, deszcz poi ziemię, nabrzmiewa ziarno. Życie ziemi, roślin, zwierząt i ludzi przemija. Jeśli choć trochę rozjaśniłem wasze krnąbrne umysły, chwała Bogu, zdrowaś Mario, łaskiś pełna. Pamiętaj jeden z drugim, żeś z prochu powstał i w proch się obrócisz.

W tle kazania z rzadka odzywały się zagnieżdżone pod kopułą dzwonnicy jaskółki. Czmychały między filarami, strzygły ogonami powietrze. Na zewnątrz gardłowo krakały wrony, jękliwie skrzeczały sroki. Belką stropu podniebną wędrówkę odbywał kot, ogonem łapał zmianę pogody.

Wiatr pohukiwał w kominach plebanii, rozniecał snopy iskier w palenisku. Zniedołężniała gospodyni księdza borykała się z szybrem, nijak nie mogąc go zasunąć. Podrzucała pod płytę szekaliki brzozowych drew. Buzował na stole samowar, czajniczek z naparem herbaty podskakiwał na górze. W rondlu bulgotała kartoflanka z zasmażką cebulową. Skromne dania szykowały się na podwieczerz. Parafianie dbali, żeby i mięsiwa, i jaj, i sera, i miodu nie brakowało, a przecież i chrzciny, i pogrzeby coś kosztowały. Kościelny kręcił głową z niezadowoleniem, ale czy każdemu dogodzisz? Lepiej bywało – mitygował go organista Łopato, ale daj, bracie, spokój, wojna, trudno nadążyć z opłatami, Niemiec rekwiruje. Jeszcze przyjdą czasy dostatnie, braciszku – i kciukiem pożółkłym nabijał i ugniatał tytoń przemieszany z listkiem wiśni i miodem.

– Lepsze czasy, powiadasz – dąsał się kościelny Wincenty – a tymczasem coraz gorzej. Nie wiadomo, kto swój, kto cudzy.

* * *

Porażka zamachu na własne życie. Utrata przytomności z nadmiaru wrażeń. Słodkawe mdłości pod językiem. Pod powiekami barwne fantasmagorie. Skłębione zjawy, pulsowanie w skroniach, wisielcze brawa, zamroczenie. Po ocknięciu się szorstkość spieczonych warg i smak chłodnej soli pomieszanej z krwią. Łomot tętna. Pod pachami, w pachwinach, na skroniach i czole fasole potu. Błotniste bajora, jakaś paskudna maź, lodowatość dreszczy. Nie możesz wstać, dźwignąć nogi. Ociekasz wodą, ślizgasz się w błocie. Skąd tyle płynu? Ledwie zdążysz otrzeć rękawem, kolejna porcja wygryza oczy. Kolana puchną, ledwie mieszczą się w nogawkach. Potworny huk w głowie. Diabły zabawę urządziły. Ośmiocylindrowe motory pędzą oszalałe, niby po stromych ścianach w beczce śmierci. W górę, na dół, zygzakami. Próbujesz usiąść. Obolała broda wsparta na ramieniu. Wzmożone tłuczenie serca, wariacje oddechu. Macasz żebra. W porządku. Skąd więc przenikliwy ból? Brak butów. Zerwało. Błyszczą ślady przemoczonych onuc. Rozluźniasz kołnierz... Obracasz głową... Cała. Obdzierasz połę koszuli. Opatrujesz łokcie, dłonie, stopy. Krwawi spod paznokci... Suchość zaciska gardło. Pić, pić, pić. Jedyne życzenia. Zlizujesz wilgoć ze skóry. Balsam lejący się po organizmie. Z trudem wraca otępiała świadomość. Działasz jak automat. Dobrze, że już nie pofrunę... Skrucha samobójcy, wyznanie wiary. Wreszcie możesz wstać. W oniemiałych źrenicach ukojenie: nie pofrunę! Przetrwałem.

Na owiniętych onucami nogach, z poobdzieranymi rękawami marynarki już mniej radośnie wleczesz się do ludzi. Pękł pasek u spodni. Mętlik i chaos. Migotliwość konkretów, nieuchwytność rzeczy. Oszołomienie... Jednak w człowieku drzemie potworny szatan... Może Bóg?... Oto wystarczyło otrzeć się o nicość, poznać jej przedsmak, i już na ratunek pośpieszyły niezbadane moce. Wspaniały prezent, otrzymałeś samego siebie... Szybciej rozebrać się, oczyścić. Boskie stworzenie, boskie – pocieszasz się w duchu. Jeszcze jak boskie, wprost umiłowane przez Boga... Białka przekrwione. Powieki niedomknięte. Całą mocą woli starasz się opanować trzęsionkę. Chyba czterdzieści stopni gorączki. Nękające sny: przelatujesz nad czymś, spadasz, rozpraszasz obłoki, drzesz się wniebogłosy. Mijasz zielone zagajniki, pod tobą rozległość, pikujesz w otchłanne studnie, studzisz czoło. Ktoś ci wyszarpuje kawały mięsa. Przyklejasz je troskliwie na miejsce. Przyrastają pod cudownym dotknięciem palców. Całujesz własne palce. Potem ogromne nabrzmienie, oddajesz nasienie przestworom... W porywie wdzięczności rozdajesz, co masz najlepszego. Zawodzi głowa, palce pulsują, one ciebie uratowały. I znów ostry pęd. Wycie powietrza. W coraz wyższe rejestry się wkręcasz. Jakaś wsysająca dziura nad tobą. Wreszcie nieważkość. Ziszczone marzenia. Żeby tylko wiatr nie opadł. Ale właśnie słabną powiewy. Słabną poszarpywania skrzydłami. Ze skrzydeł strzępią się pasemka anielskiej przędzy. Łagodne szybowanie nad pagórkami. Opadanie. Zwijanie skrzydeł. Opętańcza przyjemność. Żeby jak najdłużej trwał lot. Ale znów złym okiem łypie studnia, rozdziawia swoje żarłoczne, okrągłe usta, podstępnie mruga chłodną źrenicą. Głębinną perspektywą. Składasz po sobie skrzydła i pikujesz w rozwartą źrenicę. Niech się dzieje... Dotykasz ostrożnie lustra wody: nareszcie pić, pić, pić... Chłepczesz językiem, nabierasz garścią, na czworakach, wargi nadal z blachy, pieczenie w piersi. Zbyt wartki prąd wody nie pozwala na manewr rozwinięcia skrzydeł. Ale żyjesz, żyjesz... Wir wciąga w lejowatą otchłań. Coś tobą szarpie, targa, potrząsa. Osłaniasz się... Wyłaź wreszcie – coś ponagla od wewnątrz. Nie, nie teraz...

Wyrzucasz w obronnym odruchu ramiona. Zaraz, zaraz skończysz... Pod stopami wymacujesz dno. Wypływasz... Co, na dno? Piekło? Sam jesteś dnem... Idiota. Szeroko rozwierasz oczy. Wolno, wolniutko wraca kojąca rzeczywistość. Dziękujesz za tę ocalającą jawę... Zbyt głęboko zabrnąłeś. Zdajesz drobiazgowy rachunek sumienia... Co za numery? Za co te uniżone podziękowania? Za sen? Przesuwające się obrazy własnego życia. Galopujący pęd... Przypomina się przeszłość. Zwielokrotnione obrazy męczą. Jesteś skruszony, pokorny, zaszczuty. Niepewność pomieszana z nadzieją. Wychylać się czy nie? Poza tym pytaniem już tylko ględzenie i wegetacja. Gdzie miejsce na pełnię? Czy człowiek sam sobie powinien zakazywać doznań, choćby i strasznych?... Czyż musimy sami siebie kasować w kolejce po marzenia? Coś przecież trzeba okupić własnym życiem. Nadmierne wyrachowanie, nadmierna potrzeba bezpieczeństwa to oportunizm, cyniczne samookrawanie, gnuśna adoracja życia nie jako funkcji, lecz istoty bytu. Nic gorszego nad godny i praśny bezruch... Wysokość, szerokość, głębia, dal – oto azymuty i kierunkowskazy. Wartości bezkresne. Atakować, brać za rogi. Lepsza siermięga niestrudzonego wędrowca niż bogaty stół, skórzany płaszcz i łosiowe rękawiczki. Słowem: porywać się z motyką na słońce, choćby to była i zbrodnia. Lepsza siermięga ciekawego niż skórzanych płaszczy pełen kufer. Dyktuję: minerski fach i dola oberwańca...

Tak nie było: ty łeb podkładaj, a ja tymczasem przeczekam. Wypadał los, musiałeś iść... Tak nakazywał honor. Zawahałeś się, porcyjka ciepłego ołowiu... Strach? No to jajca w garść, głęboki wdech i naprzód. Kiedy się przekracza granice, strach mija. Pozostaje zwierzęcy instynkt. Dajesz się prowadzić i nie wiesz, dlaczego padasz, a padasz często. Zrywasz się, nie wiesz, dlaczego kucasz, już siedzisz na zadku albo się czołgasz z gębą pełną błota, posypany prochem, zsiniały z napięcia. Piach palcami rozgrzebujesz. Chyżo pomykasz w krzaki. Albo z głupia frant udajesz, że nic się nie dzieje. Stosujesz podstęp, podwójną grę... Wielka gra małych liczb. Musisz wygrywać, bo coś najgorszego cię spotka: mierność. Ważna gra krzyżami się mierzy...

Wilcze jagody jako pożywienie, a powiadają: trucizna. Pamięć niczym czerw toczy przeszłość. Pragnie ją za wszelką cenę wskrzesić, pojąć, oswoić, przybliżyć, prześwietlić, przenicować. Pamięć wciąż przed kimś zdaje egzamin dojrzałości... Tłumaczy się, zasłania koniecznościami, kluczy, wierzga, staje dęba... Pamięć to okropny ciężar. Pożywienie dla małodusznych i małowiernych, a i przystań pocieszenia, ucieczka grzesznych, pocieszenie strapionych, schronienie nieżywych, orędowniczka zagubionych... Pamięć to matka.

On, Żmogus, nigdy krokiem stąd. Inni mogą szukać ziemi obiecanej. Jego jest tu. Zresztą już za późno od nowa zapuszczać korzenie. Zmęczone nogi i dusza. A jak gdzieś nie dojdziesz, czegoś nie dotkniesz własnoręcznie, tegoś, bratku, nie poznał. Książka – za mało.

Z nędzy cnotę zrobiono. Bogatych zrównano z gównem, wytępiono. Zresztą w państwie źle rządzonym żaden wstyd być biedakiem. Dawno to już potwierdzili starożytni. Ile gadania, że nie wyjechał. Raby dalszy ciąg dopisze... Było, minęło. Powtarzali: zaropiejesz, zgnijesz, wszy cię zeżrą, na Sybirze zdechniesz spiczniały. Udało się. Przywykłeś, chcesz sobie tylko dogadzać. Nie pomyślisz o dziecku. Podjąłeś się utrzymywać, to i wychowaj. Powtarzali: rusz się, nieruszane kości próchnieją, rozum karleje. Dlategoś zdziczał i zdziwaczał. Ale dla mnie nie przeminęło. Trwa... Bronił się Żmogus – pamięć żyje, jeszcze jak żyje, daje znać, a dopóty mnie, dopóki pamięci...

* * *

Nasz dowódca, major Stanisław Truszkowski, pseudonim „Sztremer", po cywilnemu angielski dżentelmen w drucianych okularach, poczciwy ziemianin. A dowódca całości – „Wilk", generał Aleksander Krzyżanowski, co potem w kazamatach NKWD gnił, a dokończył żywota w ciemnicach lochów ubeckich. To byli ludzie. Dzielni, wspaniali... Gdzie takich szukać? Nie mam co wyjeżdżać, kiedy tacy poginęli...

1943. Ostatnie dwa dni grudnia. Już byliśmy zorganizowani. Już żaden szaulis życia nie zatruwał. Spędziliśmy dwa pracowite miesiące w niedostępnych bagnach i oparzeliskach nad Dzitwą. Dowodził podporucznik „Licho", Stanisław Szabunia, chłopak jak malowanie. Pożegnalny wieczór sylwestrowy we wsi Kiżby. Biwak u jakiegoś gospodarza. Dwa litry samogonki na dwudziestu chłopa. Dawka aptekarska, ale jutro wymarsz w gorący dla nas, nowy 1944 rok. Po udanej akcji na punkt oporu okupantów w Gojcieniszkach z marszu postanowiliśmy zaatakować garbarnię w Ejszyszkach. Trochę skór na buty, kożuchy. Zima luta. W jednej z drużyn rej wodzili osiemnastolatkowie: „Piętka" i „Czarny", kapral Józef Zarzycki i podchorąży Bolesław Siemiątkowski. Prawie dzieci... W połowie stycznia, po kilku rozmowach i uzgodnieniu z innymi oddziałami naszego terenowego batalionu, chłopcy postanowili urządzić napad na Ejszyszki. Powiadomiliśmy majora „Sztremera". „Czarny", targając dla fantazji czuprynę, zaczerwieniony z emocji i mrozu, wyłożył majorowi plan działania. Gdy skończył, dowódca zapytał:

– Ilu ludzi chcecie ze sobą poprowadzić?

– Jak najmniej, panie komendancie. Razem z obstawą najwyżej dziesięciu.

– A wy wiecie, jaka jest załoga Ejszyszek? – zaniepokoił się dowódca.

– Nie mniej niż dwie setki – z animuszem odparł „Czarny".

– No więc?

– Ale panie komendancie, tak liczyć nie można. Garbarnia właściwie poza miasteczkiem. Za nią zaraz błota i oparzeliska. Akcja nie potrwa dłużej jak pół godziny. Bez strzału, bez alarmu. Podjedziemy wozami, zabierzemy skóry i znikniemy w ciemnościach. Śnieg zawieje ślady...

Po zasięgnięciu języka z innych stron, dowódca zezwolił.

– Kiedy akcja? – upewnił się.

– Dwudziestego drugiego stycznia o zmroku.

– No więc powodzenia, chłopcy...

Wyznaczonego dnia „Piętka", „Sokół" – Henryk Butrym – i „Czarny" ubrani w długie burki-jermiaki, pod którymi schowali broń, podjechali furami pod Ejszyszki.

Plan zakładał, że przyjadą przed zmierzchem, tak aby wjechać na teren garbarni już po wyjściu robotników, ale zanim dozorca zamknie bramę. Automat „Czarnego" był niesprawny, miał pękniętą sprężynę, więc chłopak jechał pełen niepokoju. Jeden strzał z pocisku w lufie pewny, a co potem? Ubrany był w nowy, ciężki kożuch, ale już buty miał dziurawe i odmrożone nogi. Na rogatkach czekało trzech chłopców z miasteczka... Pech jednak nadal prześladował „Czarnego". Oto rzadkość niezwykła tych czasów, latarka elektryczna, którą miał dać sygnał, wypaliła się w kieszeni kożucha i druciki żarówki ledwo się żarzyły.

Tymczasem furki wjeżdżały w ciasne uliczki miasteczka. Jeszcze było widno. Drewnianymi chodnikami śpieszyli ludzie, by zdążyć przed zmrokiem do domów.

Pomiędzy nich wmieszali się uzbrojeni w krótką broń partyzanci. Karabiny leżały na dnie wozów, na których siedzieli po dwóch, „Sokół", „Czarny", „Piętka" i ktoś z tutejszych. Mijani żołnierze i policjanci nie zwracali na przejeżdżających uwagi. Podjechali pod garbarnię. Piesi partyzanci weszli do portierni i zatrzymali portiera. Otworzyły się bramy i na podwórze wjechały furki. Konie ustawiono w kierunku wyjazdu. Portier był Polakiem i przyrzekł, że ani słowem nie zaszkodzi miejscowym. I przyrzeczenia dotrzymał. Ale kolejne niepowodzenie: w przeddzień odwieziono do Wilna cały zapas skór twardych. No, ale wzięli, co zostało. Nagle w czasie ładowania furmanek wybuchł alarm. Ubezpieczenie meldowało, że zbliżają się Niemcy. „Czarny" wyskoczył ku bramie. I ten przeklęty automat. Słychać było, jak podkute buty uderzają o bruk. Krótka komenda i oddział stanął. „Czarny" nie rozumiał prowadzonej w języku niemieckim rozmowy. Słychać przebieranie nogami marznących koni. „Czarny" wykonał kilka kroków w przód i zatrzymał się przy furtce wejściowej. Padła nowa komenda i oddział ruszył w drogę powrotną do miasteczka. „Czarny" poczuł ulgę. Kamień spadł z serca. Ale raptem zgrzyt klamki, otworzyła się furtka i ktoś wszedł. Ciemno i „Czarny" nie wie, kogo ma przed sobą... Sprężyna automatu, wypalone baterie w latarce. Pech. Sytuację wyjaśnił snop mocnego światła rzucony na „Czarnego". W blasku majaczyła wysoka i tęga sylwetka niemieckiego żandarma. Nie było chwili do stracenia. „Czarny" nacisnął spust i w napięciu słuchał: bluźnie czy nie. Rozległa się seria. Niemiec ciężko osunął mu się pod nogi. Słychać było inne strzały. W furtce ukazała się następna sylwetka żandarma, ale natychmiast cofnęła się i rozpłynęła w nocnej ćmie. Jeszcze jedna seria w kierunku furtki. Automat nie zawiódł... Wspaniale. „Czarny" przesadził trupa i posłał kolejne serie na ulicę. Uciekający Niemiec o kilka kroków przed nim zaczął się słaniać i padł. Najważniejszym teraz zadaniem było zabrać wozy i jak najszybciej wiać, żeby Niemcy nie zdążyli. W furtce oślepił go błysk ognia. Usłyszał huk wystrzałów z automatu. Krzyknął: – Nie strzelaj, skurwysynu! Swój! – przekonany, że został trafiony. Seria poszła z odległości kilku metrów. Poczuł wiotkość nóg. W uszach szum. Koledzy potracili głowy. Drużynowy „Piętka" zmartwiał... „Czarny", leżąc, objął komendę.

– Wyjeżdżać! Szybko do bramy! – I poczuł, że nic mu nie jest. Cud...

Wozy ruszyły galopem... Ktoś mu pomógł w pędzie wgramolić się na wóz...

– Jestem lekko ranny – szepnął jakiś chłopak. Rozpoznał „Mroza"...

– Wiooo! Wiooo!

Jeden z koni się rozkiełznał i zamiast w lewo, skręcił do miasta, poniósł. „Czarny" szarpnął lejcami, nie pomogło. Zaczął chłostać batem. Wóz kręcił się w kółko...

– Do kurwy nędzy – zaklął „Czarny" – cóż za czort mnie prześladuje!

Wyskoczył z wozu i pociągnął za sobą powożącego. Rozpoczęli pogoń za pozostałymi. Turkot się zbliżał. Doganiali.

– Stój, kto? – rozległ się krzyk.

– Ja, „Czarny"...

– Jak dobrze, że jesteś. Mieliśmy po ciebie wracać.

Nie było chwili do stracenia.

– Wszyscy do wozów i w konie. Poszliiii!

Zaczął padać śnieg. Westchnienie ulgi. Ślady będą zasypane.

Podliczanie zysków i strat. Jeden ranny, „Mróz", ale i zdobycz marna... Zapas skór tylko na wierzchy butów. A gdzie zelówki? Trzeba będzie chodzić nadal w podartych butach i odmrażać nogi.

Niemcy okazali się zupełnie zaskoczeni. Nie mieli pojęcia, kogo podejrzewać. Skończyło się na poszlakach. Partyzanci z Puszczy Rudnickiej albo może z Nackiej?...

Mieszkańców miasteczka żadne represje nie spotkały.

Łatwo być doradcą z daleka. Łatwo namawiać do przygody. Moje życie – żadna przygoda. Wykonywało się i wykonuje obowiązki. A że odwiedzają tu czasami, odnajdują – ich sprawa...

* * *

Hordy niby-przyjaciół czają się gdzieś za lasem niczym żurawie, z wiosną się pojawią. Gdyby mogli, zastosowaliby przemoc, żeby mnie zmusić, postawić na swoim. Rzekomi wybawcy, gotowi ukartować napad, byle zbawić. Funta kłaków niewarci, ale jakoś raźniej... Sentymenty? Do chrzanu... Myśl trzeźwa: znaleźć sposób, żeby wyzyskać, odkryć słaby punkt... Natchnieni prorocy, patriarsze brody. Majestat i zwyrodnienie. Wygoda otępia, ogłusza. Nagrody i częste awanse dają poczucie niezastępowalności. Za co mam być wdzięczny? Mam się zwijać, płaszczyć? Paradują w mundurach, ważni... Niedoczekanie, panie święty. Nie zazdroszczę, niechaj paradują. Niewielu nas zostało... Ot i sprzeczność: jak zbawić tego, kto nie chce być zbawiony? Zbirów też nie brakuje. Czyhają, by zatkać gębę. Frajera-pompki szukają.

Przy byle spotkaniu, w byle liście, straszą urzędowymi pieczęciami. Sławy im uszczknąłem, a pożytku z tego za grosz. Gardzisz nami, ty schłopiały mędrku, ty, niechlujny wsiowy filozofie? W pychę wrosłeś... Szydzą. O, wiele przedsiębiorczości trzeba, żeby się nie ugiąć. Żądają, a jakże, tłumaczeń. Jak gdyby gdzieś musieli zdawać sprawozdania. A spróbuj zwrócić uwagę. Zbesztają lub zapieszczą, zakotłują, bluzną pomówieniem, połajanką grubą. Niespożyta energia, byle uszczęśliwiać. I o mnie, zza lasu, kiedy trzeba im argumentów do ich działalności, sobie przypominają. Suchej nitki nie zostawiają. Opowiadaj to, naświetlaj tamto. Masz zapiski, pokazuj. Prują i bezwstydnie zszywają, prują i... Ale owszem, odwiedzają i inni, ci, których już nie ma. Do dziś gradobicie źle znoszę. Te serie, tłukące po mózgu serie. Trrrach, trrrach, po liściach, po kamieniach, po szybach, po dachu, w drzwi.

Lunatyczne postaci. Obrazy wracają. Pokerowe zagrywki... Seriami po liściach, po drzewach. Chrzest seriami... Błogosławienie. Trup straszy. Kit wypada z okiennych ram i ząb na ząb nie trafia. Szyby rozdygotane. Epidemia febry? A grad wciąż seriami, seriami. I natychmiast ulga, to tylko złudzenie. Potem znów ziemia niby zielone futro przysypane kulkami naftaliny i tylko grad... Kiedyż grad przestanie udawać serie szmajserów? Może nasza pamięć już do kresu dni zepsuta przekleństwem wojny? Zamęcza nie gorzej od tamtych oprawców, speców od mokrej roboty, od łamania kości. Maszynka do mięsa...

Wystarczy przymrużyć powieki: snują się, chyboczą wydłużone cienie, wychudłe twarze. Szkielety i kościotrupy... A za nimi korowody z pejczami. Widma, upiory i ci w mundurach pasowanych, w rękawiczkach irchowych albo z ludzkiej skóry, używający mydła z ludzkiego tłuszczu. Na szczęście mój Raby, mały poganin, niewiele o tym wie. Jeszcze zdąży wyczytać. Na razie niechaj zbija bąki, bawi się marszałkowską buławą dziecięcych marzeń. A że hultaj i nicpoń? Smarkacz. Pobuszuje i energia niczym powietrze z piłki gumowej ujdzie. Póki młody, póty jego czas. A koło mnie wciąż oni, na bosaka, z otwartymi ranami, do pasa goli na mrozie, polewani lodowatą wodą, mrożeni w kazamatach i łagrach, na śnieżnych pustyniach, pod pokładami statków, stłoczeni w kajdaniarskich dokach...

W poplamionej krwią bieliźnie. W podartym odzieniu. Pląs łachmaniarski. Z ramionami uniesionymi nad głową. Wiszący na przydrożnych słupach, na gałęziach, na sękach. Coś mówią. Szeleszczą pergaminowymi wargami. O coś błagają. Z trudem łapią oddech. Zabrakło powietrza w głębinach gliny i piachu. Zapach bandaży, karbolu, jodyny, szarego mydła, nafty, powiewające szarpie płócienne, zaskorupiałe od ropy... Bandaże, chorągwie niemocy, strzępy dartych płócien, prześcieradeł, nieużytecznych szmat. Moczenie poranionych stóp w serwatce. Okłady z gorącego piasku w woreczkach, kiedy atak bólu dokuczał. Śmierć koło młyna na grobli, na postoju, na biwaku, w obozowisku, w lagrze, w otwartej bitwie, w partyzanckiej potyczce. Z obrzynkami, ze zdobycznymi granatami. Z rodzimym fasonem przegrywali... Na dwa fronty. Zdradzeni przez wszystkich. Samotni i oszukani.

W kanciastych poniemieckich hełmach, rogatywkach, w pilotkach i furażerkach, w zwyczajnych kaszkietach. Nogawki w cholewach, rzemienne pasy z ładownicami. Na szyjach automaty. Nagły łomot do drzwi, chrzęst tłuczonego szkła. Suche wystrzały i... cisza. Ktoś padł. I znów zbawienna cisza, złowieszczo rozdarta kolejną serią.

Szeregiem podchodzą zapomniani, o popielatej cerze. Tłuką w okna, domagają się posłuchania. Zdaje się, że rozwalą gwałtownie pchnięte drzwi. Pękną rygle, i na mnie hurmą... Zgruchoczą. Klepną judaszowsko po ramieniu. Nie, to ja zdradziłem, bo żyję... Albo nękające, gardłowe: hende hoch, hende hoch, du szwajne, fartfluchte mać...

Pokraczna niemczyzna. Taką zapamiętałem. Sytość z niej promieniała... Sznela, sznela. Los, los... Raus, du polnisze szwajne... O, himmeltojfel... O, cumhundert tausen himmeltojfel, zum krojzen Antikrist...

Tropili nas niczym bydło... Rozpływała się po nas dymiąca strużka ołowiu. Piastunka śmierci hodowała w nas opór. Lepka wilgoć w palcach, zatykająca duszność. Powietrza, powietrza. Żmogus zrywał się ze snu. Wirujące meble. Strzępy książek. Na poręczach krzeseł straszą ubrania. Łomot w skroniach, ból rozsadzający skronie...

Jesteśmy chorzy na ojczyznę, zranieni ojczyzną... Gorzkie wołanie zapomnianych...

* * *

Pewnego razu Raby z kolegami w głębi lasu zauważył mały, skrwawiony kłębuszek. Miaucząca puchatość jeszcze się ruszała, co tym bardziej zaintrygowało chłopców. Coś go musiało zagnać w taki gąszcz. Raby bez zastanowienia wpakował kotka za pazuchę, porzucił kolegów i co sił w nogach pognał do domu.

– Patrz, co znalazłem.

Żmogus się nie sprzeciwiał. W kącie przygotowali legowisko na kawałku materaca. Kotek rósł. Stał się ulubionym domownikiem. Dokazywał, pił łapczywie z miseczki mleko, wskakiwał na kolana, z gazet potrafił wykonać całą górę cienko porozdzieranych paprochów. Nie sposób było go upilnować. Aż po kilku miesiącach wyrósł z zabiedzonego maleństwa potężny, prążkowany olbrzym z jakby obciętym ogonem i pędzelkami na uszach. Żółtymi ślepiami wodził za Rabym, przebierał grubymi łapskami, ostrzył pazury na dywanach, bluźnierczo pomrukując. Dokazujący rozkoszniak przemienił się w dzielnego towarzysza chłopięcych wypraw. Nie odstępował Rabego na krok. Zawsze przodem, z zadartym kikutem ogona, z czujnie nastroszonymi spiczastymi uszami, czającym się ruchem śmigał po drzewach, straszył ptactwo, polował na dzikie gołębie, a i nie gardził małym zajączkiem. Ale myśliwy – zachwycał się Raby. Razem odpoczywali w kopach siana, na przydrożnych głazach, w leśnej gęstwie, siadywali na wiejskich płotach. Kurta z przodu, bo takie otrzymał imię z powodu kurtatego ogona, chłopiec z tyłu, przepadali na całe dnie i tygodnie, rozpływali się w leśnej ciżbie, gdy najbardziej ich potrzebowano. Niekiedy ginął sam Kurta. Co to była za rozpacz. Raby przetrząsał okoliczne krzaki, szukał zguby wszędzie, a zguba niespodziewanie odnajdywała się i rozciągała ogromne cielsko pod ciepłym piecem.

– Gdzie znowu jakieś gniazdo złupiłeś, co?

– Znalazłeś sobie wynaturzeńca. Znakomity kompan – narzekał Żmogus.

Kiedy Kurta odpoczywał, nikt nie śmiał go tknąć. Nagle stawał się groźny, szczerzył zęby, obnażał pazury.

Rabego również nikt nie miał prawa skrzywdzić. Kot reagował natychmiast. Przywierał do ziemi, szykując się do skoku, stroszył sierść, wyginał grzbiet.

Pewnego razu Raby, chyba z zazdrości, zerwał dzierżawcy Michałowi wojskową rogatywkę i pomknął w zarośla. Wściekły Michał puścił się za nim. – Stój, zasrańcu – wrzeszczał – bo ci twoje cienkie patyczki powyrywam. – Już, już miał złapać chłopca za kołnierz, ale tylko pchnął go silnie, chłopiec się przewrócił, czapka potoczyła się po ziemi. Chwycił ją Michał i kopnął Rabego – masz, gówniarzu, żeby ci się odechciało. W tym momencie z pobliskiego drzewa, z impetem i złym pomrukiem, runął na dzierżawcę Kurta. Widocznie śledził ich zmagania ukryty w gałęziach. Michał ledwo zdążył ukryć w dłoniach twarz, ale i przez ubranie został dotkliwie poturbowany. Całe plecy miał poorane głębokimi bliznami. Kot ostrzegawczo prychał i nie wypuszczał go z uścisku. Dopiero Raby niedawnemu prześladowcy pośpieszył na ratunek i odciągnął rozwścieczonego kota, ale Michał czapki już nie odzyskał. Odgrażał się, że otruje Kurtę, ale nikogo tym nie przestraszył.

Oswojony ryś przepadał za rybami i zawsze jakimś cudem wiedział, kiedy chłopiec na ryby się wybiera. Podczas łowienia siedział cierpliwie obok i tylko ślepiami wodził za spławikiem. Raby zawsze kilka pierwszych sztuk mu rzucał i z przyjemnością patrzył, jak kot je pożera. Następne lądowały w koszyku. W domu, podczas oporządzania, Kurta również uważnie asystował i nawet wnętrznościami nie gardził.

Dziwna była to para, chłopiec i kot, w ścisłym porozumieniu, zmierzali zawsze w sobie tylko wiadomym kierunku.

Mijał czas. Kurta wydoroślał i już przepadał na całe lato, zjawiał się dopiero zimą, ściągał do domu wymęczony, sponiewierany. W mroźne dni i rozchwieje układał się przy piecu i snem sprawiedliwego zasypiał. Opadały go drgawki, wierzganie łapami, skakał przez wyimaginowane przeszkody, toczył senne walki.

– Ależ ten kot urósł – stwierdzał spokojnie Żmogus. – Bryś większy od ciebie.

Rabego z dumy rozpierało.

– Nie czujesz przypadkiem pietra przed nim? – zwracał się do chłopca wyraźnie rozbawiony, kiedy ten próbował wziąć kota na ręce. Ani udźwignąć.

– Ciężki – zgadzał się Raby, a kocur rozwalał się na łóżku i łapą zaczepiał chłopca, zapraszał do zabawy, śledził każdy jego ruch, gotów do psoty.

– No widzisz, nie dźwigniesz – żartował Żmogus.

– Uważaj, żeby ci krzywdy nie zrobił.

– Krzywdy? Wszyscy boją się, jak idziemy razem. Spójrz na ogon, gruby, jak postronek.

– Wygląda na ucięty.

– Taka uroda.

– Udało ci się, kot większy od psa. Szkoda, że znika za często... – przekomarzał się z chłopcem stary.

– A jakie miejsca do spania wynajduje, na żadnym krześle się nie mieści, z parapetów spada. Okna lubi, szerokie widoki.

Tymczasem Kurta oblizywał łapę i mył nią pysk, odsłaniał ogromne kły, szorstkim jęzorem tarł sierść, mrużył żółte ślepia. Czuł się bezpiecznie. Wyginał grzbiet w pałąk, tarzał się i sprężyście przechadzał po pokoju. Szykował się do łowów. Bardzo dokładnie obmyślał swoje polowania i przygody miłosne. Znaczył teren, obwąchiwał kępy traw, wdrapywał się na pnie drzew, wypatrując bogdanki. Przyczajony za krzakiem potrafił wytrwać pół dnia, aż zdobycz znalazła się w odpowiedniej odległości. Wolny czas wypełniał psikusami z Rabym lub w towarzystwie chłopca wędrował po bezdrożach. Siadywał na kamieniu pośród wartkich rzeczułek, wylegiwał się w wysokich trawach. Rozwierał szeroko nozdrza, tropił zapachy, oczekując dobrej nowiny. Doskonale znał język natury. Umiejętnie odczytywał ślady innych zwierząt, koronkowe tropy ptaków, opróżniał zastawione wnyki, w mętnych czeluściach jezior umiał wypatrzyć wodnego szczura, pod darnistym nawisem wynajdywał raki, z urwistego brzegu wskakiwał w wartki nurt za rybami, ale szczególnie upodobał sobie Rabego, naprawdę odpoczywał tylko z nim, tylko z nim mógł się spodziewać niezwykłej przygody. – Z tego Kurty prawdziwy obrońca, jeżeli nie śpi – dokuczali Rabemu koledzy – tylko że przeważnie śpi, mniej go karm, bo spasiony jak beka. – Ale z respektem podchodzili bliżej. Woleli bezpieczną odległość. – My go kiedyś kamieniami, zobaczysz, jeżeli nie przestanie na nas hyrkać i ostrzyć pazurów. Okiem łypie. Raby, jeżeliś taki odważny, to chodź na wyprzódki, kto pierwszy do tego dębu. – Raby rzucał się bez namysłu do gonitwy, aż furkotały poły koszuli. Kot zawsze był pierwszy.

Żmogus dostawał szału, kiedy Kurta rozpoczynał ostrzenie pazurów. Poprzedzały ten moment przygotowania. Kurta szukał dogodnego przedmiotu. Nerwowo krążył po pokojach, przytykał nos do foteli i tapczanów, skrupulatnie oglądał dywan, następnie wyciągał się na całą długość, podginał tylne łapy i wypuszczał pazury. Żmogus, obserwując te manewry, usiłował wypędzić kota za drzwi, ale ten przebiegle umykał pod stół i przeczekiwał awanturę. Nie chciał na dwór. Po pewnym czasie wracał do przerwanego zajęcia. W sprzyjającym momencie wspinał się na wybrany mebel i zamaszystymi ruchami rozpoczynał darcie obicia. Strzępy śmigały po pokoju. Nagle przerywał, nasłuchiwał – i znów kilka energicznych szarpnięć. Rozsierdzony Żmogus chwytał szczotkę i odganiał intruza. Kilka pierwszych pchnięć kot błyskawicznie parował łapą, cofając się ku wyjściu. Kiedy do drzwi pozostawało jakieś pół metra, wykonywał zwinnie w tył zwrot i susem wypadał na korytarz, na ganek.

– Anielka, wyrzuć to przeklęte bydlę – Żmogus zwracał się gniewnie do dziewczyny – wszystko gotów zniszczyć, powiedz coś Rabemu...

– To lepiej powiem – zgadzała się skwapliwie dziewczyna – ja nie dam rady.

Psy na widok Kurty podkulały ogony i czym prędzej zmykały do budy. Sam widok psów mocno kota denerwował, fukał wtedy i prychał, przebierał łapami, gotów w każdej chwili do ataku. Psy przezornie walki nie podejmowały.

– Ten bryś to król – mówiono w okolicy – ale sobie obrońcę wygotował, szczeniak. Trzeba omijać tego potwora – uprzedzano przezornie dzieci – może zabić albo skaleczyć.

Nawet Żmogus odczuwał respekt wobec zwierzaka i kiedy ten odpoczywał, omijał go szerokim łukiem. Wyłącznie Raby mógł z nim się droczyć bezkarnie; ciągnął go za uszy, przewracał, ujeżdżał, pakował rękę do pyska. Zuchwalstwo nic go nie kosztowało, a wniebowzięty kocur pomrukiwał rozkosznie, garnąc się do przepychanek. Kiedy stawał na tylne łapy, wzrostem dorównywał chłopcu. Kiedy się o niego opierał, ten uginał się pod jego ciężarem. Raby zawsze z nim się dzielił ostatnią pajdą chleba, ukradkiem podsuwał mu co smakowitsze kęsy z talerza. Nie istniało zapadłe w głuszy uroczysko, knieja, których by wspólnie nie zwiedzili. Czołgali się przez wilgotne rozpadliny, przymierali ze zmęczenia głodem, a bywało, że i poszarpanego gołębia Kurta Rabemu podtykał, zapraszając do wspólnego posiłku, jakby mówił: No, spróbuj, zjedz trochę. Jakby mówił: Posmakuj, świeży, dopiero co złowiłem.

A jak majestatycznie Kurta maszerował po kalenicach budynków, sztywno, bez zachwiania. Seledynem sypało od księżycowej poświaty, siało cienistymi gałęziami, a kot, niczym zjawa, to znikał, to się pojawiał zza połaci dachowej, wyłaził z przeciwnej strony, wystawiał ogromny łeb, cofał go, bawił się w chowanego przez całą noc.

Niezły cielak. Niepokojąca zwinność, elegancja ruchów, wrodzona czujność, ostrożny chód, jakby stąpanie po mchu, skupiona uwaga i obracające się małżowiny uszu, które łowią najdelikatniejszy szmer, wsłuchiwanie się w ptasie trele, jakby rozpoznawał po nich kaliber ptaka. To wszystko kazało traktować go poważnie, z należytą ostrożnością.

– Kup mu marynarkę i naucz chodzić na dwóch łapach – będąc w dobrym humorze, żartował Żmogus.

– Żebyś wiedział, nauczę – odgrażał się Raby.

– I koniecznie spraw mu kiedyś czerwony krawat dla ideologicznej poprawności. Będzie szatan, nie kogut, towarzysz.

– Lepiej pumpy i rogatywkę – w mig łapał dowcip chłopiec.

– Na zielonych atolach, wśród błękitnych wód, spędzicie razem swój miodowy miesiąc...

– Nawet całe lato, tylko pożyczysz mi swoje buty z cholewami.

– Bylebyś potrafił chodzić. Dawne czasy, kiedy w nich paradowałem. Teraz na prawidła i do szafy, niech czekają lepszych czasów.

A kocur z wywalonym do góry brzuchem domagał się pieszczot, w ślepiach grały iskierki psotne, chłonął niezrozumiałe dźwięki rozmowy, jakby pragnąc w niej uczestniczyć, szorstkim jęzorem omiatał sierść, łapami czesał frędzle przy obrusie. Tliła się w nim jakaś dzika zadziorność, nieujarzmiona swoboda, pokusa dokazywania, chybotał na poręczach sof i oparciach krzeseł,

utrzymywał doskonałą równowagę na żyrandolu, nie-
oczekiwanie wskakiwał na ramiona, owijał się wokół
szyi, mruczał do ucha zaklęcia, roztaczał magię zwin-
ności i siły.

– Czyścioch, spójrz, wciąż się pucuje.

– Bierz z niego przykład i od czasu do czasu też
szyję wyszoruj.

– Chodzi, jakby w łapach nosił sprężyny, cichutko,
zawsze gotów śpieszyć z pomocą, aportować upolowa-
nego ptaka.

Z jego strony nigdy nie spotkała chłopca przykra
niespodzianka. Gdy niekiedy zasypiali w kopie siana,
Kurta układał się tak, by pyskiem dotykać policzka
chłopca. Najlżejszy szmer podrywał go na równe nogi,
ponieważ odgrywał rolę opiekuna, miał poczucie misji.
Latały brysiowi miotełki na uszach, groźnie szurgotały
wąsiska na nosie. Domownicy szeptali struchlałymi
głosami: do ataku się sposobi, albo: patrzcie, ryś odpo-
czywa... Z nabożnym respektem omijali legowisko. Na-
polował się sprawiedliwie. Połyskiwała magiczna żółć
w sennych ślepiach. Do syta wypełnił kałdun, patrzcie,
jak się przeciąga, aż iskry lecą.

Pętał się za Rabym ogromny niczym cień. Raby
do stodoły, kocur za nim. W pole, też gotów. Pomrukując, ocierał się o nogi, ślepia skrzyły przyjaźnie,
miotełki układały się wzdłuż karku. Niekiedy Raby specjalnie nie wracał na noc, noclegował przy rozpalonym
ognisku z odchyloną połą od strony płomieni, w którą
natychmiast zawijał się kot. Tak w czułych objęciach

drzemali do rana, kiedy rosa pokrywała trawy i w promieniach wczesnego słońca perliły się cudownie tęczowe odblaski w barchanach zieleni.

Umiejętność sypiania przy ognisku przejął Raby od koniuchów, pilnujących nocami zwierząt w jesienne, przygnębiające miesiące, po piętnastym sierpnia, kiedy pola już opustoszałe i przestrzeń odsłonięta po horyzont lub kiedy po wyrębie drzew na zimę trawy na polanach bujnie zieleniały. Zawodowi koniarze i handlarze nierogacizną stanowili wzór dla Rabego, to do nich biegł co sił w chudych nogach, wymykał się spod kontroli Żmogusa, do nich tęsknił w bezsenne noce, ich uważnie podglądał. Dlatego potrafił umiejętnie ułożyć się przy ognisku, żeby kropli ciepła nie uronić. Suchy chrust potrzaskiwał kojąco, wirowały w górze słupy popiołu, krążyły ćmy w zaklętym kręgu migotliwych blasków, zaczarowane cienie chybotały na ścianie okalającego mroku. Na szafirowym nieboskłonie pekliły się nieuchwytne tabuny gwiazd, stłoczone zjawy odpychały czerń nocy, bryś mruczał bezpiecznie i strzygł wąsiskami. Wyciągali z oprysku rumiane kartofle, oskrobywali z nagaru, zakąszali tłustym boczkiem wędzonym, kocur chrupał skórki, bo nie należał do amatorów pieczonych kartofli. Zapobiegliwie wkopywał je nosem do ziemi, na potem, na wszelki wypadek.

Pewnego razu wyszedł i nie wrócił. Może przyłączył się do zgrai pobratymców, może gdzieś w ostępach założył rodzinę, a może zginął w nierównej walce, bo zbyt ufał ludziom. Zamilkły spory, czy należy kota oswajać, w bluźniercze ślepia zamęt wprowadzać. W domu, przy piecu, utyłby z bezczynności. I te jego mordercze zapędy do zabaw, strach dzieci wypuszczać na dwór. Zabija jednym uderzeniem wiewiórki, to i dla ludzi może niebezpieczny, w koronach drzew gniazda wydziera, wprost skóra cierpnie, gdy się ogląda akrobacje cyrkowe, podniebne popisy i harce. Kiedy tylko zmarznie, natychmiast pod piec, w ciepłych plamach prostuje grzbiet. Spryciarz...

Kiedy zastygała przyroda i girlandy szadzi oplatały sęki, a przydrożne płoty ozdabiały kołpaki śniegu, kiedy biżuteria lodowych sopli niczym wiszące w pogotowiu sztylety, czyhające na nieproszonych gości, okalała okapy dachów, wiatr zapładniał brzuchy dzbanów i wyświstywał sprośne melodie na ich grubych wargach, Kurta potulnie wracał z niezbadanych wypraw, łagodny, zgłodniały, robił wychudłymi bokami, łapczywie pożerał, co mu podsuwano; wszyscy stęsknieni, nikt strawy nie skąpił, podtykano smakowite kęsy, a on wygodnie odpoczywał, miękko układając się na piecu lub w ciepłej plamie rzucanej przez płomień z paleniska.

Ale pewnego razu przepadł. Grano w zgadywanki, Raby wróżył z ziaren piachu i z układających się niemrawo cieni. W każdym tkwił jakiś zawód, zadra, jakby Kurta osobiście kogoś zdradził. Przecież zawsze wracał, czekał na niego przygotowany kąt i wyżywienie, rozpaczały dzieciaki, wypatrując za każdym załomem skrada-

jącego się kocura. Czekano niczym na zmartwychwstanie. Niestety, cud nie nastąpił.

* * *

Ech, te moje raudoniki-mochowiki, dzięcioły ru-
dobrzuche. Dobruchają swoim kuciem, koją nerwy.
Wolniej, nerwy, wolniej, bez galopu. Należę do rodziny
umarłych za życia. Żyję, lecz bez przerwy jestem z tam-
tymi. Z nimi przeminąłem. Często, zbyt często dręczą
mnie wyrzuty, że przetrwałem, że nie skonałem w przeklętej kipieli... Oni przychodzą zziębnięci, wygłodniali,
wynędzniali. Przychodzą szeregiem, z zakneblowany-
mi wapnem ustami, i ze zdziwieniem pytają: jak to,
żyjesz? Wciąż jeszcze żyjesz? Nie wstyd? Natręctwa
napierają. Powieś się, ostatnia szansa, jeżeliś uczciwy...
To ty, ty wymagasz współczucia, nie my. Ty wymagasz
miłosierdzia. Z nami wszystko w porządku... Ich oczy
płoną wyrzutem. Ich białe oczy. Otwierają się nieme
usta... Takie, widać, prawo martwych. Czy mam ulec?
Ich przecież dawno nie ma. Kości spróchniały. A jednak
są, wyłażą... Ot, i teraz otwiera się otchłań, przepastne
czeluście. Wychodzą orszakiem, wprost na mnie. Nie
umiem się wyzwolić. Nostalgiczne twarze. Trepanacja
czaszki. Nieustanne głosy zza świata. Namiętne, zło-
rzeczące... Gdzieś jacyś bezduszni buchalterzy liczą do
dzisiaj zamęczonych na katorgach, zatorturowanych
w zimnicach. Ziemia wciąż otwarta. Oni wychodzą
ubabrani w glinie. Obstępują kołem. Wytykają palcami.

Podrywam się jak sztubak i przepraszam. Wybaczcie. Umarli nie wybaczają... Przeżyłem. Bóg tak chciał... Co się Bogiem zasłaniasz? Osobiście odpowiadasz przed nami za wszystko... Więcej fartu miałem. Scześnijcie, złe mary. Życzę wam z całego serca spokojnej wieczności... Spotkamy się przecież wcześniej czy później... Miejcie litość, miłosierdzie, o którym tyle prawicie... Mam chłopca na wychowaniu... Nie przeszkadzajcie... Nie martwię się, co mówią o mnie żywi. Poznałem dwie strony medalu. Całe szczęście, że tu żywi rzadko zaglądają. Odległość przeszkadza, brak dróg... Tu niezawodnym środkiem lokomocji jest miotła – i na sabat, na sabat, kto żyw. Tu wiedźmy i czarownice odprawiają swoje czarne msze, odbywają zjazdy i narady...

Z przerażenia ręce zgrabiały, zabuksowały koła młyńskie. Wyzbyte cielesności, istnieją... Doczesność to zmienność, choć urwane ogniwa. Pęka stal hartowana, wyparowują życiodajne źródła. A ryzyko zawsze popłaca.

* * *

Pewnego wieczoru na początku czerwca 1944 roku przyjechał do Hornostaiszek major „Sztremer". Porucznik „Mucha", Tadeusz Matysiak, złożył meldunek, że trzecia kompania „Kaliny", Jana Bobina, szykuje się do nagłego uderzenia na Ejszyszki, nie ruszając Komendantury w odległej o pół kilometra Juryzdyce...

– A cóż, uwzięliście się na te nieszczęsne Ejszyszki? – na wpół żartobliwie zagadnął major „Sztremer".

– A kto wykona napad?

Aha, chwyciło – pomyślałem.

– Tylko jeden pluton podchorążego „Dzika", Sławomira Dramowicza, z trzeciej kompanii, i część rezerwistów z miasteczka, przeważnie młodzież, która i tak ma iść do partyzantki.

– Kto ubezpiecza? – dowódca wyraźnie zainteresował się propozycją.

Będzie gorąco – miałem pewność.

– Od Juryzdyki pluton „Jerzego", Jerzego Tapera – meldował porucznik „Mucha" w podnieceniu...

– Spokojniej, chłopcze – upomniał go dowódca.

– No, dalej, dalej...

– „Jerzy" z dwoma erkaemami z kęp na bagnach zamknie ogniem szosę do miasteczka. Zalegną w krzakach już wieczorem. Reszta kompanii w Emilucynie...

– Skąd uderzenie główne? – „Sztremer" jako doświadczony wojskowy lubił dokładność, a nawet drobiazgowość. Nie znosił fuszerki. Zbyt drogo kosztowała, a płaciło się ludzkim życiem, tymi młodymi chłopakami, gołowąsami...

– Od folwarku Antoniszki. Tam wieczorem „Dzik" przyprowadzi swój pluton, a szef wyznaczy przewodników, którzy wskażą, gdzie mieszkają policjanci. Wyłapie ich z pomocą chłopaków wachmistrz „Wiatr", Władysław Więckiewicz, i poprowadzi przed sobą na rynek, na główny bunkier. Jak zobaczą czapki z czerwonymi otokami, strzelać nie będą. W bunkrze kupa amunicji, broni, no i czterdziestu policjantów z urzędnikami i starostą – nie posiadał się z radości „Mucha". Przecież wpadł na świetny pomysł. Już czuł się Kmicicem...

– To wygląda dobrze – odpowiedział z namysłem major „Sztremer". – Na razie niech pan tu w majątku rusza się i robi jakieś pozory. Ja pójdę przez las do „Dzika". Mój zwiad niech pana odeśle do Emilucyna. Nic w nocy po konnych w lesie czy w miasteczku. Ułan „Flint", Bolesław Lenkiewicz, pójdzie ze mną.

Po przyjściu do Antoniszek major „Sztremer" zbadał sytuację.

– Gdzie dowódca plutonu?

– Poszedł z przewodnikami i drużyną do Ejszyszek...

Duża wiejska izba. Ni to dwór, ni chałupa. Sufit belkowany. Sala obszerna i długa, na pół domu. Długi stół. Pod ścianą kanapa z giętą poręczą. Kilka krzeseł i kilku partyzantów z rezerwy z bronią w ręku. Starszy, wąsaty jegomość, gospodarz, zaprasza. Pyta, czy byśmy nie zjedli...

– Co tu słychać? – dowódca zwrócił się do gospodarza, żeby podkreślić i jego ważność.

– Spokój, panie komendancie – gospodarz po wojskowemu stuknął obcasami i służbiście wyprężył pierś.

– Kiedy zacznie świtać?

– Najdalej za pół godziny... – gospodarz ani drgnął z przejęcia – coś jeszcze, panie komendancie?

– „Flint" do mnie!

Ponury ułan, któremu Niemcy wymordowali całą rodzinę, trupy i żywych wrzucając do studni ich własnej zagrody, stanął w drzwiach.

– Znacie drogę do Ejszyszek?

– Znam!

– To tylko dwie wiorsty – dorzucił gospodarz.

Wraz z majorem „Sztremerem" i kilkoma chłopakami ruszyliśmy polną drogą na zachód; Wielkiej Niedźwiedzicy już ani śladu. Nogi tonęły w sypkim piachu. Dowódca wyciągnął lornetkę. „Flint" prowadził. Wreszcie miasteczko. Minęliśmy szereg domów. Cisza...

– Zobaczcie – dowódca skinął na któreś niedomknięte drzwi.

„Flint" zapukał lekko. Poszeptał z kimś i zameldował:

– Nasi byli w miasteczku pół godziny temu...

„Dzik" był mieszkańcem miasteczka. Co wykombinował? W rynku zawyła syrena alarmowa. Za parę sekund w Juryzdyce druga. Chyba koniec zabawy. Zatupotało przed nami. Biegło kilkunastu ludzi. Między nimi „Dzik".

„Flint" głośno krzyknął:

– Stać! Dowódca plutonu do komendanta!

„Dzika" zamurowało. Ze speszoną miną zaczął meldować. Komendant przerwał meldunek.

– Zbierać ludzi i szybko do Antoniszek!

W Antoniszkach „Dzik" zrobił zbiórkę plutonu i omijając Hornostaiszki, ubezpieczonym marszem ruszył w las, do Emilucyna.

Dotarłszy do Emilucyna, major „Sztremer" wezwał oficerów trzeciej kompanii na odprawę. Wszedł „Kalina" z oficerami. Brakowało tylko „Jerzego", który leżał z plutonem w kępach widocznych z Juryzdyki. Odprawa była krótka.

Dowódca ostro opieprzył „Dzika". Podnieconym głosem wyskandował, że miejsce dowódcy kompanii przy plutonie wypadowym, a dowódcy plutonu przy szpicy. Że tak się penetruje kurniki, a nie dokonuje wypadów na nieprzyjaciela. „Kurwa mać" słała się gęsto. „Kalina" był czerwony jak burak. „Dzik" i inni oficerowie też mieli żałosne miny...

Na szczęście ludność miasteczka zeznała przed policją, że w nocy był napad partyzantów sowieckich...

– Bolschewiken? – zaniepokoili się żandarmi.

– A gdzie poszli?

– Pewnie do Puszczy Rudnickiej...

Następnej nocy i pluton „Jerzego", utaplany w błocie, wycofał się do Rakliszek. Nieudany wypad. „Dzik" chodził struty.

Na kolejną noc stanęliśmy w Chreptowiczach. Późnym wieczorem zapukał do okna chałupy kapral „Wyrwa" – Tadeusz Kupis.

– Panie komendancie, alarm!

Komendant wyskoczył przed dom, trzymając pas z pistoletem w ręku.

– Meldować!

– Ejszyszki się palą. – „Wyrwa" wskazywał na rosnącą w oczach łunę na zachodzie. Czerwone jęzory zza horyzontu.

– Tak, to niewątpliwie Ejszyszki – dowódca przyznał rację „Wyrwie".

Czyjeż to szatańskie sztuczki. Kogo czort podkusił?...

– Jedziemy, panie komendancie? Kolarze gotowi, „Gil", Antoni Skirtun, również.

Zaparło mi dech – żeby tak bezczelnie podprowadzić komendanta!

– Rano będą tam zgliszcza, panie komendancie. Trzeba się pośpieszyć.

– Nie, „Wyrwa", ruszymy dopiero przed świtem. Uciszcie wieś. Niech sołtys zakaże palenia świateł. Drużyna niech ubezpiecza nasz postój. Jeżeli będzie coś nowego, meldujcie!

Co jeszcze chłopcy wywiną – dumał major „Sztremer". Rwali się do walki bez rozmysłu. Rano komendant wyszedł przed dom. Wachmistrz targował się z sierżantem „Bzem", Alfredem Fryesem, o jakąś zdobycz. Obejrzał kilka wozów: papierosy, mydło, nafta, bardzo liche gumowe obuwie, jakieś damskie palta, bielizna, dziecięce kapturki i sandałki...

– Co, u diabła, żołnierze czy zbiór bab? Targ zamierzacie urządzić?

Dowódca ze zniecierpliwieniem machnął ręką.

– No i co, panie komendancie, jak pan ocenia wyniki naszej akcji? – podbiegł zdyszany porucznik „Krysia", Jan Borysewicz.

– Nie słyszał pan? Już wyraziłem swój pogląd. Obrabowaliście miasteczko. Pomyśleliście o ludności? Dym i rabunek...

– Ależ to niemieckie sklepy... – bronił się skonfundowany „Krysia".

– Komu to zabraliście? Niemcom czy ludności?

Rozstali się w niezgodzie, ale nie na zawsze.

Porucznik „Krysia" należał do dzielnych partyzantów, ale miał tendencję do odgrywania roli gospodarza terenu. Sam niekiedy nagradzał i karał, wyznaczał daninę i kontyngenty i sam wkraczał w różne drobne sprawy bytowe ludności. Zdecydowanie za daleko posuwał swą funkcję opiekuńczą...

Ale chłopaki od pomysłu dokonania akcji na Ejszyszki nie odstąpili.

– Musi się kiedyś udać – i krążyli w pobliżu. Niepokoili niemieckich żandarmów i kałakutasów. Niemal wywijali im figami przed nosem.

* * *

Antoni Songin, były robotnik Putiłowskich Zakładów w Petersburgu, w swojej wysokiej baranicy, pykając fajkę z wiśniowego korzenia, nieśpiesznie snuł opowieść o przewrocie październikowym. Żmogus słuchał.

– Wtedy Petersburg nazywał się Piotrogrodem, żeby nie trąciło niemczyzną. Ot, panie święty, potar-

mosili nas w te dni, potarmosili. Garstka oszalałych, panie święty, anarchistów, utrapieńców, jakie tam masy, przeważnie ludzka mierzwa. Na wiecach obiecywano wolność i niepodległość podbitym krajom. Car zrobił z Polski Kraj Przywiślański. Rewolucjoniści obiecywali raj na ziemi. Poszedłem za nimi. Na czele małej grupki młodzieży niosłem czerwony sztandar, wrzeszczałem, że na nim robotnicza krew, a myślałem – polska krew. Wiecowałem, przemawiałem, stojąc na jakiejś beczce. Poznałem zawodowego rewolucjonistę Antonowa-
-Owsiejenkę. Sympatyczny człowiek, wygadany, odważny. Kadeci prawie się nie bronili. Weszliśmy przez bramę do środka małymi grupkami, po złodziejsku, tłukliśmy kamieniami szyby, wyważaliśmy kolejne drzwi, bez przeszkód, zabieraliśmy po drodze, co wydawało się komu przydatne, wysypywaliśmy zawartość szuflad z biurek i potężnych szaf. W pałacowych salonach można było wozem jeździć, hektary parkietów, wszędzie czysto i pusto. Won z Kiereńskim, won z samodzierżawiem, won ze starym porządkiem, won z wojną! Wojna nam się przejadła. Panował wielki głód. Ludzie na ulicach zamarzali i nie miał kto ich pochować, nie było czym palić w piecach, nędza, chłód i brud. Ludzie z głodu końskie gówno jedli, jeszcze ciepłe. Grunt na agitację podatny. Kiereński słaby, a w pałacu na ścianach portrety w złoconych ramach, kapało od bogactwa, nas skręcała wściekłość, chęć zemsty, solidne meble, ciężkie, z czarnego dębu szafy, niemieckiej roboty, wszędzie rzeźbione ozdoby, takich jak tam stołów w życiu

nie oglądałem. Poupychani po kątach, struchlali ze strachu jacyś urzędnicy w mundurowych kurtkach i samych kalesonach. Nawet nie mieli odwagi rąk podnieść. Nieudolnie barykadowali się tymi swoimi biurkami, zasłaniali się książkami, niczym na aeroplanach siedzieli na etażerkach. Strasznie i śmiesznie to wyglądało. Rzucali w nas papierami i piszczeli. Pamiętam błagania o litość, rejwach. W tłumie sporo było Polaków i Łotyszy, mało Rosjan. Władza leżała na bruku i rewolucjoniści, a raczej kontrrewolucjoniści, ją podnieśli z tych kocich łbów. Anarchia rządziła, mnóstwo dezerterów, uciekinierów z frontu, zdzierali pagony, przyłączali się do nas, bo łatwiej można było coś chapnąć w grupie. Wiedzieliśmy, że była rewolucja lutowa, że Kiereński na czele rządu. Owsiejenko coś gadał o Leninie, że to wódz proletariatu. Kto z nas, prostych, słyszał o Leninie? Opowiadał, że sztab jest w Smolnym, a to był przecież pałac kochanki carskiej, naszej rodaczki Krzesińskiej, no to cieszyliśmy się, że pałac odebrali kurwie. Zresztą, co Owsiejenko gadał, to jednym uchem wpadało, drugim wypadało. Trzeba było napełnić kałdun, znaleźć barłóg do spania i skończyć wojnę. Rozumne były dekrety o pokoju, o ziemi, że niby w ręce biedoty, i o radach robotniczo-wojskowych, że niby sami sobą będziemy rządzić. To chwytało. Zima tuż-tuż, głód bebechy nicował, a strach miał wielkie oczy i straszne obietnice. Ta ruchawka ani nie była powszechna, ani socjalistyczna, ani innej maści – bunt wywołany strachem przed głodem i chłodem. Nikt przecież nie gospodarzył, nikt pola nie orał, nie siał, bardak ogólny i śmierć codziennie. Zawiewało prochem na ulicach i smrodem gnijących ciał, od Zatoki Fińskiej zgniłą rybą. Na co mieliśmy czekać? Nasza grupka zdobyła ten Pałac.

Owsiejenko, czerwony, w skórzanej kurtce, z naganem w garści, ale nie straszny, jakiś komiczny. Rozsypaliśmy się po pałacowych zakamarkach i kradliśmy, co wpadło pod rękę. Potem dowiedziałem się, że został przez nas aresztowany tymczasowy rząd, a Kiereński w babskim przebraniu uciekł. Anarchia i anarchiści wygrali, nie żaden Lenin. On sprytnie zgarnął śmietanę ze swoją kompanią, taka prawda, panie święty, sam świadkowałem. Nie żaden Trocki. Oni na karkach anarchistów wyjechali na wierzch, potem złapali ich za mordę i pod stienku, trrrach. Dzierżyński umiał strzelać, najbliższy w tamtych czasach zausznik Lenina. Dzierżyński i jego urząd z samych Polaków prawie złożony – to była rewolucja, nie Lenin.

Podłączali się wszyscy do tej ruchawki, każdy ubijał swój interes. Kto wtedy słyszał o Stalinie. Trochę o Trockim, o Leninie, fakt, ale nic ważnego, po carskiej Rosji wielu nawiedzonych buszowało. Ogromny kraj, imperium, panie święty, to i dziwaków, Rasputinów na pęczki. Ważni byli dezerterzy, których pełno snuło się ulicami, napadali, rabowali, strzelali. Nocami włamywali się do cudzych mieszkań, do pomieszczyków, tak samo biednych jak oni. Anarchiści, dezerterzy snuli się po mieście razem z chudymi, bezdomnymi psami i oszalałymi kotami.

Zwierzęta w biedzie garną się do ludzi, a ludzie je ubijają i jedzą. Wielu widziałem na gankach, z wyciągniętymi po prośbie rękami. Wymierały całe rodziny. Do dziś pamiętam ogromne, błyszczące z głodu oczy dzieci i dorosłych. Oglądali niekończący się przemarsz wygłodniałych szkieletów. Cicho umierali. Mieszkania ogołocone z mebli, bo trzeba było czymś palić w piecach. Woda w wiadrach zamarzała. Fabryki nie produkowały, robotnicy strajkowali z nieróbstwa. A iluż było tych robotników? Raptem trzy miliony na sto pięćdziesiąt milionów ludności. Bezruch ogromnego państwa męczył. Kto by nie chciał skorzystać, kiedy tylko nadarzyła się okazja pójścia pod Pałac Zimowy. I ja skorzystałem, a nuż coś się tam skombinuje. Planowałem, jak większość kolonii polskiej, najszybszy powrót do kraju. Tam – już wiedzieliśmy – walczyły Legiony, organizowało się wojsko, do Piotrogrodu przyjeżdżali emisariusze, namawiali, werbowali, krążył wysoki niczym tyka Józef Czapski. Lenin – wódz rewolucji, to bzdura. Prawdziwymi przywódcami tej ruchawki były głód, mróz i strach przed anarchią. Potem wszyscy wdrapali się na pomniki, ruchawkę nazwali rewolucją, a wystrzały ślepakami na wiwat przez pijanych marynarzy z „Aurory" artyleryjskim pokonaniem armii carskiej. Aż gęsto od kłamstwa. Zaraz po tym uczestniczeniu w marszu na Pałac wyjechałem na Wileńszczyznę, do siebie, do Songiniszek. Grubo później okazało się, że zdobywałem Pałac Zimowy i że byłem bohaterem Wielkiej Rewolucji Październikowej, że bez mała osobiście obaliłem samodzierżawie carskie, a potem Rząd Tymczasowy, tak przegnałem Kiereńskiego, że w babskim przebraniu uciekał, i należą mi się ordery i bezkolejkowe przydziały w specjalnych sklepach za firankami, specjalny szewiot na garnitur i deputat na kalesony z podkoszulkiem, zostałem prawie towarzyszem samego Lenina.

Legenda nabrała pozorów prawdy. Zagrzmiały ślepakami działa „Aurory" przy nabrzeżu Newy, a tłum wiwatował na cześć nowej władzy ludowej, z młodymi komisarzami na czele. Szalała kontrrewolucja i głód, Rząd Tymczasowy był w rozsypce. Rozstrzeliwano oficerów o białych rękach.

Płomienne przemówienia skórzanych kurtek, wezwania do broni wygłaszane przez mówców stojących na beczkach, skrzyniach, na schodach. Palenie parkietów w pałacach, wyganianie burżujów i krwiopijców na bruk, kolbami. Rozgrabianie dobytku, mebli, obrazów, plądrowanie sklepów, tłuczenie szyb. Eskapady wściekłych anarchistów, zdawać się mogło, końca nie miały. Sam Lenin ich popierał i z nimi się bratał. Terror Czerezwyczajki pod wodzą Dzierżyńskiego, krwawego Feliksa. Władza leżała na ulicy, każdy o nią się potykał i każdy nią gardził, prócz bolszewików; Lenin ją zgarnął z ferajną. Rekwirowano podwody ze zbożem dla wojska. Szły kontyngenty z Powołża, chleb z Kubania. Rozbrajano białych, wyrzynano bydło. Na Ukrainie krwawe rozprawy band bat'ki Machny. Na Uralu hulał Czapajew. Krzyczano: Urał nawrał – i naprawiano kłamstwa nahajką. Zdradzali jedni drugich. Nie wolność, ale anarchia. Cała Rosja w ogniu. Przez opustoszałe miasta szły zbrojne hordy, pieszo i konno, nocami i dniami. Doskwierał głód przed zimą, brakowało opału. Nikt nie wiedział, kto wróg, kto swój. „Smieszałos' wsio, gawno i ludi". W kabakach zawodziły cygańskie orkiestry. Pieniądz się nie liczył, tylko handel wymienny: chleb za kolczyki, perły za sobaczy smalec, za kocie sadło. Szalał tyfus. Ludzie umierali na stojąco, na gankach i na śmietniku, szukając pożywienia. Zatłoczone stacje, z których nie odjeżdżał żaden pociąg. Komunikacja wyłącznie dla zrewoltowanego wojska, rewolucyjnych oddziałów. Kwitły burdele i meliny. Kwitł nierząd w ruskim carstwie. Kwitła czerwona propaganda. Uwijali się jak w ukropie agitatorzy z marksistowską lekturą pod pachą. Rozklejano odezwy: o pokoju, o ziemi i o robotniczych radach. A lud niczego więcej nie pragnął przed zimą, jak pokoju i ziemi na własność. Na sto pięćdziesiąt milionów ludności w imperium klasa robotnicza liczyła zaledwie trzy miliony.

Rzucało ludźmi z końca w koniec po szerokim terytorium carstwa. Nigdzie nie dało się miejsca zagrzać. Wielu głód wytrzebił, fronty. Rannych nikt nie leczył. Brakowało bandaży i karbolu. Szła czerwona kontrrewolucja przeciw Kiereńskiemu. Niemcy broń dostarczali i amunicję. Szwalnie szyły budionnówki, na wzór pikelhaub. Obstrzępione szynele sołdackie dodawały szyku. Malowano gwiazdy na papachach – zawiązywano czerwone kokardy i opaski na rękawach z obłędem w oku: komu służyć? Znalazłem się w samym środku piekła. Formowano polski pułk puławski. Zgłaszali się Polacy, byle bliżej do Polski. Zgłosił się Stanisław Ignacy Witkiewicz i Leon Wojszwiłło spod Ejszyszek, znajomy ze szkoły.

Taką wiódł opowieść Antoni Songin, doglądając krów koło swego obejścia w Songiniszkach. Pilnował sadu i uli, żeby rój nie odleciał. O fantazjach październikowych w Piotrogrodzie 1917 roku wiedział sporo i starał się sumiennie odsiać plewy od ziarna. Tłumaczył nieugięcie, że to strach przed mrozem zwyciężył, nie Lenin. Przekazywał, co zapamiętał i co przeżył.

– Zachachmęcali, co dało się zachachmęcić. Nikt nikogo nie słuchał. Rozbebeszona krzywda. Czarująca obecna historia funta kłaków warta. – Rozglądał się bojaźliwie. – Ruchawka odcisnęła potężne piętno na dwudziestym wieku, straszliwe konsekwencje dotąd mamy zakarbowane na skórze. Mówię, bo co mam kłamać. Mówię, bo kto miałby powiedzieć.

Żmogus z bezbrzeżnym podziwem chłonął każde słowo.

– Panie Antoni, twierdzisz, że rewolucja to blaga, fałsz. Jak to możliwe, że nikt się na tym dotąd nie poznał? Coś nie tak... Nie zezwalają?

– Bieda nie zezwala. Zresztą, cały świat to jeden załgany bardak, jeden fałsz. Nawet Pismo Święte ocenzurowane, sporo niedokładności. Dla przykładu: Drzewo Życia i Drzewo Grzechu. Niby takie same, a Pan Bóg poróżnił, bardziej strzegł Drzewa Życia, żeby do wieczności nie dopuścić ludzi. Pożałował wiedzy. Do grzechu wystarczył wąż, jabłko i Ewa, ale już Drzewa Życia pilnował archanioł z ognistym mieczem. Ani się dopchać. Gdzie sprawiedliwość?

– Od rewolucji blisko do Pana Boga – kręcił z dezaprobatą głową Żmogus. – Nie za blisko aby? Złe sąsiedztwo, trąci herezją...

– Gdyby Pan Bóg nie dopuścił, żadnej rewolucji ani kontrrewolucji by nie było. Ludzie zawinili, jak za czasów potopu, a czyż to nie potop naszych czasów? – zawieszał znacząco głos. – Czy spodziewałem się, że będą mnie nazywać towarzyszem Lenina? Czysta kpina...

– Wszędzie drą łacha, a pan wierzysz. Szatan, panie Antoni... Szatan opanował ziemię.

– Toż wiem i pusty śmiech mnie ogarniał, kiedy musiałem im pisać po czterdziestym piątym sprawozdania na państwowe święta, bo uważali, że jadłem z Leninem ze wspólnej miski, że o kołchozach z nim gadałem.

* * *

Krążyli niczym uparte bąki. Wreszcie dowódca ustąpił...

Już nie pamiętam, którego dnia o wczesnym świcie druga kompania szczęśliwie zajęła miasteczko. W podłużnym rynku mieściło się starostwo, poczta, policja i inne urzędy. Oczywiście była i apteka, i główne sklepy. Prawie całą krótszą ścianę zajmował bunkier z betonu, ogromny, mogący pomieścić sto osób. Na rynku była też remiza ochotniczej straży pożarnej, a w niej przechowywano pompy i sikawki, a także niewielki zapas benzyny. Wszystkie te punkty zostały opanowane. Na poczcie ulokował się pełen niespożytej energii porucznik „Krysia" i jego szkolny koleżka z podchorążówki, flegmatyczny „Licho". Kipiący przekleństwami wachmistrz „Wiatr" zajął stajnię, magazyn policji i penetrował wszystkie urzędy przy pomocy rezerwistów. Drużyny drugiej kompanii, przeskakując z budynku do budynku, przekradały się w stronę bunkra, który wyglądał jak brzydki, zwalisty grobowiec. Milczał, ale w jego strzelnicach gołym okiem można było dojrzeć otwory luf broni maszynowej.

Porucznik „Krysia" rozpoczął działalność dyplomatyczą: najpierw rozłączył w centrali stałe połączenie bunkier – Juryzdyka – komendantura. Następnie z wielką galanterią zadzwonił do bunkra, żądając ni mniej, ni więcej, tylko poddania się, ale zgodził się na pertraktacje ze starostą. Starosta mówił nieźle po polsku, więc „Krysia" bez zbędnych ceregieli zażądał bezwarunkowego złożenia broni. W zamian gwarantował staroście i policjantom osobistą nietykalność. Paradny kawaler, no i jaka fantazja... Starosta udawał oburzonego...

– Nie baw się pan w salonowca – ponaglał „Krysia" – za nami potęga...

Ale w miarę, jak dniało, szanse starosty rosły. Juryzdyka mogła lada chwila nadesłać odsiecz – samochody pancerne. „Krysia" jednak wiedział, że samochody pancerne w mieście łatwo uszkodzić czy spalić.

Tymczasem wachmistrz „Wiatr" został komendantem placu. Już on pokaże staroście, gdzie raki zimują. Dosyć czapkowania...

– Właduk i Maniuk – zarządził ostro – biegnijcie do pożarnej komendy i dajcie tu wodokaczka. My tu tych bisurmanów kałakutasów pochrzcim...

Właduk i Maniuk zaraz łomem wyważyli drzwi do remizy i z hukiem wytoczyli po kocich łbach pompę. Bunkier ogłuchł, nie reagował. Napięcie rosło.

Za moment Właduk i Maniuk włamali się do garażu i beczka z benzyną z łoskotem potoczyła się pod pompę.

Drużyny drugiej kompanii w pobliżu bunkra już ustawiły erkaemy we framugach otwieranych okien.

Wachmistrz, który sam był członkiem ochotniczej straży pożarnej, zakręcił mosiężny krążek parcianego węża, a jakiś bosy wyrostek pognał rozwijać węża prosto na bunkier.

– Józiuk i Właduk, do pompy – komenderował wachmistrz basem i kąsał wąsa z zadowoleniem.

– Raz-dwa, raz-dwa – odliczał głośno, żeby słyszało całe miasteczko i bunkier. Poruszany drążek skrzypiał przeraźliwie, a dwa osiłki machały niezmordowanie ramionami. Wąż po woli pęczniał i w miarę, jak wypełniał się benzyną, ciemniał i pełzł po bruku w stronę bunkra. Załoga ze strzelnic przypatrywała się z przerażeniem poczynaniom szalonego wachmistrza. Tymczasem drużyna „Puchacza", korzystając z osłupienia załogi, podeszła pod sam bunkier. Na poczcie zabrzęczał nerwowo telefon. Starosta prosił błagalnie o połączenie z komendanturą...

– Mogę pana połączyć z piekłem. Sam Lucyfer pana wysłucha. Łączę. – „Krysia" nie spuszczał z tonu.

Wreszcie zwrócił się do „Krysi" starosta:

– Proszę o prawo zwolnienia kobiet i dzieci.

– Zagotowało się w dupie, aha. Jak trwoga, to do Boga.

– Proszę... – kapitulował starosta.

– Niech pan nie jęczy, panie starosto, my nie kazaliśmy włazić do bunkra waszym kobietom i dzieciom. Pan będzie ponosić konsekwencje swych rozkazów. Przecież pan widzi, że my nawet ognia do was nie otwieramy.

– Panowie Polaki – starosta wyraźnie tracił głowę – panowie oficery, jeżeli oblejecie benzyną bunkier, spalicie nas żywcem. Cały bunkier wysłany jest słomą i amunicją. Odwołuję się do waszej rycerskości. Okażcie szlachetność...

– Dajmy im żyć – machnął ręką „Licho" – pal ich diabli, i tak ludność odetchnie. Niechaj się zabierają z miasteczka.

„Krysia" się jeszcze gorączkował, chciał targować. Do rozmowy włączył się podporucznik „Ryszard", Kazimierz Rymsza, człowiek znacznie starszy i rozważniejszy.

– Uważam, panowie, że wachmistrz wystarczająco nastraszył załogę bunkra. Nie warto przeciągać struny. Przecież nie będziemy wojować z babami i dziećmi. Niech wychodzą.

– A czy nie pójdę pod sąd polowy? – starał się upewnić starosta.

– Uzgodnisz to pan ze swoimi niemieckimi mocodawcami.

Rozpoczęła się kapitulacja.

Zgodnie z umową, najpierw z bunkra wyszedł starosta z komendantem policji. Następnie czterdziestu rosłych drabów z policji w granatowych mundurach z czerwonymi wyłogami, na końcu urzędnicy, kobiety i dzieci. Cały ten dziwny orszak pomaszerował szosą biegnącą po wysokim nasypie do Juryzdyki. Tam, groźnie wymachując pięściami, przywitał ich – jakaż kompromitacja – Ortskommandant... Policjantów i urzędników Niemcy natychmiast zapędzili do kopania rowów i poszerzania zasieków z drutu kolczastego. Po paru dniach wszyscy oni karnie odmaszerowali do Olkienik, a do Ejszyszek przysłano batalion niemieckiej piechoty. Obeszło się bez strzału i bez strat.

Nasze konie ledwie ciągnęły pełne wozy amunicji, broni i aprowizacji. Kilka dni później otrzymaliśmy zaszyfrowany rozkaz pod hasłem „Burza"...

Mieliśmy wyzwalać Wilno.

Saperzy otrzymali rozkaz wybudowania mostu z groblą przez błoto na Ruściany. Przeszło trzysta furmanek woziło ziemię i drzewo. W ciągu dziesięciu dni saperzy inżyniera „Wira", Jan Klebana, wybudowali swój pierwszy wojenny most.

A tak w ogóle to Emilucyn nie nazywał się Emilucynem. Wszyscy tu go nazywali Emilucją. Choć „Emilucyn" brzmi bardziej elegancko, ale nie po tutejszemu. Żmogus zapatrzył się w wibrującą dal: teraz, po wojnie, wszyscy wymagają elegancji, niechaj mają Emilucyn. Tu właśnie odbyło się zgrupowanie partyzantów przed ostatnią próbą.

Drałujesz, bratku, na prostki. Szmat drogi. A potem nagle wszystko się urywa. Wiązka gałęzi pod głowę to przepych.

* * *

Przeklęty szaulis – moje przeznaczenie? Jak sęp krążył, zabiegał o względy, jad sączył – rozmyślał Żmogus – niekiedy giniemy jak ćmy zgniecione w dłoniach, a niby gonimy za słońcem. Jak skłębione jętki, efemerydy: rodzimy się rano, by umrzeć wieczorem. Szast-prast i po nas, choć oczekiwaliśmy na zbawienie. Zawsze gdzieś taki szaulis przyczajony. Zawsze gdzieś się plącze jak cień. Ani się oderwać. Przewrotna dola. Musisz grać, choć wiadomo, że gra bez sensu. Ta z kosą chyłkiem obok, jak szaulis z cepem. Gdybyż Bóg w łaskawości swojej umysł nam zmącił, pomylił świadomość albo przynajmniej pomieszał rozeznanie, gdzie zło i dobro. Za ciasno w tym kręgu, niczym w pętli, węzeł po węźle, supeł po suple, jak na liczydle uczynki.

Twarz osmalona prochem dnia i nocy. Nie mamy twarzy, jedynie maski. Uczestniczymy w maskaradzie na tym padole.

Żmogus międlił pod nosem coś niezrozumiałego dla samego siebie. Szkoda, że Bóg nie postępuje ze świadomością jak ze wzrokiem: na starość piękno mniej oczy zachwyca. Zmysły tępieją, węch zawodzi. Brak ostrych spięć na linii, iskrzenia. Wszystko letnie i niedogrzane, kalekie. Doznania słabsze, straty mniejsze. Ze świadomością odwrotnie: wyostrza się z wiekiem.

Serce gołębie. Ofiara na muszce. Wodzisz, celujesz, tropisz. Jest. Jednym skrzydłem okrywasz. Drugim ranisz, popychasz w przepaść, do Boga zawsze na czas zdążysz...

Nigdy niczego do syta.

Błądzą w Dugnach i Barbaryszkach, lasami Apałatów, duchy Leona i Gałaguta, w szyby tłuką. Epoka schyłkowa nie mija szybko, to najgrosza jej wersja.

Gromadzą się na grobli, w pobliżu młyna Pryszmonta. Na podstępnych brodach toną konie w pętach. Wiry pod mostem do grzebania żywych. Chmury pełne burz. Kataklizm zaraz się zacznie, jak w elegii o Mohorcie Wincentego Pola:

Kto w boju legnie, narodowi miły,
Bóg sieje ludzi – człek sypie mogiły.

Ponure myśli targały Żmogusem.

Jak co roku mijają wiosny, mija zieleń i fiolet, miesiące płoną jak zapałki. Doświadczenie psu na budę.

Partyzanci, partyzanci i po partyzantach. Mgła, ułuda. Nas jak na lekarstwo, nie do uzupełnienia braki.

Kto z nami się liczy? Ziemia. Dla dekoracji, od wielkiego dzwonu, Powstanie Wileńskie, Powstanie Warszawskie, ktoś do pierdla wtrąci lub medal zawiesi na wychudłej piersi kombatanta. Zgodnie z kaprysem chwili. AK – zapluty karzeł reakcji. O „Wachlarzu" grobowa cisza. Prawda, chłopaki? Za „Wachlarz"! Za słabe zdrowie. Za akcję „Burza"! Za groby na wojskowych leśnych cmentarzykach.

Co z Powstania Wileńskiego? Niewielu nawet słyszało. NKWD wezwało na podstępną zbiórkę, wszystkich aresztowano i na białe niedźwiedzie, do kazamatów, do łagrów.

Mogiły wojskowego cmentarza na Rossie porosły chwastem. Stęchły zapach sukna fasowanych szyneli enkawudzistów do dziś mam w nozdrzach.

Owszem, po pięćdziesiątym szóstym przypomniano o nas, o resztkach folkloru. Hucznie rżnęły orkiestry garnizonowe. Defiladowo przybijano lewą na placach musztry. Na gwałt zaciągano warty. *Pąki białych róż* i *Jak to na wojence ładnie*. Do apelu – padała komenda. I tak kolebiemy się, niby zdezelowane wahadła zegarów, od uroczystości do uroczystości. Sprężyny puszczają coraz częściej. Znów jesteśmy bohaterami. Okolicznościowe artykuły o „Wachlarzu", a z nas chodzące trupy. Inwalidów na rękach obnoszą. W pociągach darmowe przejazdy. Fundowanie kiełbasek z rożna. Orły z koronami na rogatywkach. Odrodzenie. Objęcia, pocałunki. I wzmożone pikanie serca: czy aby pocałunki nie judaszowe.

Dla wojaczki niezbędna była wówczas odwaga i wyobraźnia. Do czasów spokojnych chytrość się zakradła. Won z poświęceniem. Bohaterowie zmęczeni, w tylnych szeregach. Do lamusa z kościotrupami kanciastymi w obejściu, jak bryły ledwie ociosane. No i najgorsze: prawdomówni, jakby z innej gliny.

Dyletanckie wojsko, partyzantka – powtarzają w kółko – armia szczęśliwego przypadku. Wasi dowódcy to amatorszczyzna, istne warcholy niewyżyte, stada Podbipiętów i Kmiciców. Naczytali się Sienkiewicza. Kto kazał czytać zatrutą literaturę?

Jest w tym szczypta prawdy, naczytaliśmy się, a partyzantka to nie regularne oddziały, marna sztuka wojenna – gry leśne. Liczył się łut szczęścia i znajomość terenu. Szybkość działania, zasadzka. Kmicice? Za skąpo pokropione krwią pola?

Zawaliły się labirynty tajemnych przejść od transzei do transzei, od schronu do schronu. Sczerniały bierwiona i smoliste szczapy, okrąglaki z sosny, opustoszały zimowiska i polany. Po lasach jeszcze trochę walających się kół od cekaemów. Zakładają je wieśniacy do furmanek. Ktoś spod darni wygrzebie zaśniedziałą gilzę, ułomek zardzewiałej taśmy. Niegdysiejsza sława w kącie, pękła bańka mydlana.

Obecnie pobłażliwe klepnięcie lub zniewaga misternie utkana, albo łagodna uszczypliwość: wojaki... Tak mówią wykształceni geniusze oręża, co proch wąchali jedynie w swoich wytwornych akademiach, na strzelnicach i podczas manewrów, ale mają paradne mundury, szlify, wyróżnienia, awanse, baretki.

* * *

– Ot, dalibóg, Wincenty, biedy napytasz. – Pykał fajeczkę Łopato.

– Kiedy brzuch w biedzie, musi burczeć. Trzeba go przekrzyczeć.

– Wielebny zaradzi po maleńku. On się zna na tym, i z samym czortem się dogada. Ma konszachty z niebem i piekłem. Jeśli tylko zechce, to się dogada – organista Łopato ślepo wierzył w możliwości kapłana.

– A słyszałeś dziś kazanie o Biblii? To, co widzisz naokoło, to Biblia, słyszałeś? Martwego by przekonał.

– Tak prawić nie każdy potrafi. Że niby niekoniecznie Biblię trzeba czytać, bo to, co miał Pan Bóg do powiedzenia, to i po innemu zapisał, że ten świat, drzewa, myszy, krowy, kury, bociany, Boże stworzenie, żywioła wszelka – to niby też zapis. Wystarczy głowę za okno wysunąć.

– Ot, braciszku, taka mądrość u naszego kapłana! A jak szatana odmalowuje!

– Obsmarowuje.

– Odmalowuje. Nikogo nie poróżni, prędzej pogodzi, choć i ciężkim słowem rzuci. Nikt jakoś długo obrazy nie nosi. Łajdak, potyrcze czy szanowany – po równo.

– Aż za gładko mu się udaje.

W przyszłości ksiądz Montwiłł miał zginąć rozstrzelany. Poległ między swymi, z krucyfiksem na piersi. A wystąpił w obronie ejszyskich Żydów, co to ich koło cmentarza zabijano i niegaszonym wapnem obsypywano. Wzdłuż cmentarza rów kazali wykopać i kładli ludzi pokotem, siekli seriami z cekaemów. Ksiądz domagał się tylko uczciwego pochówku dla Izraelitów. Szaulisi, czy to może byli własowcy, wzięli go za ich stronnika i bez sądu, jak stał, w sutannie z krucyfiksem, tak padł, nawet nie zdążył dopowiedzieć ostatniego słowa. Jeszcze go któryś z oprawców butem przycisnął, przydeptał gardło.

Pust' padychajet jewriejskij adwakat.

Tak zginął znawca Biblii i partner w długich dysputach ze znanym w Ejszyszkach rabinem i talmudystą Mojżeszem Soshe. Kapłan, pierwszy ekumenista stron tutejszych oraz wspomniany znawca Talmudu i Tory siadywali zgodnie przy stole, wyciągali z szafki karafeczkę i nieśpiesznie wiedli spór o prawdę objawioną.

Rebe trochę wcześniej powędrował do swego, a może tego samego Boga. Rozstrzelano go zaraz na początku wojny sowiecko-niemieckiej, jesienią czterdziestego pierwszego. Rozstrzelano za to, że był Żydem, w jednej z trzech synagog w Ejszyszkach odprawiał modły. Po prawdzie w Ejszyszkach na trzy i pół tysiąca mieszkańców dwa tysiące stanowili Żydzi. Trzy bóżnice o tym zaświadczały. Później Żydzi z komunistami się zwąchali i stracili poważanie miejscowych. Do NKWD wstępowali, donosili, jak – dla przykładu

– stary krawiec, co to pod koniec wojny zginął z rąk partyzantów.

Narzekał, bywało, ksiądz w rozmowie z rebem, że po wsiach ludzie się nie myją, że zapuszczone dzieci. Brud, wszy, każdemu do prawdziwej bieli brakuje pięciu pumeksów. I jeszcze matki się buntują, kiedy im uwagę zwrócić. Szyje jak cholewy. A co za uszami? Nogi – choć rzepę siej, latem butów nikt nie zna. Już od wczesnej wiosny na bosaka po wykrotach. Trzeba by pięciu pumeksów, żeby do czystości wyszorować. Ludzie słuchali uwag na kazaniu, ale co z tego, chyłkiem wymykali się ze świątyni, urażeni. Prawda w oczy kole. Kłócić się z kaznodzieją nie wypadało, ale do czystości im nie śpieszno.

Rebe ze zrozumieniem potakiwał.

– A tu Żydów uważają za brudasów, przykro słuchać – odwzajemniał się swoimi kłopotami – nazywają nas brudnymi gudłajami.

* * *

Starsze wyrostki igrały ze śmiercią. Skądś wyciągali obrzyny, odrezanki, zasadzali się przy gościńcach, napadali na jadące na targ fury, grabili, strzelali na wiwat i do siebie. Trakty należały do najniebezpieczniejszych miejsc. W tarapaty popadał każdy, kto lekceważył reguły gry, nie dawał okupu. Publicznymi drogami poruszano się gromadnie, żeby ryzyko zmniejszyć.

– Chodź, Piećka, blaszanka wyciągniem, śmietanki popijem – albo: – Chodź, Beniuk, wydrzem ul, miodu skosztujem. Wytarabanim parsiuczka z chlewa – nawoływali się co dzień.

Własnym obejściem żaden z nich się nie zajmował, o gołębie żaden się nie troszczył. To należało do zaharowanych rodziców. Młódź między dziesiątym a dwudziestym rokiem życia stanowiła utrapienie. Zaniedbana, bez szkoły, bez pożytecznych zajęć. Tym, którym nastawała pora żeniaczki, rodziły się dzieci, beztroska i głupoty mijały. Inni musieli się wyszumieć, nie pomagały żarliwe kazania kapłana ani przestrogi matek. Owszem, do spowiedzi przystępowali, przyjmowali Ciało i Krew Pańską, ale natychmiast o karze za grzechy zapominali. Bardziej interesowali się obrzynkami i strzelaniną niż modlitwą i zbawieniem. Wiedźmy na miotłach uwodziły ich wyobraźnię.

Jak Piaciukonisowa rodziła, Władziuk Piaciukonis popił do nieprzytomności w Dajnowie u kuma. Wracał nocą. Niebo iskrzyło, mróz skrzypiał pod podeszwą. Nikt nie wie, jak i którędy szedł. Minął swój dom, pobłądził, znalazł się koło Bartowtów, chyba postanowił zawrócić przez Barbaryszki i Dugny. Na krzyżówce raptem skręcił w pola i zaczął kołować. Drzewa nie drgnęły, cisza martwa, czerniało pasemko zarośli na horyzoncie. Podobno kiedy zaczyna człowieka wodzić, krok prawą nogą jest dłuższy. Niby do przodu, a w kółko. Na tych gliniastych, aluminiowych polach wydeptał ścieżkę niczym koń w maneżu. Zmęczył się, zrzucił półkożuszek, marynarkę, szal, wreszcie ściągnął sweter, po tutejszemu: szweder. Wciąż kołował niczym dzik zraniony. Znaleziono go dopiero po kilku tygodniach, bo tamtędy rzadko przechodzono. Zawiei nie było, śladów nie zawiało. Żeńka Jasowicz natrafił wpierw na półkożuszek, potem marynarkę, poszedł śladem – i znalazł zamarzniętego Władziuka. Za sztywną rękę zawlókł ciało do domu, jakieś pół kilometra. Żeby go umyć i ubrać, trzeba było czekać, aż odtaje. No i złożono Władziuka do trumny, bo zachlał się, a potem zamarzł na śmierć – powiadano dla przestrogi innym. Bóg dał widomy znak, żeby omijać dużym łukiem uroczyska przeklęte. Żeńkę Jasowicza podejrzewali, że niby za łatwo znalazł ciało, a nieraz mieli z Władziukiem na pieńku. Na posterunku musiał złożyć zeznanie. Sprawdzali po kolei, gdzie szedł, jak długo, po co, dlaczego akurat tamtędy. Tłumaczył się człowiek, że nie ma garbu. I podaj tu pomocną rękę choćby zmarzlakowi. Na dno pociągnie. Podchmielony Żeńka darł włosy ze łba, zaklinał się, że nigdy więcej, że niech na jego oczach ktoś zdycha – ucieknie, bo więcej kłopotów później niż honoru. Dobroć nie popłaca, lepiej niczego nie widzieć, nie słyszeć. Ma dość ciągania po posterunkach, składania zeznań. Z nadprzyrodzonym nie ma co walczyć. Trzeba omijać te miejsca, gdzie bies wodzi. Jeżeli przez Oklę do miasteczka bliżej, to dla bezpieczeństwa należy dołożyć drogi, bo w Okli uwił gniazdo nieczysty. Niechaj spory teologiczne prowadzi ksiądz z rabinem, poczciwi ludzie muszą mieć się na baczności. Do karczmy w Dzieguciach, którą Grynszpan prowadzi, trzeba naokoło, nie przez Waukiełę, bo tam też kusy siedzi. Byle unikać wodzenia po rojstach.

Siły jasne od zawsze zmagały się z mrokiem, ale to, co ksiądz Montwiłł wykładał o diabłach, różniło się od wyobrażeń ludowych. W nich kusy miał koniecznie ogon, z niemiecka ukryty pod frakiem, był parzysto-kopytkowy, kopytka ukryte w wysokich butach na obcasie, ogon czarnym guzem zakończony, obcisłe szarawary, chuda, czarniawa gęba, kościste paluchy. Cały kosmaty, zmierzwiony, w czerwonym rozwianym szalu, w safianowych rękawiczkach, czarnym fraku, elegant, chytry uśmiech na wąskich wargach, szpicbródka, niczym u wileńskiego kieszonkowca, skośne bystre ślepia, skulaste policzki i różki niewielkie, ledwie widoczne, zawijane, złoty pierścień na palcu. Szybki w ruchach, niezrozumiale, po niemiecku szwargoczący, w cylindrze kominiarskim, trochę podobny do kocura, trochę do koguta, o nieprzyjemnym zapachu dziegciu pomieszanego z terpentyną, niekiedy ziejący jęzorami ognia z pyska. Język widlasty, z kropelką jadu, krza-czaste brwi. Uprzejmy na pozór, podstępnie grzeczny, wkupujący się w łaski. On to dowodzi tabunami cza-rownic, sabaty zwołuje na moczarach, on zagaja zebra-nia, rzuca urok i klątwy, planuje ataki i wskazuje ofiary wiedźmom, ochwaca kobyły, truje wodę i trawę na łą-kach, żeby krowy wzdymało, kazi mleko w wymionach, rzuca szał na wieprze, zaraża szaleństwem psy, pomór na kury rzuca, zabija cielęta. Miejscowy bies grasuje po wsiach w wietrzne noce i śnieżne zadymki. Prze-ważnie szuka miejsc podmokłych, gęsto zalesionych, przy krzyżówkach dróg, którędy z ucztowania wracają, z wieczorynek, z bazaru. Wodzi po rojstach, mąci rozum, prószy w oczy wapnem i bladym strachem pokrywa twarze, kiedy się rozeźli, nożem dźgnie pod żebro. Ale też miewa łagodniejsze chwile szatan tutejszy, wówczas tańcuje z dziewczętami, drobi kroczkiem przymilnie, uwodzi co ładniejsze, wrzuca lubczyk do szklanek, łączy pary, by natychmiast w napadzie szału je skłócić, wepchnąć do grzesznego łoża, bajstruka zmajstrować z teściem, ojca z pasierbicą sczepić. Pomąci wodę w stawie, by ryb nie złowiono, ale niekiedy dobrodusznie pomaga zgarnąć je do niewodu. I odgadnij jego plany. To naprawia, to psuje, to łasi się, to kąsa. Przemienia się w rozmaite stwory, w królika, kurę, lisa, by za moment obrzucić najwulgarniejszymi wyzwiskami, wyszydzić. Obłudnik, a ludzie łatwowierni, idą na jego wezwanie, na jego fałszywie słodki głos, i popełniają grzech. Wybijają szyby u sąsiadów, wydzierają miód, kradną jabłka i zboże ze stodół, porywają młode klacze ze stajni. Kusy się cieszy, bo chwycił na lep.

– Bies podkusił – pomstowali ludzie przed sądem.

– Bies pchnął do przestępstwa. Noża ze sobą nie brałem, a skądś się znalazł, sam w dłoń skoczył, no i się ktoś napatoczył, nie moja wina. W cholewie nóż znalazłem.

– Albo: – Sama wlazła, nie zgodziłem, bajowe majtki ściągnęła, nie miała napisane, że mężatka, koszulę podkasała, nie wiem, kiedym ze spodni wyskoczył, może same opadły. Obudziłem się, leżała, bezwstydnica, obok i dogadzała, potem chlipała: co zrobiłam, co zrobiłam, a ja na to: dziecko. Zapaliłem papierosa, poczęstowałem, sztachnęła się, do gazety tytoniu, drugiego skręta, we łbie się zmąciło. Patrzę, oczom nie wierzę: sąsiadka, żona znajomego, przyszywanego krewniaka. Anim jej nie kusił, anim nie zapraszał. Katulała się zygzakami, w lewo, w prawo, niczym worek zboża w komórce. Raban, kradzież, cudzego nie tykać! A ja tknąłem. Czort pewnie podkusił i człowiek nie miał siły się oprzeć. Taka cacy, ponętna.

A kto księdzu gospodynię co wieczór podsuwa? Nie Pan Bóg. Ten. Czarną połą fraka poruszy, podbechta, do szklanki naleje hary, obcasem do humoru przytupnie i żeś przepadł. Wciąż po okolicy krąży. Nie zbawienie, męki obiecuje. Męki piekielne jego żywioł, jego raj. Smołę gotuje w beczkach, smolakami duszę okłada. Działa z samej przekory, żeby szkodzić, niszczyć, taka jego natura belzebubska, nasienie straceńcze. Biesy nie sieją, a zbierają. Czyż nie sam Belzebub księdza w Wierchowie do nierządu podjudzał? Jeżeli nie Belzebub, to dlaczego ksiądz od tej siksy nijak odkleić się nie mógł? Kościół się wali – to nic. Dzwonnica się przekrzywiła – nic. Belki spróchniały, pruski mur osiadł, przegniły stropy. A ksiądz siksy z plebanii nie wypuszcza. Parafianie palcami wytykają. Rodzina ze wstydu wyklęła córkę, ale grosz zgarniała księży, chałupę nie za darmo wystroili. Sama czerwień na gębę włazi, a ten się gzi, potem przed ołtarzem słabnie, strachu napędza, serce mu drętwieje, ale bebech pod sutanną gruby, do tej siksy goni, innej nie dopuszcza, choć podtykali. Może przed ołtarzem ze skruchy mdlał? Cmentarz zaśmiecony, nieogrodzony, przyjezdni tam załatwiać się chodzą. Chaszczami zarósł. A ksiądz tylko z ambony upomina, żeby na tacę nie żałowali. Za skąpstwo naród oklina, z kościoła przepędza. Panienka paraduje, wysztafirowana zawsze jak w niedzielę, ksiądz jej nawet szkołę załatwił, bryczką dowozi. Koło Naczy już gniazdko szykuje. Dom buduje za tacę księżulo, może i z powołania zrezygnuje. Sam biskup o tym się dowiedział, ludzie opisali, na inspekcję przyjechał, pogadał z proboszczem i do innej parafii go przeniósł. Spakował księżulo manatki i na przeprowadzce nie stracił, siksę zabrał. Sodoma z Gomorą. Czyż nie sprawki Belzebuba? Zgorszenie, parafianie do spowiedzi przestali chodzić. Od konfesjonału uciekali, z księżego rozgrzeszenia kpili. Tylko domokrążni Żydkowie cmokali, mieli radość w oczach. – Wasz celibat przestarzały – mówili – nie wolno zdrowego mężczyzny do wstrzemięźliwości zmuszać, bo i w Biblii napisane: rozmnażajcie się na chwałę Bożą. I czyż ten męczennik nie zarabia na chwałę Bożą? – podstępnie rzucali pytania, z jawną kpiną w głosie. – Czyż wasz ksiądz gorszy od rebego, że na przysparzanie chwały Bożej nie zezwalacie, za młódką po prośbie co za interes? Aj-waj, to bardzo niezdrowo, kiedy syty mężczyzna musi przestrzegać wstrzemięźliwości, to dopiero grzech prawdziwy. Jajeczka puchną, torba rośnie – świntuszyli nawet – ból w grzbiecie. Celibat choroby napędza w zdrowe członki, nie dziwota, że ksiądz sobie młódkę przygruchał, bo co w starym piecu: zimno i cuchnie popiołem, a młodość pachnie jak bławatek, w zbożu świeci, gwiazda w nocy ciemnej.

* * *

Gubi się człowiek w natłoku zdarzeń. Dziś bohater, jutro nędzny śmieć z marginesu historii. Uczepiona piedestału efemeryda, co to na słońce się zagapiła i oślepła. Błyskawiczny upadek w otchłań niebytu. Nim lot Ikara zdążył rozbłysnąć wszystkimi barwami, już zgasło światło. Wodospady huczą: przemiał materii.

Jeżeliś gdzieś zaginął na odludziu, to jeszcze w rodzinnym domu żyjesz, dopóki fatalna wiadomość nie dotrze, nie zawiśnie żałoba na portrecie. Międzyczas, nasza wieczność. Już należysz do innego świata, choć korzystasz z przywileju żywych, łaski bycia na ziemi. Ci, którzy zaginęli bez wieści, zdarza się, żyją wiecznie. Ludzie używają ostrożnych określeń, by podtrzymać nadzieję, matkę głupich, czyli okłamać, żeby, Boże strzeż, nie urazić, nie zapeszyć, na wszelki wypadek trzymać otwartą furtę niebieską, nie prowokować nieuchronności.

I żyjesz, bracie, z łaski pamięci, na kredyt. Cudownym sposobem nie zaliczasz się do martwych, ale i w rejestrze żywych ciebie nie ma. Trwa oczekiwanie. A nuż nagle zaskrzypi furta i radośnie zawołasz: wróciłem... Wracają zbłąkane owce. A przecież bywa, że już nawet gdzieś twoje kości spróchniały, rozsypała się w proch cielesność, pokrowiec.

Matka wyczekuje, robiąc na drutach kolejne swetry i nauszniki, dziergając kolejne koronki-frywolitki, snuje nadzieję... A nuż syn wróci, a nuż się uratuje. Może gdzieś założyłeś rodzinę – myśli przezornie – wyparłeś się stron swoich? Przypuszczenia mieszają w głowie, ale pomagają trwać. Dla podreperowania nastroju matka wychyla szklaneczkę nalewki. Ty w jej marzeniach nigdy nie przekraczasz lat dwudziestu, a przecież od tamtej chwili minęły dziesięciolecia. Nachalne cienie snują się po obejściu, w każdym z nich matka rozpoznaje znajome rysy, rozkłada na powitanie ramiona, gotowa uściskać zjawę, chwyta zachłannie powietrze i z pustymi, wyziębłymi od czekania ramionami zasiada do następnej robótki. Nawleka guziki na prątki, żeby oczka nie leciały, i roni oczko po oczku, układa skomplikowane wzory niczym wiersze. A więc żyjesz za przyczyną żarliwej wiary, która odtrąca złą wiadomość. Oby nigdy nie dotarła do celu, oby jej krucza czerń nie spadła na domostwo. Choć ty już od dawna ziemię gryziesz w zbiorowej mogile z tabliczką: nieznani żołnierze.

Listy bombardują próżnię. Niekończące się molestowanie Czerwonego Krzyża, a ten dobrotliwie rozpościera ramiona nad ziemią i milczy. Listy do tych, co przepadli bez wieści na nieludzkiej ziemi. Próby zatrzymania czasu z pożółkłej fotografii.

– Musisz korzystać z życia albo kaczki szczać prowadzić – sąsiedzi dogadują przyjaźnie, łagodzą ból prowokacyjnym słowem, uszczypliwością, grubiańskim wtrącaniem się w nie swoje sprawy: co tak obnosisz swoje cierpienie, lepiej wychyl z nami za spokój duszy. Daj na mszę, spokój uzyskasz. Odpocznij...

Porady niczym obuchem po głowie. A sio, a sio, odejdźcie, złe duchy, nie siejcie zwątpienia. Nie skorzystam z okazji, dobrzy sąsiedzi, wolę kaczki szczać prowadzić, wolę nocami nie spać, z nosem w szybie siedzieć, szydełkować cierpliwie, w każde oczko niczym w kokon ból zawijać. Nie przeszkadzajcie w czekaniu, zacni ludkowie.

Nowe adresy, nowe pytania na wszystkie strony i jedna odpowiedź: sprawa nieznana, nic nie wiadomo. Kolejne pisma, sezonowe wybuchy żalu za utraconym – latem nie ma czasu, trzeba w polu robić, pora zimowa sprzyja nadziei. Połatane juchtowe saboty, chlupotanie gnoju, trzeba żywiołkę oporządzić, dosypać sieczki, sianka podrzucić, napoić, koryta oczyścić, w śniegu drogę przekopać, do studni dotrzeć, a wieczorami przy lampie naftowej, w kręgu żółtawej poświaty rzucanej spod ampli, sylabizowanie historii świętej na klęczkach, z namaszczeniem, niczym przy Pierwszej Komunii. Monstrancja lampy na mrocznym stole, ołtarz otworem: stół, serweta, zwinięty kot z boku, obrazy z Sercem Jezusowym i z Najświętszą Matką, za obrazami koperty, akt własności ziemi, testament, poświęcona palma z przeszłej Wielkanocy, w palenisku ogień i cienie na ścianach. Wielka moc względności. Niezbadana siła w ciszy, moc sprawcza w modlitwie.

* * *

Zgodnie z rozkazem nasz batalion miał działać wzdłuż osi Wilno–Lida. Jedyna droga ze wschodu na zachód, odcinek dawnego królewskiego traktu Wilno–Kraków.

Późny wieczór dnia 2 lipca 1944. Wyruszyliśmy z Raściun na wschód, przez Jodziszki, Birżynie, w rejon Konwaliszek, gdzie spędziliśmy na wypoczynku oraz czyszczeniu broni i amunicji cały dzień trzeciego i noc z 3 na 4 lipca.

Dokonywaliśmy ostatnich przygotowań przed czekającą nas wielką bitwą. Szosa z Lidy do Wilna była zapchana niemieckimi samochodami, pędzącymi w kierunku Lidy.

O świcie kompania ruszyła na Wilno. Porucznik „Licho", widząc moje zmęczenie, kazał mi pozostać w Wincukach, gdzie właśnie terenowe placówki przekazywały kompanii całe grupy własowców, masowo już opuszczających szeregi Wehrmachtu.

Batalion pomaszerował przez Katalińce, gdzie miał swoją kwaterę sztab generała „Wilka", Aleksandra Krzyżanowskiego. Tam otrzymano i odczytano przed frontem rozkaz o nadaniu drużynowemu „Piętce", Józefowi Zarzyckiemu, z V batalionu Krzyża Walecznych.

Jedliśmy obiad, kiedy do pokoju weszło dwoje dzieci gospodarza. Chłopiec i dziewczynka, w wieku pięciu–sześciu lat. Dzieci podeszły śmiało do dowódcy i dziewczynka wyciągnęła przed siebie niewielki woreczek.

– Tu są guziki od mundurów, jeszcze mego tatusia. Proszę, niech pan weźmie dla swoich żołnierzy...

Na twarzy dowódcy odmalowało się zaskoczenie. Nie wiedział, co zrobić. Malcy zauważyli, że kolarze podchorążego „Wyrwy", Tadeusza Kupisa, mają przy drelichowych bluzach płaskie guziki, obciągnięte zielonym płótnem. Takie drewniane guziki fabrykował nasz kwatermistrz, od którego trudno było wymagać, aby bił metalowe, ze sztancy. I oto dzieci wyszperały jakieś mundury, poobcinały zbędne guziki i postanowiły ozdobić swoich żołnierzy. Chłopiec stał wyprężony na baczność, z podniesionym podbródkiem, dumny ze swego i siostry postępku.

Dowódca przyjął dar. Nie mógł odmówić.

W Konwaliszkach z godziny na godzinę rosła liczba ochotników. W tym wielu Litwinów. Pamiętam, choć pamięć zawodna: Algimantas Łakis, Gedyminas Kiarszys, Stasiuk, powszechnie zwany Stasiuczkiem, nazwisko wywietrzało. Uciekli z oddziałów generała Plechawicziusa, wytarzani w błocie, brudni, domagali się przyjęcia...

Ze swojego rejonu działania podążał też „Konar", major Franciszek Koprowski. Rejon ten to Zubiszki Staniewicza i cała okolica Wersoki. Major „Konar", stary i doświadczony kawalerzysta, mężczyzna po czterdziestce, dobrze prezentujący się, sławny ze swych wyczynów, bitwy pod Wersoką z Litwinami i żandarmerią niemiecką. Człowiek o dojrzałych i trzeźwych sądach, realnym widzeniu możliwości...

Trzeba też przypomnieć, że zaraz na początku lipca został odwołany major „Sztremer" i na jego miejsce przyszedł kapitan Bustromiak...

A więc nasza hierarchia: dowódca Obszaru generał „Wilk" i dowódca Okręgu, najpierw podpułkownik „Poleszuk", Adam Szydłowski, potem podpułkownik „Borsuk", Szlaski. Jeszcze trzeba powiedzieć, że naszym głównym cmentarzem, na którym chowaliśmy poległych, był cmentarz w Butrymańcach...

Ludność Konwaliszek, dowiedziawszy się, że ruszamy w daleki marsz, życzyła nam serdecznie szczęścia w walkach i szybkiego powrotu. Były to wzruszające dowody przywiązania mieszkańców do swej partyzanckiej armii. Podczas forsownego marszu dziennego z 4 na 5 lipca mijaliśmy różne oddziały partyzanckie, między innymi wileńską brygadę „Szczerbca", porucznika Gracjana Froga. Uwagę zwracały całe plutony sanitariuszek. W czasie krótkich odpoczynków nas z kolei mijały różne oddziały. Wiele z nich było poubieranych w zdobyczne mundury niemieckie z biało-czerwonymi opaskami na ramieniu. Mijały nas również zdobyczne samochody ciężarowe. Nasza 2. kompania posiadała też taki samochód. W czasie przemarszu przez pewną wieś wpadliśmy na dziedziniec jednego z domów, by napić się wody i napełnić puste manierki. Stojąca przed domem w otoczeniu rodziny gospodyni, widząc, jak młodzi są nasi żołnierze, powiedziała do swego jedynaka:

– Patrz, jacy młodzi, jak ty, a już idą walczyć z Niemcami... No i co – potarmosiła syna za ramię – czekasz na gotowe? Co z ciebie wyrośnie. – Z dezaprobatą odwróciła głowę.

Powiedziano nam, że z naszym batalionem, co było dowodem zaufania, przeprawia się na drugą stronę szosy sztab z komendantem „Wilkiem".

Wieczorem zarządzono w batalionie pogotowie marszowe. Każdy otrzymał żelazną porcję żywności: suchary, wędzoną słoninę lub swojską kiełbasę z czosnkiem i trochę cukru. Na zbiórce batalionu kapitan „Kalina" powiedział nam, że otrzymaliśmy rozkaz uderzenia na Wilno, w którym znajduje się silna załoga niemiecka.

Kapitan jeszcze raz przypomniał nam zasady walki ulicznej w mieście. Każdy z nas miał obserwować przeciwnika i strzelać do trzymających pozycje po przeciwnej stronie ulicy. Mieliśmy uważać na otwarte okna, również na piętra i balkony. Zielona rakieta miała oznaczać sygnał do rozpoczęcia ataku. Rannych należało odsyłać do szpitala w Szwajcarach.

Szliśmy polnymi drogami i bezdrożami.

Dopiero około godziny trzeciej 7 lipca przed nami, w lewo i prawo od nas rozbłysły rakiety. Ruszyliśmy do ataku niemal z marszu. Na lewo atakował III batalion 77. pułku piechoty AK, bardziej na prawo atakowała Kolonię Kolejową 3. brygada „Szczerbca", najsilniejszy oddział wileński. Szła ona wzdłuż rzeki Wilenki ku przedmieściu Balmont. Nasz batalion, mający w pierwszej linii kompanię porucznika „Licho", dostał zadanie opanowania przedmieścia Rossa. Na dalszym skrzydle w lewo mieliśmy luźną łączność z oddziałami wileńskimi majora „Jaremy", inżyniera Czesława Dębickiego, które nacierały na Wilno z kierunku południowego.

Artyleria wzmagała działania, kładąc ogień zaporowy, głucho dudniła i wyrzucała w błyskach wybuchów wysoko w górę bryły ziemi i fontanny piasku. Świst lecących odłamków słychać było ze wszystkich stron.

Przed południem na tyły naszego batalionu i do Szwajcar wjechały, posuwając się Czarnym Traktem i innymi drogami wiodącymi ze wschodu, oddziały Wehrmachtu. Były to tabory oraz eskorta, prowadząca dużą partię jeńców sowieckich.

W nocy z 6 na 7 lipca, przed rozpoczęciem naszego ataku, który miał nastąpić na sygnał zielonej rakiety i był zapowiadany na godzinę trzecią, nasze patrole konne, złożone z Kozaków dowodzonych przez „Miortwego", nazwisko nieznane, dotarły do przedmieścia Rossa. Kozacy mieli mundury, ekwipunek i uzbrojenie niemieckie, a tylko biało-czerwone opaski na rękawach, po których zdjęciu mogli łatwo przemknąć przez niemieckie ubezpieczenie, biorące ich za swoich. Udało się: minęliśmy po prawej stronie bunkier, wkraczając do wsi Góry, za którą Niemcy ostrzeliwali nas silnym ogniem dział i karabinów maszynowych z pociągu pancernego, stojącego pod Kolonią Kolejową. Po wyminięciu bunkra nawiązaliśmy łączność z kompanią „Ojca" z brygady „Szczerbca". „Ojciec" w tej bitwie poległ. Umierając błagał:

– Pochowajcie mnie nie tu, chłopcy, bo zimą za zimno w mogile na tej ziemi. W moich stronach, koło Ejszyszek, cieplej. – I krzyknął: – Za Wilno... – I skonał.

Około godziny ósmej kompania otrzymała rozkaz odwrotu na pozycje wyjściowe. Wycofując się na południowy wschód, na Szwajcary, około godziny dziewiątej napotkaliśmy na szosie czołgi sowieckie, potem piechotę. Żołnierze sowieccy dziwili się, że dopiero teraz samoloty niemieckie zaczęły ich atakować, dzięki czemu zmotoryzowane oddziały sowieckie mogły od świtu aż do tego momentu bez przeszkód przejść znaczny odcinek drogi.

Rannych podczas nalotów w Jodziszkach żołnierzy sowieckich odwozili nasi sanitariusze razem z naszymi rannymi bądź do Szwajcar, bądź do sowieckiego szpitala wojskowego.

W ostatnich dniach codziennie zgłaszali się masowo ochotnicy, powiększając nasze szeregi i uzupełniając straty.

Trzynastego lipca po krwawych walkach zdobyto Wilno. Następnie NKWD, zwoławszy podstępnie w Miednikach odprawę, aresztowało prawie wszystkich naszych oficerów. Pomagaliśmy im i, niestety, zostaliśmy oszukańczo wymanewrowani. Tropieni, osaczani, wyłapywani, torturowani i poniżani. Uciekaliśmy.

Część naszych poszła lasami na odsiecz Powstaniu Warszawskiemu. Ja zostałem w domu. Tułałem się w pobliżu, bałem się ujawniać. Jakoś cudem uniknąłem więzienia i wywózki.

Często się zastanawiam, co by było, gdyby w Powstaniu Warszawskim Niemcy ustąpili. Zabrakło im wyobraźni, by bez walki opuścić Warszawę i oddać ją w ręce AK i rządu londyńskiego...

Stalin i Hitler, dwaj bracia syjamscy. Dwie nieodrodne strony medalu. Warto przypomnieć myśl towarzysza Mołotowa, prywatnie Skriabina: Koła rządzące Polski niemało chełpiły się trwałością swego państwa i potęgą swego wojska, a wystarczyło jedno krótkie uderzenie najpierw ze strony niemieckiej armii, następnie niezwyciężonej Armii Czerwonej, by nie zostało nic z tego bękarta traktatu wersalskiego. Strzał padał od tyłu w katyńskim lesie. Związane ręce drutem kolczastym i glina w ustach.

Szczelnie zabite deskami wagony pędziły w mrok, pędziły w noc.

Szczelnie otulone deskami oczy szukały pomocy za każdym nasypem. Leciały włosy, ręce; ze szczelin kapały jak wosk. Tężało powietrze. Gott mit uns und Drang nach Osten. Darły ziemię obce kroki. Stukot tysiącletniej Rzeszy rósł. Potężniał. Nach Osten, zdobywcy. Rewanż Czerwonej Gwiazdy: Wstawaj, strana agromnaja, wstawaj na smiertnyj boj. Na Berlin, na Berlin. Za Stalina, za Rodinu, agoń!

A święci w koronach salw w ziemię wrastali. Nocami fosfor świeci w lasach.

Zgody nie ma. A przecież o zgodzie najpiękniej już w średniowieczu, na przełomie XIV i XV wieku, pisał stary wojownik, wódz Tatarów, współtwórca Kipczaka, wielki Edygej, do litewskiego wroga i przyjaciela Witolda Kiejstutowicza, po bitwie nad Worsklą w 1399 roku. Wpierw nisko się pokłonił prochom, pochylił nad niedolą żołnierską, nad pylnymi szlakami klęsk i zwycięstw, z szacunkiem dla wroga. Stary wojownik hołd złożył bitwie w prostych słowach: „Dożyliśmy, jasny królu, wieczornych życia naszego lat. Godzi się resztę dni naszych spędzić w pokoju. Krew, którąśmy w wojnach ze sobą przelali, niech wsiąknie w ziemię. Słowa złorzeczeń i zniewag, któreśmy wzajemnie miotali przeciw sobie, niech przebrzmią z wiatrem. Zawziętość gniewu naszego niech spłonie w ogniu, zaś pożogi wojen naszych niech na przyszłość woda zaleje..."

Ugięła się ziemia pod ciężarem kłamstw.

Żmogus spojrzał w górę: chmury się mijają, trudno wzrokiem nadążyć. Chłopcy pojawiają się najciszej. Wiadomości z podziemi: ciemno, nikt nie odwiedza.

Nie wolno – tłumaczył Żmogus. – Nie pozwalają. Was skreślono z ewidencji, nigdy was nie było.

Łgarstwo! – krzyczy Katyń. Nie trzeba płaczu, piszcie, kołaczcie, władza trzyma pod kluczem tajemnicę, ściska klucz prawdy w garści. Niepokornych, co zbytnio krzyczeli, do ciemnicy, do łagrów, do kamieniołomów, do lochów, na białe niedźwiedzie, na podziwianie zorzy polarnej, wiecznej zmarzliny, do lodu. Pozostało echo... groza.

Dekretowano wiarę w fałsz, ale oliwa na wierzch wypływała, niszcząc fikcję.

Sekretne archiwa, na głucho zatrzaśnięte sejfy, szafy pancerne wydadzą kiedyś tak skrzętnie strzeżone tajemnice, stęchlizna się przewietrzy, ale sporo w rzekach jeszcze wody upłynie, sporo pokoleń się zmieni. Kod genetyczny przekaże wiadomość, przechytrzy archiwa. Nierychliwie, ale na pewno. Choć podobno archiwa zniszczone, brakuje wielu dokumentów, większość spraw wagi państwowej Stalin załatwiał przez telefon, w luźnej pogawędce podczas obiadu. Nie pozwalał spisywać rozkazów, wydawanych podczas narad naczelnego dowództwa. Nie robiono protokołów z posiedzeń Biura Politycznego. Działano jak mafia, nóż w plecy, najlepiej nad ranem. W ostatnich latach w ogóle nie przestrzegał ogólnie przyjętych zasad i norm. Nikt nie śmiał powoływać się na niego. Nadzieja w ludziach, co przetrwali. Ale świadków już niewielu.

* * *

Szczególnie pamiętna data 22 czerwca 1941 roku. Zalegali łąki i zagajniki. Las rąk unosił się wśród łanów żyta. Poddawali się z radością, niczym oswobodzicielom. Szli ochoczo do niewoli całymi kompaniami, batalionami. Cała armia generała Własowa poddała się dobrowolnie, byle dalej od stalinowskiego terroru...

Niemcy przez swoje zaślepienie tego nie wykorzystali. Zrazili ludzi, natychmiast robiąc z nich niewolników, zamykając do obozów koncentracyjnych, mordując na miejscu, stwarzając warunki nie do zniesienia. W rezultacie nie było po co się poddawać. Zaczęto walczyć, zawzięcie zmywać zdradę. Ale najpierw wielka przegrana. Komisarze uciekali w popłochu, pozostawiając cały dopiero co zagrabiony majątek, pozostawiali tabor, oblepiali swoje dyktowe półtorki, czepiali się zderzaków ostatnich pociągów. Na wschód, byle szybciej, byle nie wpaść w łapy hitlerowców, wczorajszych sprzymierzeńców. Zapanowały straszne czasy niemieckie. Straszne czasy ich sługusów, szaulisów spod znaku generała Plechawiczusa, kałakutasów i własowców.

* * *

– Po co żeście mu nogi obcięli? Łajdaki obłąkane... Żeby wykazać się przed swoimi mocodawcami nadgorliwością, tak?

– Amputacja, znaczy sia, ot i wsio... Gangrena zżarszy mienso...

– Łżesz... Żadna gangrena, tylko wasze przeklęte kazamaty. Wasze lochy i wszy, brudy, wasze przegniłe zaropialstwo w ciemnicach. Nawet merli do opatrzenia ran brakowało dla chorych. Merli i jodyny żałowaliście, dranie...

– Front, opatrunki potrzebne. Nuż ty i pan, i dosolić lubisz. Patrzaj...

– Mnie nie nastraszysz. Innych tak... Łajdactwo.

– Atidarik duris ir pabucziok szykna – odcinał się po litewsku przyparty do muru szaulis. – Gembicz,

Gembicz. Przyjezdny, nietutejszy... Tatar, tudy jamu i daroha. Co im na darmo gemba wycierać...

– Oj, Miszkiń, Miszkiń, nie holuj za daleko. Łachudra z ciebie fałszywa.

– Nie Miszkiń, tylko Miszkinis... Ile razow ja gadał, a? – wycedził szaulis wściekłym głosem, ledwo się opanowując. – Miszkinis. – Łypnął ślepiami...

– Nowe fanaberie. Jeżeli ktoś przez ponad czterdzieści lat był Miszkiniem, trudno od razu przywyknąć do Miszkinisa. Zresztą dziad też Miszkiń. Po chrena udajesz...

Udobruchany tym szaulis wrócił do przerwanego tematu.

– Widać cyby miał za długie, to i obkroił, żeb nie bałandali sie.

– I ja mam się obawiać, że oberżniecie? Mam zamilczeć? Chałuj z ciebie, ot, co powiem. Zresztą sam najlepiej wiesz, Miszkiń czy tam Miszkinis, chałuj...

– Gadaj śmiało – wybąkał szaulis jakoś ponuro, z opuszczoną głową – gadaj, żeb tylko jenzyk nie skołowaciawszy. – Zarechotał hałaśliwie, po prostacku, na całe gardło. W ten sposób przyznał po sąsiedzku, wspaniałomyślnie rację Żmogusowi...

– Wysługujesz się gestapowcom...

– Nie twoja sprawa...

Tykał Żmogusa niemiłosiernie, z nachalnym podkreślaniem, jakby pragnąc się upewnić, że nic mu za to nie grozi, przywyknąć do poufałości. Napawał się tykaniem, oczekiwał, jakie to wywrze wrażenie. Żmogus spoufalanie się przyjmował bez sprzeciwu, a co myślał, to myślał: przecież sąsiadów się nie wybiera, mają swoje prawa niepisane, z których w każdej chwili korzystają, prawią impertynencje. Trzeba zmilczeć. Po co wyzywać licho...

— Nie boj sia. Ja ciebie nie gabna. Ot, masz u mnie barysz. Inszym cznabel przytra – jątrzył i żółtymi oczkami świdrował Żmogusa. – Ty u mnie na serce balsam. Nie wydam ciebie, choć wiem, ty z partyzantami, ty z imi wonchasz sie. Nie wydam. Taki moj kaprys. Od mojej kuli ty nie padniesz. Musi żeb kto jakim szworniem w czerep znienacka zmaluje, nie ja. Najwyżej kto znienacka. Taka we mnie polubowność do ciebie, choć i żal chowam...

— Moglibyście Gembicza zabić, wasze na wierzchu, ale po co tortury? Desek żałowaliście? Gospodarz, sam wiesz, pełną gębą, a że Tatar? Niemało tu różnych nacji...

— A jakiż twoj zasrany interes wstawiać sie za jego, a? Sabaczy twoj interes...

— Człowieczy, człowieczy... Chłop na schwał, a trumnę daliście mu dziecinną, króciutką, żeby ośmieszyć. Na pośmiewisko wystawiliście, Miszkiń...

— Parszywe nasienie i parszywa śmierć. Drennie gadam? Jeżeli nie pomenczyć, szkoda rency peckać. Przyłożysz jenzyk, łemzaj... Nie siudy-tudy. Przyłożysz palec, rob tak, żeb zabolało, żeb inszych odstraszyć. Nie w renkawiczkach żeż nasza robota, tiesa? – Lubił wtrącać zawsze jakieś słówko litewskie, jakby w ten sposób podkreślał swoją przynależność.

– Nie ma pomyłki, Miszkiń, wiem, kim jesteś. Tiesa – przedrzeźnił Żmogus – tyle tu każdy zrozumie...

– Ot, ja Litwin w swoim kraju...

– I ja w swoim...

– Tobie tak popadło, a ja – insza para kaloszy...

– A jeżeli i ciebie kiedyś taki parszywy koniec by spotkał jak Gembicza? A nawet jeszcze gorszy...

– My wygramy, nie krakaj ty. Wstawiasz sie bez potrzeby. Nikto ciebie nie prosiwszy. Jucha z jego pociekła, nie z ciebie, i kryszka... Miał pochówek, na jaki zasłużywszy. Truna krótka, ale szyroka, żeb grubość jego pomieściła sie... – A po namyśle dodał: – Bo i życie krótkie, a szyrokie. Na dziesienć piendziow. – Znów zaśmiał się hałaśliwie i złowieszczo, niczym sęp. Złośliwość biła z maleńkich i przekrwionych oczek, jakaś utajona przebiegłość z całej figury. – A na coż deski po próżności marnować, udawać, że nieboszczyk wielki, kiedy on konus, karantysz na ciele. Ot, my jego potrzenśli i z jego trybuchow krewka pociekłszy, spuścili my jemu drenna krew... Truna krótka, bo i życie nie za długie...

Żmogus najchętniej wyrzuciłby za drzwi tego opryszka. Przynajmniej nie dobierał słów. Na tyle mógł sobie pozwolić.

– Bluźnisz i czorta na świadka wzywasz, Miszkiń. Bóg widzi.

– A od kiedyż ty nadto pobożny? Kużden jeden z nas musi hoduje Antychrysta – zdobył się na wyszukaną refleksję szaulis i zluzował kołnierz.

– Mnie nie oszukacie, chcieliście ośmieszyć odwagę Gembicza. To zemsta, że się was nie przeląkł. Za dużo wam, fokstrotom, sadła zalał...

– Najważniejsze, co mogiłka poświencona – zmienił ton szaulis i to zabrzmiało niczym szyderstwo.

– A, dranie, strach obleciał na ostatek. Gdybyście z podłej zemsty i tego nie uszanowali, zza grobu was by prześladował – brnął Żmogus, ale nie potrafił pozbyć się dręczącej potrzeby wygarnięcia całej prawdy, choć doskonale czuł beznadziejność sytuacji. Przed kim się uzewnętrzniam, przed kim? – hamował siebie w duchu. Dlaczego muszę z nim w ogóle rozmawiać? Ale nie mógł się wycofać. Nie chciał. Przed tą bestią w ludzkim ciele? Nigdy. Nie wolno się cofać. Rozszarpie. Może i mnie mieć na sumieniu. Zresztą, gdzie u niego sumienie? Co zdążę wygarnąć, to wygarnę...

– Przeraziliście się zamęczonego i w nogi. Po śmierci was dopadł. Wpierw zaszczuliście, potem zamęczyli, kiedy już się nie mógł bronić. Ależ dzielni bohaterowie. Taki wasz parszywy fason. Niemiecki przykład...

– On był na gestapo...

– Aha, usprawiedliwiasz się...

– Ot, niepotrzebnie plaskasz jenzykiem – w syczącym głosie szaulisa pobrzmiewała nutka groźby.

– Te swoje pogróżki schowaj do kieszeni...

– I w żarnach wiency otrembow nie uzbierasz jak z twego gadania... Chcesz wiedzieć, powiem: nie chciał nam służyć, jak i ty. Nie uznawał naszej władzy szwientej. Po kryjomu skóry skupywał i garbował. A za to musowo śmierć. Takie ukazy z wyższych urzendow. Nielegalny ubój prowadził. Tak jemu sondzone było. Handlował z bandami, co po lasach szlajajo sie. Partyzanty, job ich mać... Nu i takiego szkodować? Jak nie przyciśniesz, nie zaśpiewa. Ot, my i przycisneli, ponianczyli...

– Nie wierzę, żeby cokolwiek wyśpiewał...

– Wierzysz, nie wierzysz. Starczy przycisnonć piła do kości, i słowik zagra w duszy... Kużden jeden śpiewa. Ważne, co śpiewa. Bo może i nieprzydatnie... A że śpiewa kużden jak nanienty, nu – uderzył się pięścią w szeroką pierś – nie trzeba i nutow. Ostra piła ma takie uzdolnienia, ledwie przyłożysz, ciachniesz i gotowa melodia niczym spod skrzypcow. Renka podpisze, co zachcesz. Nu i czego nie wierzysz, a? Spróbuj sam sobie, delikatno. Abo daj, ja przyłoża tobie piła. Nu, trzeba sprawdzić?

– Dzięki Gembiczowi okolica miała przynajmniej mięso i dobrze wyprawione skóry na obuwie. Nikt nie musiał z głodu zdychać...

– I partyzantka... Co durnia walasz, wiem żeż. Garbarstwo prywatne nielegalne – mówił w rytm postukiwania sękatym knykciem w stół – a ty durnia walasz.

– Gdzie ty widziałeś partyzantów, breszesz...

– Ja i nie mam życzenia ich obaczyć. Nielegalne, tak nielegalne...

– Pędzenie samogonki też, ale i wy żłopiecie...

– Nie przyrównywaj: jedno dla zabawy, dla wesoło-
ści i zapomnienia... Narod potrzebuje wypić i pohulać,
żeb w nogach nie gryzło...
 – W sumieniu. Najlepiej zalać sumienie, nie? Masz
praktykę... Ale dla takich nie ma ratunku...
 – Czego drażnisz sie...
 – Gestapo i wy dobrze wiecie, że każdy pędzi...
 – Gadam: nie mieszaj bladztwa z polityko...
 – Polityka w rozpijaniu ludzi, byle odurzyć, byle
robaka pod sercem zalać...
 – Abo zasadzić gówno... Niechaj smokcze wasza
krew... Ale bez żartow. Nu, pokociniać można, byleb
z astarożna. Lekarstwy na śmiech dobreż, nie gadaj. Kto
zabrania pocieszać? A samogonka pocieszycielka najlepszejsza na zgryzoty i strapienia. Jak gadajo u was...
 – Z jakąż lubością dzielił ludzi na „nas" i „was", a przecież niedawno sam do nas należał. – ...na frasunek
dobry trunek, a? Nie pokrencił ja czego? Po waszemu?
 – z satysfakcją pogładził włosy.
 – Nie udawaj, że zapomniałeś. Doskonale pamiętasz i nadal pośród nas żyjesz, choć nikczemnie...
 – Nie wyzywaj sie – uniósł dłoń w górę – podochoci
sie człowiek, poweseli, potancuje, przytupnie i durnoty
z czerepa ustenpujo. Nu, słodka mikstura z pachnioncej
brażki. Kapelka w gardziołka i tuman puska. Wesoło...
 – ...i władza ma spokój...
 – Drennie? Władza także samo ludzi i ma swoja
pora odpoczywania i wesela. Wy wtenczas wstawacie.
 – Prztyknął dwoma palcami. – Ludziom mus wyszumieć

sie i my zezwalamy. W budni dzień robota, w szwiento wasela i pochmiałka. Regulaminowo...

– Sami też ochotnie korzystacie z okazji... A później pokotem.

– Grzech? Nikakich gwaźdźiej... z pociechi korzystać, nu, sam cymes... Durnyb nie korzystał. I ty w kruchtach waszego kościoła nie stoisz bez przerwy. Wymigiwasz sie... – Jego gruzłowata twarz nagle pojaśniała.

– Bluźnisz. – Żmogus sprytnie ominął podsuwany temat, jednak z zawodem w głosie stwierdził: – Szkoda, że was wciąż goszczą.

– Poprobowalib nie. – Uniósł się, przygarbiony, z miejsca. – Na mało gościnnych mamy sposób – dłonią na płask pociągnął sobie po szyi – czyk-czyryk, nie pośmiejo, raz-dwa zmienkczylib. Kark do ziemi, o tak – upadł na kolano, przyciskając z impetem wyimaginowaną postać – i kark abo mientki, abo penknie, pokora jak u, nie przymierzajonc, cieluczka, kiedy jemu matka cycka z mordy wydziorhnie... Gembicz na nas czatował, brał nas na muszka, ale my wyprzedzili, ma nauczka i przestroga dla postronnych. – Spojrzał wyzywająco na Żmogusa. – Donosił leśnym, Żydow ukrywał w świrnie, pod podmurówko. Nie zaprzeczysz, bo wiesz. Widzisz, jak wszystko mam akuratnie sprawdzone? I co, nie wyśpiewał? – chełpliwie zaznaczył słowo „wyśpiewał" charakterystycznym, chrapliwym szeptem.

– Pomagał znalezionym w lesie biedakom.

– Jeżeli prawdziwy biedak, nie banda starozakonnych, do władzow zgłasza sie. Bansiow żydowskich karmił, ot co, po krzakach szukał i karmił, bradziahow z odrezankami ukrywał i łgał, co nie, tiesa? Przechowywał i kryminalpolicajów nie powiadomił. Zawinił czy nie, miarkuj? Nu, jak podług ciebie? Na nagroda zarobiwszy musi, albo na pentla?

– Dla mnie, owszem, na nagrodę – odparł spokojnie Żmogus, choć rozumiał, że igra z ogniem.

Szaulis ze spuszczoną głową, niby byk gotujący się do walki, szukał czegoś pod stołem, odpychał jakiś strzęp gazety stopą, nerwowo chrząkał. Nieobliczalny człowiek.

– A ty czego tak? Lepiej pomiarkowałby... Uprzedzam, biedy napytasz. Moja cierpliwość konczy sia...

– Na nagrodę, obowiązkowo – z tępym uporem powtórzył Żmogus. – Zasłużył na nagrodę według mnie, słyszysz? – Już się nie bał. Przekroczył barierę strachu i ten siedzący naprzeciw zbir wydawał mu się niegroźnym barankiem, coś tam pobekującym zaczepnie.

– Ot, znaczy sie, tak ładujesz – z groźnym namysłem wysylabizował szaulis. – Obaczym, czy na długo tobie hardości starczy – mruknął jakby do siebie.

– Ostrzegam, Gembicza zabili dla ostrzeżenia, żeb inszych nie parło w tamta strona. Czego pchać sie gruszek z wierzby kosztować? Ołów zawsze tak samo smakuji. Roztropny ty człowiek, nie harpagon durny, a breszesz bez tołku, renka na obsada lezie, oj, i świerzbi, oj, świerzbi. Cienżko wytrzymać... Winszuja tobie jak najlepiej, ale z tobo cienżko, uch, cienżko. Przeciwny ty, hyrkasz, ani podchodź... Słuchaj, rozwalim kużdego jednego, gospodarz, niegospodarz, ważny, nieważny, kontyngent płaci, nie płaci, szarwark odrabia, nie odrabia, wsio rawno, jeżeli w poprzek, rozwalim, jeżeli naprzeciw, w drebiazgi, job i w hrob... Wy, ciemna masa, bywsze pany, nie wygracie – tłukł z rozmachem pięścią w stół, aż podskakiwały naczynia. – Taka wasza rasa, wsio rawno, nie wygracie... My, my, na nas wypadło – zachłysnął się i przycisnął pięść do wypiętej piersi. – Musu tiewinie, tajp, tajp – mieszał w pośpiechu polskie, litewskie i białoruskie wyrazy – dzie wy do polityki? Onaż nasza, tajp, tajp, nasza. Skonacie, ziemia konsać was bendzie od spodu, a my na górze, ot tak – rozkraczył się i dosiadł taboret niczym konia – aż penkno wam szczadziny, aż w oczach poblaknie... Nie popuścim naszego, dość – swoje racje utożsamiał z niemieckimi – zamiast spokojnie pracować, fanaberii zachcieli, a chrena... – Opadł bez siły na siedzenie.

– Nie unoś się, szkoda zdrowia – mitygująco perswadował Żmogus. – Kontyngenty dajemy, ale to ruina dla kraju. Czym zasiewać? Z torbami puścicie. Nic nie zostaje. Obdzieracie ze wszystkiego. Na krawędzi życia i śmierci żyjemy.

– Trzy ćwierci do śmierci, oho, jeszcze szmat drogi – zakpił szaulis. – A nie pomyślał ty, co armia musi jeść? W pierwszym rzendzie wyżywienie dla armii naszej, jasno? I ty nie myśli, że taki ważny, nie hulaj – powiódł wokół złym spojrzeniem – twoj dwor konczy sie za tymi drzwiami. Gadam, miarkuj sie, nie hartuj hartowanego, nie bebesz żywcem trybuchow...

– Nie mogę darować, tak haniebnie ośmieszyć człowieka, choćby i po śmierci. Zamiast trumny skrzynia na kartofle... Zdziczenie, a powiadali, że Niemcy to kultura, nawet wielu czekało, że od tej szarańczy ze Wschodu oswobodzą, i masz, oswobodzili...

– Niechaj raduji sie, że całkiem bez truny nie zostawszy...

Szaulis zjawiał się nieproszony, rozsiadał bez pytania i obcesowo żądał wódki, przekąszenia i multanu, „żeb płucy popieścić dymkiem pachnioncym. Od szrodka gardziołko smacznie poszczupać". Całe szczęście, że prezentów nie żądał. Skąd nagle uzbierało się w nim tyle nienawiści, skąd taka zbrodnicza przyjemność w wyrządzaniu krzywdy, w zadawaniu tortur, w znęcaniu się nad bezbronnymi? Ludziom złapanym w obławach osobiście drzazgi pod paznokcie wbijał, łamał palce między drzwiami. Miał swoją specjalność. Czyżby za dawniejsze niepowodzenia brał w ten sposób odwet? Za swoją ubzduraną Wielką Litwę, obiecaną przez Hitlera? Grubiańsko lżył przesłuchiwanych. Donosił, inwigilował, fabrykował oskarżenia. Pisał anonimy. Nie istniała obrzydliwość, której by nie popełnił. No, postrach okolicy. Szarzały twarze, kiedy się zbliżał. Nawet kiedy pierwszy się kłaniał, nie wróżyło to nic dobrego. Czuł się panem życia. Kwestia dni – lubił powtarzać – a Stalingrad padnie i niezwyciężona armia niemiecka zajmie Ural, jej będzie stal i węgiel, ropa naftowa, czyli karasina. Skąd mógł przypuszczać, że przestrzeń i mróz, a także ludzki upór dokonają cudów? Gienierał maroz, oho, dopiero dowódca, większy niż Stalin, powalił tygrysy i pantery. Że katiusze, te organy Stalina, i koktajle Mołotowa, amerykańskie samochody i konserwy doprowadzą do obłędnego tańca niemieckie sztaby i złamią psychikę doborowych formacji, szaulis nie wiedział.

Zawsze siadał wygodnie, po pańsku, z nogą na nodze, i perorował, znęcał się nad każdym, kto mu pod rękę trafił i ośmielił się mieć odmienne zdanie... – A kab ciabie kaduk – obruszali się przygodni świadkowie tych monologów i rzucali gęsto pomatuszką – wczepił sie i nie puska... – Cierpliwość zawodziła, ale i słabła odwaga. Człowiek musiał wysłuchiwać niekończących się pochwał na cześć bohaterstwa gestapowców. Skóra cierpła od niezliczonych przechwałek o możliwościach łapanek i obław, dobrodziejstwach przesłuchań i tortur, od rozwodzenia się nad wyższością niemiecko-bałtyckiej rasy.

– Coż, roboty w fabrykach muszo iść pełno paro – powiadał z udawanym znawstwem – ludziow trzeba. I czegoż uciekać, kryć sie po norach, kiedy po dobrej woli warto pojechać, świata posmakować, zarobić. Kwatery wygodne, dobrze płaco, wyżywienie pryma sort i wypitka w dni wychodne. Ot, nasz narod ma narowy, wymagania, z norow trzeba jego wyciongać jak jakie robaki albo i gady...

Żmogus z nieboszczykiem Gembiczem był bardzo zaprzyjaźniony. Rodzina Gembiczów pochodziła z Tatarów przed wiekami osiedlonych na Litwie, w okolicy Trok, ludzi wyjątkowo zwinnych i robotnych, bitnych i gorączkowych, ale zgodnych, zajmujących się przeważnie handlem końmi, wyrobami ze srebra – jak rodzina Kożuchowskich, słynna na cały kraj – znanych z dobrego garbowania i wyprawiania skór. Tatarzy, ludzie niewysocy, szczupli, choć krzepcy, kruczowłosi z lekko skośnymi oczyma, o delikatnych rysach i wysmukłych dłoniach, zręcznych palcach i subtelnym sposobie bycia, o szerokich, uprzejmych uśmiechach, gościnni. U nich to po raz pierwszy Żmogus kumysu kosztował. Sfermentowane kobyle mleko, kiedy przyprawione, całkiem smaczne i mocne. Nieprzejednanego Gembicza Żmogus cenił, szanował, a nawet pewną odmianą podziwu darzył. Jeżeli się gniewał, mówił mu Mordzicz, jeżeli się serdecznie upijali, nazywał go Buziczem... I jemu właśnie, kiedy go pojmano, obcięto żywcem nogi. Zdrowemu mężczyźnie... Z zemsty, że tyle krwi im napsuł, że się nie załamał. Nawet go wcześniej nie zmasakrowali, żeby bardziej cierpiał. Cackano się z nim. Podawano kawę z mlekiem. A potem wyprowadzono, przykrępowano drutem kolczastym do ławy i sam szaulis, ten z sąsiedztwa, przy pomocy kamratów... Złapali w łapy piłę i obcięli nogi... Wpierw jedną, potem drugą. Kadź podstawili, by się wykrwawił. Gembicz nieludzko podobno – tak wynikało z relacji szauli-sa – wył z bólu... Zatykano mu usta szmatą. Omotywano głowę jakąś wydartą podszewką na wacie, żeby stłumić krzyk. A kiedy mdlał, polewano wodą. Nie pozwalano szybko umrzeć... Potoki krwi, zbryzgane ściany, kałuże posypywano wapnem. Potem ciało skrępowano powrozem i wrzucono, niczym tłumok, do zapleśnia-łej piwnicy. Tam ostatecznie chyba Gembicz dokonał żywota...

Z jakąż zwyrodniałą satysfakcją, drobiazgowo, re-lacjonował to podchmielony szaulis. Z jakąż bestialską lubością opisywał kolejne fazy znęcania się, delektował się tym wyczynem, niemalże widoczna była na jego łap-skach krew. Strugi krwi... Żmogus się dusił, z trudem łapał powietrze, przełykał ślinę... Coś go powstrzy-mywało, żeby rzucić się na bestię i udusić, zmiażdżyć mu to pełne samozadowolenia, odstręczające ryło. O, szczwany lis, wszystko przewidział. Opowiadając nie-dbale, jakby od niechcenia, bawił się odbezpieczonym naganem. Obracał go na palcu, dmuchał w lufę, skiero-waną przez cały czas niby przypadkiem na Żmogusa. Zachowywał ciągle odpowiedni dystans. Kiedy tylko Żmogus usiłował wstać, osadzał go brutalnym: – Siedź, czego krencisz sie. Słuchaj... – Mrużył oko, że niby żartobliwa przestroga, spróbuj, a natychmiast poczę-stuję...

Wstyd i poczucie niemożności dławiło Żmogusa. Człowiek może być bezradny... Sfanatyzowany służalec – Żmogus zagryzał wargi – on, władza. Parszywa swołocz. Szuka pretekstu, prowokuje. Ale za każdy uczynek czeka sprawiedliwa zapłata.

Kilka prób likwidacji szaulisa zawiodło. Raczej zawiodły nerwy... Oto pewnego razu doniesiono, że tu i tu pije. I rzeczywiście pił, świdrował oniemiałych z przerażenia gospodarzy swoimi świńskimi oczkami, coś chrypliwie porykiwał, komuś wygrażał w pijackim widzie. Przerażone dzieci przeczekiwały wizytę upchane pod łóżkiem. A on, miejscowa władza, dygnitarz, puszył się za stołem, przechwalał, oblany potem, czerwony. Wymachiwał naganem. Kilkakrotnie, dla rozrywki i dodania sobie animuszu, strzelił w sufit albo nagle obracał się ku oknu, otwierał lufcik i posyłał serię. Siedział przy samym oknie, w kącie. Wystarczyło skręcić ramię... Zresztą miał zwyczaj siadania przy oknie lub w najciemniejszym rogu. Samogon wlewał w siebie litrami. Na talerzu piętrzyła się pokrajana w kostki, posolona i napaprykowana słonina. Tłustości musiały być obowiązkowo.

* * *

Do dziś w dni świąteczne, w szabas czy Wielkanoc, duchy dwóch pasterzy unoszą się nad ciżbą ludu swego. Słychać sarkania księdza Rafała Montwiłła, złorzeczenie na młódź, widać gromy w srogich, choć dobrotliwych oczach, miny obrażone i nieukontentowanie plebana, kiedy w wytartej sutannie krąży, lud swój karci, pyta, dlaczego nie dość tłumnie do świątyni przychodzi.

Czcigodny rebe Mojżesz Soshe upierścienionym palcem pieści każdy rządek liter Świętej Księgi i również usiłuje policzyć przerzedzone mocno szeregi wiernych. Kiedyś pełne trzy bóżnice narodu się schodziło, teraz jakże nieliczni, zagubieni. W rządkach tajemniczych liter szuka rebe wytłumaczenia, domaga się od Boga wyjaśnień, dlaczego w potrzebie lud swój opuścił, pozwolił mówić kulom – tak dojmująco, tak ostatecznie. Dwa dobre duchy w rozwianych płaszczach, wysoko krążą nad Ejszyszkami, nad zamkiem w Majaku Giedyminowym, omijają mielizny małowiernych. Czcigodny rebe w chałacie na gołe ciało, w czarnym kapeluszu, w otoczeniu kabalistycznych znaków, pośród menor, siedmioramiennych lichtarzy, twarz zatroskana. Korkociągi pejsów powagi dodają po obu stronach policzków. Wielebny kapłan z ambony brewiarzem grozi, szeleści hen, pośród pajęczyny, na tle witraży, u szczytu świątyni. Przemieszcza się dostojnie, rozszyfrowuje paciorki różańca i ukradkiem zerka na padół ziemski. Tęskno do swoich.

– Jezus Chrystus, powiadają chrześcijanie, był Synem Bożym. To prawda, no więc i my wszyscy jesteśmy dziećmi Bożymi, czyli jesteśmy równi Panu Jezusowi, on jest naszym bratem, niczym innym się nie wyróżnia prócz tego, że został nauczycielem grupy ludzi, miał cechy charyzmatyczne przyrodzone – tak wykłada czcigodny rebe, kiedy w szaszki grają.

– To bluźnierstwo, mój starszy bracie.

– Ale gdzie logiczna pomyłka, mój wielebny bracie, łatwo się obrażać. Więcej powiem, jeżeli tak jest, jeżeli wszyscy jesteśmy dziećmi Bożymi, czemu nie zaprzeczysz, bo jesteś mądry i konsekwentny, to i każda nasza matka jest Matką Boską. No, gdzie błąd w rozumowaniu, gdzie logiczne potknięcie, wielebny?

– Nie tak całkiem, nie tak całkiem, czcigodny rebe.

– Ksiądz przyglądnął się uważnie szachownicy. – Właśnie biję dwa pionki.

– A-jajaj, i co będzie? Łagodniej proszę ze mną, wielce wielebny, proszę ze mną w rękawiczkach.

– Nie miej urazy, musiałem, kiedy się zagapiłeś, bo wdałeś w rozważania, czcigodny rebe. Gdy w zbyt wysokie rewiry mierzysz, na szachownicy klęska.

Przekomarzali się uprzejmie, degustując śliwowicę.

– To nasza koszerna. Mocna. Prawda? Jeszcze kieliszeczek? Dla zdrowia.

– Wielce czcigodny, wy tej prawdy objawionej szukacie od prawa do lewa w świątobliwych zwojach Tory.

– Nu, my od prawa do lewa, święte słowa, ale wszak tej samej prawdy szukamy. Wy od lewa do prawa. My odwrotnie, z dwóch stron dogrzebujemy się do niej, do jedynej, najprawdziwszej prawdy, mój wielce wielebny księże plebanie.

Umilali sobie chwile grą w warcaby albo w karasinkę.

– Od wiernych kościół pękał w szwach, bywało.

– Oj, bywało, bywało, ale i ja dameczką pobiłem pieszkę. U mnie w trzech bóżnicach szwów nie było, mój wielebny. Ot i mam już drugą damkę. Wielebny również przegapił partyjkę. W naszym narodzie duża łatwość przekręcania – czcigodny rebe zszedł na inny temat – przekręca się słowa i one tracą sens, z Finlandów zrobiono Inflanty, bo prawidłowo: w Finlandach mieszkają Lit-finowie, nasi Litwini, a w Finlandii Finowie. Jest między nimi pokrewieństwo. Finowie, Lit-finowie, to brzmi podobnie, wystarczyło zamienić „w" na „f".

– Ot, czcigodny, zajmujesz się spekulacjami. Szwy pękają, a nie „szwów nie było".

– Spekulują dla ćwiczeń umysłowych, wielebny, żeby nie skapcanieć w tej głuszy. Dusza się rozkrochmala.

– W koszernej głuszy moc boska, powtórzymy, czcigodny? Dla podtrzymania rozmowy.

Powtarzali z przyjemnością, nieśpiesznie, po kieliszeczku. Statecznie ocierali usta wierzchem dłoni, chuchali w powietrze, żeby moc koszernej śliwowicy osłabić, a może dla samego ceremoniału.

– Pamiętasz, wielebny, Gołdę, co za goja wyszła?

– No, jakże mam nie pamiętać. Wychrzta. Goj ją zachachmęcił. Panu Bogu smutno albo zysk. Rozsądź.

– Nu, nasza strata. Wasz goj. Za szlachcica poszła, znaczy się, Gołda szlachcianka, mój wielebny, tak czy nie?

– Wasze dziewczęta za młodu piękne, kiedy dojrzalsze, to podupadają. Południowa uroda, taki w nich klimat gorący, pustynny.

– Jeżeli bez wykształcenia, to za bardzo żydłaczą. Nie lubię tego. Gołda kształcona, po berlińskim uniwersytecie podobnoż, po rolnictwie. Specjalistka na majątku.

– I na nogi postawiła gospodarstwo Bartoszewicza. Mocno podupadłe.

– Grosz ładny też wniosła w posagu, przecież mięsne sklepy jej rodziny dochodowe... Bartoszewicz to ten z Wiszkuńców, czy ja dobrze mówię?

– Wasze młode dziewczyny ponętne, sam żar, czcigodny rebe, węgielki płonące, a z Bartoszewicza też wdowiec ognisty, wypasiony ogier.

– Nasze panny za bardzo skompleksowane.

– Po polsku: zakompleksione, czcigodny, pora wiedzieć, nasza mowa...

– Taka ona wasza, jak i nasza, wielebny, warto pamiętać – rebe przerwał zdenerwowanym głosem – choć my często żydłaczymy, ale ja się wystrzegam, lubię poprawność w każdym względzie.

– Jidisz przeszkadza.

– Polski, jidisz, dwa bratanki, poprzyj mnie, wielebny.

– Nie prześładzaj, czcigodny, już mdli. Biorę dwa pionki za darmo i twój ruch. Czekam.

– Ajajaj, znów dwa pionki.

– Narzekasz i wciąż wygrywasz, czcigodny.

– Dwa pionki, cóż ja bez dwóch pionków, nędzarz. Na nędzarza mnie wykierowałeś, wielebny, i jak z tobą uczciwie grać? Miej zlitowanie, jeden by nie wystarczył? Zachłannyś, wielebny. Ja Żyd i ty mnie wygrywać zmuszasz, wielebny, do myślenia zmuszasz. No i ja muszę wygrać... Do Palestyny moja myśl szybuje, do hebrajskiego języka, a trzeba z tobą w warcaby, gdzie sprawiedliwość, się pytam, gdzie?

– W szachownicę patrz, czcigodny.

– W ślepo wygrywam, znaczy się: w ciemno. Tak poprawnie?

– Palestyna nie ucieknie, a partyjkę przerżniesz, jak mi Bóg miły.

– Bóg, Bóg, on też Żyd podobno. Szachrujesz.

– U nas mówią, że Polak... Przerżniesz, jak mi Bóg miły, czcigodny. Dalibóg, nie szachruję.

– Miły, miły każdemu, któremu chce się wygrać, a który, tym razem, przegrać musi. Wstyd przegrać z gojem, no, wielebny, przyznaj mi rację – bębniąc palcami o stół, stwierdził rebe.

– Dalibóg, same złote mądrości.

– Złote myśli. Ot, i ja wielebnego księdza przyłapałem. – Przekomarzali się obaj. – Ot i nieprawidłowość, i ja wytykam błąd. Zresztą nie cytuj, wielebny, więcej, partyjka się przeciąga. Złote mądrości, złote myśli; ważne, że złote... A należy od siebie, nie zasłaniać się cudzymi myślami.

– Przyznaję, długa partyjka.

– Buteleczka wysycha, dnem świeci.

– Byle nie nad grzeszną duszą świeciła. Buteleczka próżnieje, duszno, bo my obaj próżni, próżnościami się zajmujemy, czcigodny, a Bóg nie grzmi.

– Ale nie bieda, jest czym wypełnić buteleczkę, co mędrykować.

– Aż uszy skręca. Nie mędrykować, nie mędrykować, czcigodny.

– Wiem, wiem, ja naumyślnie, żeby podrażnić. I chałwa własnego wyrobu się znajdzie na zakąseczkę, dla osłody i jeszcze po kieliszeczku.

– Dobrze, oj dobrze, że jest, bo z pustego nawet Salomon...

– Naleje, naleje – rebe gorliwie przeszukał szafkę – cud się zdarzy nie tylko w Kanie Galilejskiej, w Ejszyszkach też...

– Mój ty cudotwórco.

– Ot, wielebny ironizuje, chce mnie przyganić jak kocioł garnkiem. – Rebe chytrze zerknął na kapłana.

– Nie poprawiam, kiedy to czysta prowokacja.

– Teraz mój ruch, posuwam i moje na wierzchu. Specjalnie zagadałem wielebnego.

– To oszustwo, czcigodny, czyste oszustwo, czyż przystoi tak raptownie, szacher-macher, i już po mnie?

– Kiedy się ma kiepełe, każdy geszeft dochodowy, ot, dla przykładu taka Gołda, wzięła gospodarstwo, nie biednego Żyda. Gospodarstwo leżało w ruinie i bęc, już na nogach. Sam wielebny zauważył mądrze, że leżało.

– Bęc, i na nogi raptem. Hyc, i na wierzchu. Teraz znów ja biję i nowa dameczka.

– Nie raczyłem zauważyć, bo to sama gorzka przykrość, co wielebny wygaduje, mnie straszy jakimiś damkami. Szacher-macher, i po damce.

– Tylko w niebiańskich ogrodach tak zagrać można, czcigodny to mistrz nad mistrze, dameczka była i dameczki nie ma. Upartyś, mój czcigodny. Za ziemią wciąż tęskno?

– Sentymentalna starość, a ja niczym Jankiel na cymbałach, choć do karczmy w Dzieguciach daleko i cymbałów nie ma. Ogłuchły.

– Z niego myśmy wszyscy, o roku ów, o napoleoński roku.

– Czy to do pomyślenia: i nasz, i wasz pan Adam. Tak pięknie Jankiela odmalować, trzeba było Żydów kochać. – Z zadumą gładził pejsy rebe.

– Kto do pana Adama się nie przyznaje! Litwa, Białoruś, Żydzi, Polacy, czterdzieści i cztery, sama magia. A on jeden jedyny.

– I taki, że niebo prawie przesłonił, że z Panem Bogiem mógł się wadzić i Pan Bóg na pewno mu wybaczył, jeżeli samemu papieżowi sutannę poszarpał, to i Boga się nie krępował. Co za psotnik.

– Ale też grzesznik, swoją żonkę podobno pchnął do obłąkania.

– I tak mu Pan Bóg odpuści. On też gdzieś tu między nami. Ojczyzna to nasz obowiązek.

– Dwa nasze nieba, ale Pan Bóg jeden, pan Adam też jeden, ale dla wszystkich wystarczy, tak jak Pan Bóg. To rozumem trudno ogarnąć, trzeba wierzyć żarliwie. – Czcigodny rebe cmoknął, zamlaskał, wielebny pleban zamachał brewiarzem. Partyjka zakończona, lecz rozmowa trwała. – W Biblii co najważniejsze? Uporządkowanie. Tablice kamienne Mojżesza. Dziesięć Bożych przykazań, prawo i moralność. To niczym w maszynie marki Singer ucho igielne. Ono tylko zostało opatentowane. Dziesięć Bożych przykazań – też patent. Reszta, proszę bardzo, kradnijcie. Patent to uszko na dole igły. Nikt niczego mądrzejszego nie wymyślił.

– Masz rację, czcigodny rebe, nie inaczej.

– Boś ty jak biskup w piusce, a papież w papiusce, tyś, wielebny, mądry, ale Stary Testament jeszcze mądrzejszy.

– Bóg stworzył człowieka, czcigodny, na wzór i podobieństwo swoje, podług Księgi Rodzaju. A papież w papiusce, obowiązkowo. Ty, rebe, masz cięty język.

– Za mało: zewnętrznie; wewnętrznie też na wzór i podobieństwo. Każdy z nas nosi w sobie cząstkę boską, boski pierwiastek, każdy z nas po trochu jest Bogiem w ludzkiej skórze, stwórcą. – Rebe kręcił głową.

– Zgódź się, że może tylko twórcą, czcigodny, zapędzasz się zbyt odważnie.

– Jak go zwał, tak zwał, ale nie tylko zewnętrznie na podobieństwo, ważniejsza wewnętrzność, wielebny.

– Metafizyka, czcigodny, graniczy z bluźnierstwem. Prześmiewczość przez ciebie przemawia.

– Od wszelkiej herezji wy jesteście. My, Żydzi, od prawa, bo Stary Testament to prawo.

Ejszyski cmentarz. W równym szyku mogiłka przy mogiłce. Kopczyki już się zapadły. Rozwalone pomniki, wykruszone napisy, rozpleniony powój i starodrzew. Czyjeś matki, ojcowie, dzieci, babki leżą zgodnie, podczas gdy żywi do oczu sobie skaczą, włosy drą albo w zacisznych altankach romansują. Rozmaite desenie cienia z gałęzi. Refleksy słońca pełzają po napisach. Klany rodzinne, pokolenia sąsiadów. Wsie, zaścianki, miasteczka w karnym ordynku. Tu ogrodzenie z żelaznych sztachet, ówdzie kopczyk ledwie widoczny i butwiejące liście, gdzieniegdzie mysz przesmyknie ukradkiem, ptak pióra nastroszy i zakrzyknie gardłowo. We dnie sowy śpią, na łowy ruszają pod ranek. Tuła się gdzieś tu dusza wielebnego księdza dobrodzieja Rafała Montwiłła, a opodal, pod murem, niby na kirkucie, płaskie macewy i chyba dusza czcigodnego rebego Mojżesza Soshe. W dwóch różnych niebach odpoczywają i jednego Boga chwalą, ani znaku po nich, ponieważ padli nagle, ugodzeni kulą zdradziecką. Teraz ich dusze na obłokach niby na okrętach bojowych, opierają się groźnym zawieruchom. Ich drogi szerokie, w srebrnych dźwiękach dzwonów płyną. Snycerze im nagrobków już nie wyrzeźbią.

– Przegraliśmy, wielebny, czy wygrywamy? Rozsądź, boś biegły w Piśmie Świętym – rebe prześmiewczo ułożył usta w trąbkę i cmoknął.

– O, Kyrie elejson, Chryste elejson, o cóż mnie posądzasz? Żem od ciebie lepszy? O co mnie pytasz, czcigodny rebe? Jak to mądrze onegdaj zauważyłeś, jedna prawda przed nami i z nami, i w nas, choć z dwóch przeciwnych stron do niej się zbliżamy, my od

lewej, wy od prawej, ale po tej samej niteczce. I tego
się trzymajmy.

Kurczowo uczepieni brzegów chmur, odpłynęli ku
swoim przystaniom. Dostojni, przesyceni spokojem,
którego za życia brakowało, pełni ufności, wbrew tym,
którzy ich w otchłań rozpaczy wtrącili. Bo kto porachu-
je krzywdy i nagrody, kto, jak nie Wszechmocny?

– Po tej samej niteczce do kłębka, masz rację,
wielebny.

– Byleby nas błogość nie ukołysała, czcigodny, bo
uśniemy.

– My przecież już śpimy snem wiecznym, wielebny.

Wiedliby spór dłużej, gdyby ranek nie zaświtał.
Zniknęły dwa duchy, jakby chmury naszły jedna na
drugą. Jeszcze bardziej spochmurniało. Mój drogi szpa-
ku, czyś gniazda nie zgubił? My, odtrąceni, ludzie z po-
granicza, mieszkamy w obłokach, bez sadyb, czyżby
o nas Bóg zapomniał? To my, ocaleni, to my, odtrąceni,
bezpańscy, nieutuleni, zniszczeni, nieliczni, błąkamy się
niczym duchy wielebnego kapłana i czcigodnego rebego, wołamy o pomost, co połączy obce lądy. Wszystko
chybotliwe po katastrofie, po trzęsieniu ziemi. Liżemy
rany, zaklinamy ból, a on wciąż płynie wezbraną strugą
po bezbrzeżnym niebie.

* * *

Po falbanki w szklance mieniła się mętna hara.
Opalizowały srebrem na tapecie refleksy. Cuchnęło

zakwaską. Naprzeciwko siedział skulony gospodarz, jakby go skurcz złapał. Ojciec szanowanej rodziny, znanej w okolicy. Dochował się licznej dziatwy i po niewoli brał udział w uczcie. Coś szeptał spopielałymi wargami. Do czegoś w wylęknieniu przekonywał. Słowa do pijanego szaulisa nie trafiały, nawet nie usiłował ich zrozumieć.

Gdy szaulis hula, świat płacze od Butrymańców po Wiszkuńce.

– Nu, i czegoż ciawkasz, siedź cicho i potakuj – uspokajał swarliwie.

– Ot, sonsiad, czchać ochota ze smrodu. Możno zwonitować...

– Nu i wonituj, pod siebie, ale siedź przy stole murem, nu – wychylał szklankę – siedź i nie drygaj, bo żelastwo umie strzelać – unosił nagan – ot, to i przekonywa. Nie ma pośpiechu, prawda?

Gospodarz skwapliwie potakiwał. Na każde mocniejsze zawołanie szaulisa podrygiwał na ławie. Usłużnie nalewał, podsuwał, zachęcał do przepicia następnej kolejki w przekonaniu, że wreszcie prześladowca padnie albo przynajmniej uspokoi się, udobrucha.

– I ty pij... Iż, patrzajcie na jego, chitryj. – Szaulis, jakby węsząc podstęp, wyzywająco odtrącał szklankę. – Co mnie spiwasz? Co knujisz, gadaj, nu? Job twaju mać... Przeciw mnie, a? Zajzdrujesz władzy, a? Nie zajzdruj, kużden może być taki jak ja – z zadowoleniem obcierał wierzchem dłoni nabrzmiałą twarz i zaślinione wargi, ciężko sapał.

– Coż ja, chwory, nie moga – usprawiedliwiał się nieprzekonywająco, uniżenie gospodarz – wantroba boli, och i zaraz, aha, kolka sparszy...

– Symulant ty, a nie chworyj. Łżesz... Pij i zakanszaj, na, na, bierz skwarka – usiłował wepchnąć do ust gospodarza kawałek słoniny.

– Opamientaj sie, nie wtykaj tak... Żywiołka żeż niepojona i niekarmiona. Musza iść...

– Nie pali sie. Pośpiejesz – przytrzymywał go za rękaw szaulis – nie piekarnia żywiołka, uśpiejesz napoić. A może ty zrywasz sie, żeb dzie indziej pójść, a? Gadaj, nu... Chitry ty nadto. Patrzaj, żeb kałojszy z chitrości nie bylib pełne. Nawalisz z pospiechu. Gadasz: wantroba... Breszesz. Po ratunek lecisz. Mnie nie oszukasz... Kiedy tak dbasz o żywiołka, żonka niechaj idzie. Co ma inszego do roboty? Ot i napoi, do żłobow podsypie. Nu, wyrenczy ciebie. W rezginie okłotu podrzuci, nu – dodał przesłodzonym, niewróżącym niczego dobrego tonem i przymilnie się uśmiechnął – czego bendzisz przemenczać sie, a? Ty chworyj na wantroba... Banki postaw w łóżku, pomagajo. Karasino natrzy i bendziesz podleczony. Szklaneczka przechil, jak renko odejmie. Ja tyż nie palcam robiony. Mnie żeż nie kozioł na gorbatej łozie strugał. I na plewy mnie nie weźmiesz, stary warabiej. Nie dzisiejszy też ja, warto pamientać... Żonka niechaj idzie na obejście – powtórzył stanowczym głosem – my w ta pora poweselim sie, szmorgniem po jednym – i wlał całą zawartość szklanki do gardła, aż zabulgotało, następnie przechylił się przez szerokość stołu, złapał gospodarza za brodę, uniósł, kciukiem rozchylił mu usta i przez zaciśnięte zęby, krztusząc się ze śmiechu, wychlustując samogon na ubranie, wlewał zawartość drugiej szklanki w zdrętwiałego chłopa, który nie ośmielał się nawet pisnąć, co dopiero energiczniej zaprotestować.

– Nu, pij abo wonituj... Rozdziaw gemba szyroko, poluzuj zemby, pij. Żonka postrapie przy żywiołce. Nie nerwuj sie – przekonywał nachalnie. – Co, spicijalne zaproszenie tobie, a? Może przez ksiendza? Fanaberyjny ty kozioł. Co gemba zaciskasz? Smacznaż ona, twoja hara. Nie trucizna żeż musi? Czym mnie poisz, a? Czym, czort niechryszczony... Nu i widzisz, na co narowy? Popiwszy, ale oblał sie trochi zanadto – z zadowoleniem klepnął się po udach – mokro bendzie, himorojdy w zapalenie popadno – pokpiwał, z pozoru dobrodusznie, bo każdy najmniejszy opór mógł spowodować tragedię.

Samogonka oblewała nabiegłą potwornie twarz, lała się pod stół, tworząc kałuże pod stopami. Gospodarz znosił upokorzenia z udręczonym spokojem.

– Daruj, sonsiad, on nie może – z pomocą tymczasem pośpieszyła żona – on chwory.

– Słyszał ja. Nie głuchi. Tak my leczym sie. I tobie nie zaszkodziłab szklaneczka. Nu, kluku, kluku, kluku, kluku, giarsim po stikluka, a? Ir dar karta – szaulis z tupetem szarpnął kobietę za spódnicę – siondź przy mnie i pij. O, tut, na kolany, to i spódnica puści, i ty puścisz... Odemkniesz wroty raju, nu... – odsłonił spod wąsa sczerniałe, duże zęby – na, pij i przekoNś. Poluzuj sobie. Czego na jego tam patrzysz? Bojazno? Monż przejadł sie – spojrzał łapczywie na kobietę i złapał za pierś, ta opierała się, jak mogła. Ostatecznie szaulis puścił, dał spokój swoim dziwacznym zalotom i znów zaczął gęsto przechylać szklanki.

– Fukasz na mnie – dogadywał – nie fukaj, jaż tobie nie wrog. Tylko po falbany moja miara, nie wiency, bo kryszka – coś bajdurzył pod nosem niewyraźnie – kryszka, gadam, nu... – Nie bardzo wiadomo, do kogo się odnosiła ta „kryszka" tajemnicza. Mocno dwuznacznie pobrzmiewała, aż skóra cierpła.

– Szkoda fatygi, sonsiad, jaż nie pijonca – wzbraniała się grzecznie i łagodnie kobieta – roboty huk czeka, trepeczka bez przerwy w pucowaniu...

– Aż piana miendzy nogami staje, a? Coż za gospodynia, co tylko strapie. A gdzie przyjemność? Gdzie dla ciała, a? Nie wymawiaj sie... Gardzisz? On – wskazał lekceważąco na gospodarza – gardzi, ty...

– Dzieciuki u nas dorastajo, nie w głowie dla ciała, panoczku...

– Nu, nu, nie w głowie. I prawda szwienta. Niżej penpka, tam akuratnie, centra, naszczupiesz i jest, kudłata...

– Na coż te zaczepki... Stara ja. Ostygła... Zmiłuj sie, sonsiad...

– Monż w piecce słabawo grzeje, oj, słabawo i drennie, nie dba... Co u jego w kałojszach bałanda sie, zapomniawszy, a? U ciebie, duszka, widać, co jeszcze wszystko na chodzie. Ot, dosypać ognia i pociongnie piecka – niezdarnie usiłował objąć gospodynię za szyję, dotknął piersi. Kobieta cofnęła się przezornie. – Nu, czegoż boisz sie, musi piczurka jak malowanie. Dzikawa, boczysz sie, nie urwa żeż skarbow. Chodź bliżej, na styk. Niczego lepszejszego nie najdziesz i w niebie. Narowy... Musi słabo oswojona, a kaliber, widać, należyty. Uch, kalib ja i prycior, pisk i wizg. Na bok hrybok, kali × barawik jedzie – zwrócił się do milkliwego gospodarza z całym swoim impertynenckim chamstwem – śpieszył sie, czemuż nie idziesz, a? Nie oswoił własnej żonki, zaraza. Nu i powiedz, jak ty jej rady dajeisz? Dopuska ci nie? W uzdeczce do łóżka ciongniesz? – terroryzował ordynarnym ględzeniem.

Wisząca na belce pośrodku kuchni naftowa lampa z blaszanym, od spodu emaliowanym na biało abażurem prószyła anemiczne, żółtawo-purpurowe światło. Chybotliwym kręgiem obejmowała stół. Miejsca poza kręgiem pogrążały się w nieprzeniknionych ciemnościach. Straszyły czarne kąty.

Wtem z impetem rozwarły się drzwi od sieni, wtargnął przez nie z bronią gotową do strzału młody chłopak. Wszyscy zamarli w bezruchu. Słychać było tylko idiotyczne brzęczenie zagubionej między zazdroską a szybą muchy...

– Któren Miszkiń?! – rozkazującym głosem zawołał młody chłopak i uważnie powiódł wzrokiem po obecnych.

Grobowa cisza. Nikt na milimetr się nie poruszył. Jedynie pod łóżkiem ledwie słyszalnie, cieniutko kwiliły dzieci.

– Ja, job twaju mać – zadudnił nagle chrapliwie, głucho niczym spod ziemi, szaulis i równocześnie wyszarpnął zza pasa granat.

Cisza została zburzona.

Niedoświadczony chłopak, działając z zaskoczenia, nie przewidział ataku i krótki moment zawahania stał się dla niego zgubą. Otchłań nad nim się rozwarła. Rozpoczął brawurowo, ale pogubił się w szczegółach. Sędzia przemienił się w oskarżonego, ofiara w zwycięzcę.

– Pod ścianę – krzyknął.

Zdążył jeszcze trącić gospodarza lufą w plecy, bo akurat jego postać zasłaniała szaulisa i znalazła się na linii strzału. Już było za późno. Zanim padł rozkaz: pod ścianę, szaulis rzucił granat, a sam błyskawicznie przekoziołkował do tyłu. Wysadzając ramę okienną, wypadł z drugiej strony, do ogrodu, poderwał się z czworaków i zgięty wpół, klucząc, pomknął do pobliskiego sadu, między szeregi uli. Nikt go nie gonił.

W izbie nastąpiło nieopisane zamieszanie. Chłopak, zamiast przyskoczyć do okna i strzelić, padł na toczący się z sykiem granat. Przykrył go sobą. Błysk myśli kazał mu osłonić innych. Nastąpiła stłumiona detonacja. Zadygotały ściany i posady domu. Światło drgnęło, zachybotało, poderwało się w górę i zgasło. Podmuch wywrócił meble. Zapadły nieprzeniknione ciemności. Tylko gdzieś z głębi zaczęły dochodzić jęki.

Pierwsza ocknęła się kobieta i zawołała wysokim, zduszonym głosem:

– Dzieci. Gdzie dzieci? Całe? – Chwilę nasłuchiwała. – Całe? – powtórzyła. Spod łóżka wygramoliła się wylękniona trójka i przytuliła do matki.

– Dzięki Bogu, dzięki... Zapałki. Dajcie szybko zapałki.

Z trudem je odnaleziono. Zapalono łuczywo. Z gęstwiny mroku wychynął przerażający widok. Na podłodze leżały poszarpane strzępy. Z otwartej czaszki sączyła się przeźroczysta miazga. W rozległej kałuży krwi zmieszanej z samogonem, w burych oparach dymu i mdławociepłym odorze z jamy brzusznej leżał człowiek.

Kobietę i dzieci ogarnęły torsje. Odór nie pozwalał oddychać. Gospodarz cudem wyszedł z tego bez szwanku. Miał zaledwie draśnięte ramię i rozoraną błonę brzucha. Kobieta ani dzieci szczęśliwie nie odniosły żadnych obrażeń, przeżyły tylko koszmarny wstrząs.

– Bandziorom zawsze udaji sie – jęknęła z żalem gospodyni – takim zawsze na swoje. Pomierajo nieszczensne, ot, takie dzieciuki... – Skłoniła się nad nieruchomo leżącymi szczątkami. – Nu, Bożeż ty moj, prawie dzieciuk – przeżegnała zwłoki.

Dzwoniło w uszach. Głośno i piskliwie zawodziły dzieci.

– Najświentsza Matko, zamenczony, nasz zbawca, odkupiciel – lamentowała, targając włosy, pochylona

nad zwłokami kobieta – menczennik. Matko Jasna...
Cud, że reszta zdrowa. Cud, cud...

Uklękła, odwróciła chłopca na wznak. Z twarzy nic
nie pozostało. Zamiast piersi ziała ogromna, postrzę-
piona jama.

– Ot, Bożeż ty moj, mozgi uciekajo. On żeż za nas
pomarł... Od nagłej i niespodziewanej śmierci wybaw
nas, Panie... – Uklękła i złożyła modlitewnie dłonie.
– Kyrie elejson, Chryste elejson, wielki z nieba Boże,
zmiłuj sień nad nami. Pocieszycielko nasza, z Synem
Twoim nas pojednaj, Synowi Twojemu jedynemu nas
w opieka oddawaj, nas, strapionych...

– A co z tym bandziorem? – zreflektował się stoją-
cy dotąd w oszołomieniu, zaciskający rękami poraniony
brzuch gospodarz.

– Musi uciekłszy – kobieta na chwilę przerwała
modły – wyłamał okno z ramo, zładziuha, i uciek, chodu
w sad. Takie zawsze majo szczenście. Renka Boska ich
nie dosienga. Pomor musi jaki na nas... Gwałtownik na
gwałtowniku, zgorszony nasz świat...

– Nie bieduj, do pory dzban woda nosi. Kiedyści
ucho penknie, ani obejrzysz sie...

Po chwili wpadli do mieszkania mający osłaniać
chłopca koledzy. Wyglądali groźnie, opasani taśmami
naboi. U progu zesztywnieli. Zdjęli po kolei czapki
i milcząco mięli je w garściach. Uklękli niby na komendę i złożyli na piersi znak krzyża. – W imię Ojca
i Syna, i Ducha... Amen. Amen... Temu znów udało sie.
A, haman, musi czort jego krzcił...

– Udało, udało – jak echo powtórzyli gospodarz i gospodyni.

Partyzanci w zakłopotaniu przestępowali z nogi na nogę. Powstawszy z klęczek po odmówieniu pacierza, nie wiedzieli, co począć.

– Nu nic, jeszcze jego dopadniem i pomścim. Nasza renka jego nie minie.

Ostrożnie ułożyli ciało na rozścielonej burce. Pod głowę wsunęli wiązkę słomy, w zgrabiałe palce wsunęli obrazek Matki Boskiej Ostrobramskiej, który dała im gospodyni, przewiązali ręce różańcem.

– Nu, trudno, strata. Stało sie i nie odstanie. Nie kużda jedna akcja udaje sie – jakby usprawiedliwiali samych siebie.

Śpi, kolega, w ciemnym grobie
Niech sia Polska przyśni tobie

– półszeptem odśpiewali piosenkę.

– Inszym razem lekczej pójdzie – przez cały czas stropionych kolegów pocieszał dowódca grupy – dziś on, jutro... Taka nasza dola, mać jego niemyta... tego, nu... Pochowamy gdzieś blisko, żeb nie rozniosło sie, bo komendantura przyszle karna kompania. Do Butrymańców jego nie powieziem...

W najskrytszej tajemnicy sprowadzono z Ejszyszek księdza Lubiańca. Z dębowych, moczonych desek zbito porządną trumnę.

Na rozpacz matki, wiejskiej kobieciny okutanej w wielką, kraciastą chustę, nie można było spokojnie patrzeć. Przeklinała niebo i ziemię, godzinę, w której się urodziła.

– Biedna ja, biedna, w najstraszniejszych snach ja nie przewidziała. Bandyty, mordercy ogień puścili... Na synka mego, synoczka...

* * *

Marzyli chłopcy. Triumfowała wyobraźnia, bo czasy nędzne i nudne. Polatać choćby na miotle to już atrakcja, choćby trochę za las nos wyściubić, dobiec do końca horyzontu, za gościniec. Po diabelsku, okrakiem, na koczerdze, na miotle, równo z chmurami, z góry więcej widać. Czarownice na łysych górach siedzą, ziołami kadzą i świat lepiej znają. Mężczyźni w polu, dziewczyny przy żniwach, cycki turlają się po rżysku. Zawrót głowy do mdłości, tak szybować i pikować, świecą ku słońcu wzbijać się, czarować. Zadzierali głowy, prężyli karki, cherlawe piersi wypinali, śledzili obroty koron drzew, wieczorami odczytywali gwiazdy, dotykali wzrokiem ciał niebieskich, zdumieni, że takie chłodne i odległe. Uporczywie nasycali swoimi marzeniami i snami każde źdźbło, barwne skrzydła motyli jeszcze jaskrawiej błyszczały, onuce zaparzone mniej śmierdziały, niedoprane szmaty mniej raziły. Snuły swoje tęsknoty pająki, zastawiały pułapki żuki gnojniki. Zbadać nieznane – oto wyzwanie. Dotknąć gwiazdy, smyrgnąć spadającą kometę do wody, ogarnąć wszechświat w szaleńczym pędzie, byle nie taplać się w cuchnącym bajorze codziennego życia. Chłopcy rozpalonym wzrokiem wodzili za wiatrem, parskali ze śmiechu bez przyczyny, ucho łowiło koszący lot ptaków. Rozdymali nozdrza, pragnąc zatrzymać zwodniczy zapach nieprzebytej Drogi Mlecznej, opasującej kulę ziemską, spiętej Krzyżem Południa. Ze szlaku Białej Niedźwiedzicy wprzęgniętej do dyszla Wielkiego Wozu nie zstępowali. Hen, ku roztopom błękitnym, poznać tajemnice zza horyzontu i paść na odpoczynek. Tyle znoju w marzeniach, tyle przebrzydłych niespełnień.

– Ziuńka, popatrzaj, czarna gwiazda wzeszła.

– Andruszek łobuzersko zmrużył ślepia i parsknął śmiechem. – Nad nami wzeszła.

– To pocałuj jo w dupa, jeżeli tak blisko – odcinał się Ziuńka.

– Durnyż ty, toż to wrona frunęła. Chciał nas oszukać, a figa – wspomagał Ziuńkę Pietruszek. – Lepsza droga mlekiem wylana, prosto do raju.

– Chciałaby dusza do raju, tylko grzechi nie puskajo.

– Mliko, ale sfermentowane. Czego zażmurył sie? Razi oczy?

– Nie szukaj zaczepki, gadam: mlekiem, to mlekiem, a nawet tam i pszczoły brzękają.

– Do raju, a gdzie raj? Na skraju. – Uderzał palcem o palec Beniuk i z uporem skandował: – A gdzie raj? Na skraju, na skraju.

– Czego sylabizujesz. Pisze, że do raju? Dzwoni, ale nie wiadomo gdzie – przedrzeźniał Andruszek. – W która strona do raju?

– Nu, w która? – z zaciekawieniem dopytywał się Beniuk.

– Każdy ma swój raj i swoja strona – rezolutnie tłumaczył Ziuńka.

– Szukaj wilka w lesie, aż ciebie poniesie – odpowiadał Andruszek.

Podbechtywali się wzajemnie, smarkali w rękawy, pluli sobie pod stopy i piętą rozcierali, gwizdali na palcach dla wytracenia nagromadzonej energii. Pędzili w brzozowe młodniaki, kaleczyli twarze, padali bez tchu na kępy mchu i jagodników, przykucali coś przekąsić, na coś przypadkiem się natknąć: a to marchew z warzywnika wyrwać, a to peluszkę ze strąków wyłuszczyć, a to bób, byle do snu w kopie siana albo na wyżkach w stodole, w aromatycznej słomie. Dzień podobny do dnia: figle, bójki, złośliwości, zaczepianie starszych. Awantury wybuchały równie gwałtownie, jak gasły. Z nudy i do zbrodni blisko. W cenie były kije od zepsutych parasoli. Siekierami rzucali do celu. Ten wygrywał, którego siekiera ostrzem w pień się wbijała.

– Nie kręć, bo z ręki siekierę wrębujesz – protestował Adaluś. – Piećka, ty kręcisz.

Ziuńka nie dawał nikomu szans w strzelaniu z rogatki, bo do siekiery miał za słabe muskuły. Beniuk prychał z niezadowolenia, bo próbował i w siekierze być nie najgorszy, ale za często pudłował.

Gnali do kuźni Połubińskiego podrażnić się i popatrzeć na robotę kowalską. Kowal czasami pozwalał dąć w miech. Młot rytmicznie opadał na kowadło, dźwięczał metalicznie, palenisko dymiło, na okopconych twarzach tylko białka łyskały. Niczym w piekle, a tuż za drzwiami dzięcielina pałała, skowronek w kopułę nieba uderzał, rozjuszał się słowik w zaroślach. Zmieniały się pory roku, bez znaczenia: środa czy piątek, jesień czy wiosna. Liczyły się wyłącznie niedziele i święta, bo trzeba było szorować szyje i zgodnie do stołu zasiadać. Boże Narodzenie: choinka, barszcz i uszka, kutia i śliżyki. Wielkanoc to drożdżowe baby i kraszenie jaj gotowanych, bituki i kaczanie-katulanie, i gonitwy na bosaka po ostatnim śniegu. Kura kucnie, jajko wyskoczy, kto pierwszy, ten zje – ot, i święto. Choinek też w lesie nie brakuje. Po to się ma mało lat, żeby grymasić, ale kiedy już opasujesz dorosłe spodnie rzemiennym paskiem i założysz fabryczną perkalową koszulę – młodość przepadła. Inne obowiązki i odpowiedzialność. Możesz zakładać rodzinę, samodzielnie gospodarzyć, grodzić płot. Bogato się ożenisz, na harmonii z bębnem zagrają na weselu, biednie – to na grzebieniu, bosą piętą klepisko wyrównasz, poplaskasz i pod bałachon dzieci płodzić. Nikt prezentu nie da, nawet ksiądz w kościele z niesmakiem ręce stułą zwiąże, a byle baran w dupę rogami tyrpnie. Nikt za uszy ciebie nie pociągnie do dobrobytu, nikt złamanego grosza nie użyczy. Dorosłość nic ciekawego nie gwarantuje. Niech jak najdłużej migają białe łydki na łąkach i furkoczą skrzydła u ramion.

– Podobno Raby od nas wyjeżdża? – z niepokojem zapytał Pietruk.

– Wypływa na własnym okręcie.

– Żmogus mu pomaga podobno.

Ciekawość wyrostków skręcała, ale wstępu do królestwa Rabego nie mieli. Przepędzał ich stary, żeby chłopca mu nie manierowali. A z kogo tu dobrać kolegów? Więc Raby samotnie klecił okręt i samotnie obmyślał morskie wyprawy. Uwijał się wokół belek, ciosał, mocował maszt, napinał prześcieradło, pasował listwy, woskiem nasączał, żeby szmata nie przemakała, żeby nabrała sztywności – ale kontakt telepatyczny między kolegami istniał, choć nieraz za czuby się łapali. Oko im zbieleje z zazdrości – myślał Raby i sama ręka w łokciu się zginała.

– Ależ jego popendzim, niechaj tylko przyjdzie. Aż ikać zaczni.

– Za mocny – wątpił w łatwe zwycięstwo Ziuńka.

– On ćwiczy na sękach, z psem na wyścigi gania po grząskościach.

– Jak nas ze sobo zabierzy, darujem.

– Wpierw na stawie niechaj wypróbuje, a potem razem rzeko do Wersoki, bo co to za rzeka ta nasza Nieździlka, row wypchany bagnem, aż lepko dotknońć sie.

– Jakoś się przepchamy, po łąkach przecie okrętu nie pociągniemy do Wersoki.

– Mereczanką do Wilii, do Niemna i na otwarte morze – ktoś doradzał rezolutnie – taki szlak najlepszy, znam sie, bo mape mam i z ojcem jeździłem.

Wszyscy z niedowierzaniem zamilkli. Wzdychali ciężko, z sykiem powietrze wciągali w płuca, rozdymali policzki.

– No to jak nas Raby zabierze, ja poprowadze.

– Może w budowaniu pomóc trzeba?

– Żaden okręt, zwykła tratwa z okrąglaków. Podkradł sie i widział.

– A wytrzyma? – denerwował się Adaluś.

– Potrzeszczy i wytrzyma, byleb wiało – ze znawstwem wywodził Wićka, krzepki czternastoletni wyrostek.

Wszyscy wybierali się ochoczo w nieokreśloną, porywającą podróż na prawdziwe morze, gdzie pełno rekinów i piratów, gdzie się skacze po falach z grzbietu na grzbiet, gdzie dziwy-niewidy. Wybierali się z Rabym, choć on o tym jeszcze nie wiedział. Uzgadniali szczegóły, co kto ma ze sobą zapakować do torby, ile mięsa należałoby ukraść, ile kartofli i chleba, jakie noże trzeba wykuć w kuźni i kto przygotuje czarne opaski na jedno oko, kto trykoty w paski pomaluje i szerokie rzemienie skombinuje, bo musi to być prawdziwa nieustraszona załoga. Tylko co do kapitana decyzja nie zapadła.

– Popłyniem do ciepłych krajów. Czytał ja o Afryce, o Robinsonie Crusoe. Tam podobno sami czarni z łukami i dzidami, żywych ludzi jedzo i przez cały rok chodzo na golasa. Abrykozy, mleko z kokosów.

– My też łuki mamy...

– Mleko z kokosów?

– Podobnież to orzechy jak arbuzy. Wczarapkasz sie na palme, zerwiesz, masz jedzenie...

– Po co czarapkać sie, nie lepiej strząsnońć?

– Jedzenie – smakowicie mlasnął wargami Andruszek.

– Afryka... A daleko? Gdzie wyczytał?

– Najpierw naucz sie czytać drukowane, później pytaj – Andruszek lekceważąco machnął ręką.

– Czego przechwalasz sie, kiedy sam ledwie sylabizujesz – przyciął z werwą Beniuk – i mnożenia nie znasz...

– Po co w Afryce mnożenie? Durny... Tam liczyć nie trzeba. Potrzensiesz palme i masz, ile wlezie. Zechcesz miensa, zwierza ukatrupisz. Na co komu liczenie...

– Piećka, ty zdurniał, nu, zdurniał. Liczyć zawsze warto. Umieć liczyć wielka sztuka, oho, pisać i czytać nie tylko drukowane...

– Nie ma co kłócić sie, bo kiedy już dopłyniem, a tam małpy wiszo do góry nogami, to jak na nas napadno, wysieko swoimi łapskami w drebiezgi. Słonie spacerujo, trombami machajo, a łąki zielone...

– Nigdy nie widziałem, nawet na zdjęciach – zmartwił się Adaluś – jak Boga kocham, nigdy nie widziałem, aż straszno pomyśleć...

– Taka małpa silna, że orzech przełamie, walnie w łeb i chodu na sam wierzchołek...

– Małpa-małanka – zadziwił się Beniuk.

– Słoniom trąby wiszo, a kopyta takie jak bochenki chleba...

– Machajo trąbami?

– Dwanaście słoni: gotowa orkiestra...

– Na bębnach grajo Murzyni po wioskach – niezmącenie ciągnął Andruszek. – Ale urządzim sobie życie, prawie za darmo.

– I nie trzeba będzie co niedziela do kościoła...

– Na bosaka boli, po szarwarku piasek na drodze ostry jak zaraza.

– Na bębnach Murzyni, to musi być ładnie... – zadumał się Boluś.

– A my tam jak konie...

– Tylko kto silniejszy...

– Kto szybszy...

– Tygrys nie napada na lwa, bo boi sia...

– Za to u lwów grzywy, można uczepić sia...

– Takiego sucharka na jeden ząb złapie...

– Tygrysa nie złapiesz...

– Urządzim życie – marzył Andruszek. – Potrzebny statek...

– Jaki statek. Okręt. Statek nie wytrzyma przez taki ocean...

– Łódką nie ma co wypływać. Raby opowiadał, że prom z bali składa...

– Na razie drzewo suszy, pod dach ściągnął z lasu, okorował bale, sęki obrąbał, teraz żagiel stawia, prześcieradła zszywa...

– Brezent potrzebny...

– Żaden prom, tylko tratwa.

– Płótno też wytrzyma. Pokostem nasyci, woskiem pociągnie.

– Brezent tylko z wojennej maszyny, a za co go kupić?

– Jak tylko łódka będzie gotowa, dobierzem załogę i wypływamy...

– Raby najpierw niechaj wypróbuje...

Siedzieli gromadką, ciasnym kręgiem, pod rozłożystym dębem i snuli marzenia. Każdy przecież słyszał, jak Raby opowiadał *W pustyni i w puszczy*, każdy wyszukiwał psa najgroźniejszego, który mógłby nawet lwa powalić w biegu.

– A z dziewczyn zabierzem z sobą Żyśkę Arnolbik, ona najładniejsza.

– Ale czy wytrzyma? – zamartwiał się Boguś. – Czy matka ją puści...

Knuli potajemne plany. Chwilowo nie interesowały ich pompki i rzucanie kamieniami. Zgodnie czekali na zbawienie za horyzontem. Zza lasu sunęła kipiel słoneczna, oblewająca karminem zieleń liści, płowe chmury wróżyły burzę, gdzieś dzięcioł szyszkę wymłócał. A oni obmyślali, jak się wyrwać za ten przeklęty horyzont, uciekać z pomroków tam, gdzie szerzej i widniej, gdzie abrykozy i kokosy całkiem darmo, gdzie nie ma chłodów i śniegu, gdzie Pan Bóg łaskawszy. Wyrwać się i pruć przed siebie: na piechotę, okrętem czy rozterkotaną furką. Płynąć, otrzeć się o przygodę, dalej od tego zakisłego kąta, o którym Pan Bóg zapomniał, a śmierć gęsto odwiedza. Pomór i zaraza, za to w Afryce słodkie dostatki i ogromne, gorące słońce. Nie trzeba w piecu palić i szyb na zimę uszczelniać. Tam właśnie biblijny raj, tam się Pan Bóg urodził. Stamtąd mirra i kadzidło, i złoto, tam święty Jerzy smoka zwyciężył i trąby jerychońskie mury miasta powaliły, jakiż musiał być mocny dech kapłanów albo słabe mury – zastanawiali się wspólnie – nieważne, ale to tam kraj cudami słynie, Eliasz na białym koniu galopuje i kiedy karetą anioł przejeżdża po niebie, to u nas grzmi. Dość tych strychów zatęchłych, tego próchna świecącego o zmroku, tego zgłodniałego księżyca jak patelnia, tych wychudłych wilków i psich watah, krów w gównie utytłanych i zdziczałych knurów szlajających się po dąbrowach. Popłyniemy, chłopcy, i nie wrócimy, tylko niech Raby z okrętem się upora. Raby ani mógł się spodziewać, ile złudzeń z nim wiązano, ile nadziei wyzwolił. Zresztą sam sobie niczego innego nie życzył.

Tymczasem latały tutejsze czarownice, spędzały oszalałe krowy z pastwisk, kwasiły mleko w wymionach. O głazy polne pioruny trzaskały. Z gruszy na rozstajach trujące owoce spadały, owoce z gliny aluminiowej, miąższ w owocach siny i smak gorzko gryzący, choć same owoce jak na pokaz, dorodnej wielkości i koloru.

* * *

Matka zawodziła wniebogłosy. Wyłamywała palce. Ot, synoczek bez wiedzy do partyzantów uciekł. Wpierw sądziła, że gdzieś w łapance przepadł, że na roboty do Niemiec wywieźli. Tak nagle zniknął. A tu proszę, leży martwy, zamiast twarzy krwawa miazga, nie do rozpoznania...

– Synku, synoczku, coż ty nam najlepszego narobił. Czy ja wiedziała, że taki bendzie twoj koniec, że na twoim weselu nie zatancuja? – Całowała wieko trumny, tuliła ją niby żywą... – Czemuż ty mnie, stara, biedna, zostawił, nie poczekał na mnie, na swoja rodzona matka. Zaszczuli ciebie, zmarnowali zuchwalcy, zabili na śmierć, antychrysty, że ich świenta ziemia nosi... Zachlastali ciebie oskołkami stalowymi... Badział sie ty, biednieńki, po lasach, kałdobach, a w obcej chacie śmierć nalazł. Uciekłszy ten kłyba bez pomsty nijakiej. Jak tobie ulżyć? Jaż tobie na żarnach na chlebek namleła cienka monczka pytlowana, i kto teraz zje, a? Nu i dobadział sie do śmierci swojej...

Ojciec panował nad sobą, tylko skuły na szczękach z napięcia drgały. Godniej, jeżeli wolno tu mówić o godności, znosił śmierć syna. Posępnie patrzał w ziemię, szurał nogami, poprawiał nerwowo cholewy ogromnych juchtowych butów i milczał. Słychać było tylko, jak trzaskają zaciśnięte do bladości palce. Ręce miał opuszczone z rezygnacją, sękate, wielkie, spracowane, o łykowatych muskułach. Co chwila przytrzymywał pod pachę żonę. Uspokajał szeptem.

– Nu, już, już, starczy, nikt nam jego nie wróci, duszka, nawet sam Pan Bóg. Przestań chlipać, duszka, nu. Dobry Bóg wiedział, z kogo anioła zrobić... Nu, nie odstanie sie żeż. W niebie bendzie na najwyższym krześle, obok Chrystusa, za taka fatyga w nagroda odpowiednia miejsca dostanie. Nie chlipaj. Po darmo kołbotanie jenzykiem życia żeż nie wróci. On nie wstanie... Nie pomożesz jemu tarmoszeniem truny... Nu, uspokoj sie. Lamentami nie podymiesz z truny...

– Synok, synok – mimo łagodzenia bólu łkała matka – sirota ja teraz na świecie, sirota! – Wyszarpywała rękaw z mężowskich rąk. – A ty, stary, nie wtroncaj sień – fukała z płaczem. – Pomyjami ciebie oblawszy, twoja krewka świenta. Czemuż mnie uspokajasz, a? Uch, i bez serca żeż ty, stary chren. – Odtrąciła męża z jakąś zapiekłą złością.

Czyżby za mało z nią smutek dzielił? Albo tego wymagał obrządek...

– Przynieście choć żaru w kubarce. Jemuż, biednieńkiemu, zimnieńko w syrowej ziemi bendzie. Żaru w kubarce dla mego synoczka – wrzeszczała z niezwykłą siłą – nu, czego stoisz jak słup, szmygaj po żar, stary... Kubarka najdziesz gdzie w polu. Pordzawiała, nie pordzawiała, dawaj...

– Nie durniej, złotko – łagodnie perswadował mąż – parsiuczki w chlewie pozdychajo...

– Co, wstydzasz sie... Zgorszony?

– Nie zgorszony ja, ale jeżeli nie pojedziem prendko, żywiołka padnie... Bendo same straty...

– A niechaj wszystko wyzdycha, kiedy mego synoczka nie ma. I gwałtem mnie nie ciongni, puść renkaw, bo urwiesz...

– Trzeba po chrześcijansku pochować i wracać nazad, złotko...

– Oj, ja nieszczastna, i grob, znaczy sień mogiłka synoczka daleko, oj, ja...

* * *

Nocą zawieziono trumnę na wiejski cmentarz, niedaleko zabudowań Chrula i Kozakowskiego, na cmentarz, co to jeszcze pamiętał zamierzchłe czasy Powstania Styczniowego. Kilka granitowych kamieni o tym zaświadczało. Zarośnięte mchem, powyszczerbiane napisy: zmarł w kwietniu 1863. Requiescat in pace. I apel do przechodnia o wsparcie modlitwą za pokój duszy. Leżeli tu i Lubiańce, i Giezgołdowie, i Dziegucie, i Butrymowie z Butrymańców, i Bartoszewicze, i Bołądzie, Jacewiczowie i Songinowie z Songiniszek, Lubkiewiczowie z Lubkiszek, należący niegdyś do oddziałów Ludwika Narbutta z Naczy. I wielu, wielu innych, których już nawet z wyobraźni odtworzyć byłoby trudno, bo nie tylko czas wykruszył litery na głazach kamiennych, ale i w ogóle skruszył głazy, darnią kopce wyrównał, dokładnie zatarł wszelkie ślady.

Na ogromnym, przywalającym czyjś anonimowy grób pomniku spod mchu wystawały skrawki i ułomki napisu: za naszą i waszą...

Na takim właśnie niemal zabytkowym, zapomnianym przez Boga i ludzi cmentarzyku złożono na wieczny spoczynek młodego chłopca, co to do partyzantki uciekł w pogoni za własną śmiercią, bez zezwolenia rodziny.

* * *

Tak, miał wielokroć niebywałe szczęście szaulis, przekleństwo tych stron umęczonych. Cóż, biednemu wiatr zawsze w oczy duje, a takiemu sam czort dziecko kołysze. Pomór biednych dusi...

Miał szczęście szaulis, prawda, jak i to prawda, że do pory dzban wodę nosi... Nosi wilk, poniosą i wilka... Ileż złych słów ludzie z okolicy o nim wypowiedzieli, ile złych życzeń pod jego adresem padło. Intencje czasami nie idą na marne.

* * *

O, tu, nieopodal, z Kalinowszczyzny, która teraz nazywa się Marcinkiszkami, pochodził i Kostuś Kalinowski, i Zapaśniki, co u Jasowiczów mieszkali kątem. Młodzi całkiem poprawnie malowali różne scenki rodzajowe, święte obrazki, jelenie na makatkach. Po Wielkiej Wojnie do Królestwa wyemigrowali albo i do samej Warszawy, szukać lżejszego chleba, podobno zmienili nazwisko na bardziej tamtejsze, na Zapasiewiczów... zmieszczanieli... A byli to ludzie leśni, silni i uparci, prawdziwi zapaśnicy. Jak tury, o ceglastych, opalonych karkach, niewielkiego wzrostu, pleczyści i okrutni w zaciętości. Jeżeli coś sobie ubzdurali, musieli dopiąć swego. Pewnie wydelikatnieli, zmienili się teraz. Zaczęli podobnież malować obrazy na prawdziwej ceracie, same święte figury z Biblii. Widać dojadło im leśne życie, pojechali w świat lżejszego zajęcia szukać, a czy znaleźli? Poza tym, że malują swoich świętych Szymonów Słupników i Matki Boskie Ostrobramskie – ciekawostka: bez Dzieciątka na ręku.

Bogate i hojne nasze strony. W obrębie Radunia, Bieniakoń, Solecznik, Oran i Lidy, aż po Smorgonie i Oszmianę, po Grodno i Pińsk... Skąd pochodził Apollinaire-Kostrowicki? Spod Lidy... Od Nowogródka po Kowno... Bożeż ty mój... Bolcieniki Puttkamerów. No, rękę podać i Tuhanowicze Wereszczaków, potem Oleszów, ich krewnych. Legendy, mity, choć nieprawdziwe, w tych stronach zwyczajne. Nie nowina wcale, że akurat u nas. Ziemia obiecana, przez Boga wybrana, bo i sam Pan Bóg stąd pochodzi... Z braku bogactwa ziemi ludzie nadrabiali wyobraźnią, pomyślunkiem i odwagą. W naturze wszystko musi być w równowadze, symetryczne jak motyl. Inaczej świat by się przewrócił, w proch rozsypał. Bez niczego nawet cień nie istnieje. Cień to jakby druga połowa, choć płaska. A jak dwie połowy, to i w porządku, równowaga. Gorzej, jeżeli jest tylko jedna, obojętnie, prawa czy lewa...

* * *

– A ty wyrywałeś Żydom złote zęby obcęgami. Specjalnie po to zawsze nosisz obcęgi. No, pokaż kieszenie! Nie, nigdy byś ich nie wynicował... Wpierw pakujesz kulkę w łeb upatrzonej ofierze, a potem obcęgi. No, zaprzecz...

– Kab tabie jazyk skołowaciawszy. A jeśli tak, to co? Zajzdrujesz, a? Zabiwam, bo na żywca cienżko byłob... – szaulis w szerokim, gumowym uśmiechu rozdziawiał usta – nie goroncuja. Patrzam w zemby: opłaca sie abo i nie... W łeb i szlus... – Wulgarnie spluwał pod stół.

Żmogus aż się wzdrygał.

– Złoto bardzo ciebie interesuje. Oddałbyś duszę szatanowi za złoto, za błyskotki...

– Oni najważniejsze, te bliszczonce fincifluszki-cacuszki...

– Zwyrodniałeś, bo czyż to ludzkie?

– Ty mnie w dusza nie leź, w kieszeń nie zaglondaj... Ludzkie, nie ludzkie... Starczy, że moje – szaulis nieustannie rechotał skrzekliwym śmiechem, po chłopsku, całą gębą. – Kiedy szczeńści sia, trzeba korzystać. A czyż lepiej złoto marnować i z nieboszczykiem w dół zakopywać? – Ja pomagam nieboszczykom w podróży do nieba, żeb nie za cienżko. Na co im w niebie złoto, a? Zmarnowałob sia... Mnie sia przyda, a umarlaku nie pomoże... Przed kim ma sia chwalić? Od kogo wykupywać? Boga złotem nie zadziwisz, a ludziow można... Bóg sam złoto wyrabia. Ot, żebyż i jego tak chapnonć – mlasnął językiem o podniebienie – żeb w niebie produkcija zarekwirować...

– Nieludzkie zajęcie...

– Gadasz jak bolszewik. Jedź do Sowdepii, komisarom astaniesz sia.

– Durny ty...

Powietrze stawało się zawiesiste, można je było krajać nożem. Coś złego w nim wisiało. Drażniło płuca. Żmogus kilkakrotnie nerwowo zakaszlał. Na strychu wicher kręcił oberki. W zawieszonych u kalenicy koszach gruchały gołębie. Wokół pieca krążył kot jakby z obciętym w potyczce ogonem.

– Oj, i nie rencza ja za siebie, kiedy z tobo gadam – w głosie szaulisa drgała złowróżbna nutka, ale Żmogus wiedział, że ma jakąś tajemną, niewytłumaczalną moc, że ten okrutny człowiek nie ośmieliłby się na niego podnieść ręki, choć bez mrugnięcia potrafił zaszlachtować lub zastrzelić dziecko. – Z szczeniukow żydowskich i z bensiow pociechi żadnej – lubił powtarzać. – Czyszcza ta nasza szwienta ziemia – sztukował bandycką naturę ideologią – nam i naszych bejstrukow starcza, na groma żydowskie? Żreć chco, a skond brać? Na darmocha kużden rachuje, a figa, kulka starcza, skraca głodność. Nu i zawsze ołowiu nie brakuje, a jakiż on pachnioncy – z lubością przełykał ślinę.

Wielu rzeczy nikczemnych dopuścił się szaulis, ale zabić, a przynajmniej wydać Żmogusa nie umiał. Wyzywająco, a zarazem bezradnie łyskał zębami, wygrażał naganem, ale w rezultacie jak niepyszny ustępował. I wciąż odwiedzał, nie mógł nie przychodzić...

– Co mnie zrobisz? – zaskakiwał go Żmogus twardym pytaniem. – Najwyżej zabijesz. Zamęczysz w kazamatach. Ty, własowcy, obojętne... Na nic więcej ciebie nie stać. – Szarże na razie się udawały.

– Nikogo nie stać na wiency – bąkał stropiony szaulis posępnie. – Czego czepiasz sia jak kleszcz? Nalaz sie taki i hyrczy nad uchem... – Przez moment walczył z sobą, szamotał między pokusą morderstwa a uległością, w końcu konkludował: – Ja ciebie nie zabija, na co zabiwać... Tak postanowił i kryszka – chrząkał niepewnie – jednego ciebie nie zabiwać. Znaj moja dobroć, czort... Rob, co zakcesz. Gadaj, co zakcesz, hulaj, breszy. Ja wiem wszystko o tobie. Gardzisz, nienawidzisz. W łyżce wody ty by mnie – rozczulał się nad sobą – a ja tobie, ot, serce na talerzu, na, dźgaj. Wiem wszystko, niczego nie skryjesz... Nu, nie wydam... Z kim by ja wtenczas pa duszam gadał, a? Z kim by ja gadał, a? Z wiatrem, co u ciebie tam buszuje? Z mogiłami? Potrzebne mnie żywe przeciwniki. Żywe i rozumne, ot co. Ty na Sondzie Ostatecznym na tronbie dla mnie zagrasz przed Panem Bogiem, nu? Wstawisz sia za mnie, a? Wystonpisz przed Panem Bogiem? Poświadczysz, tak i tak niby: Miszkinis, chłop tutejszy nastajaszczy, żaden pierdun, tajniak, żaden szaulis, jak tut mnie nazywajo... – Aha, tu go boli, pomyślał Żmogus, postanowił skaperować świadka na wszelki wypadek, a więc nie taki pewny swego zwycięstwa, coś go jednak gniecie. – Tak mnie przezywacie, szaulis... Poświadczysz, co ja wiedział, że ty z partyzantami trzymasz, że do bandow lipniesz, z imi zwonchawszy sia, a może i do ich należysz potejemnie... Dokarmiasz ich. Przychodzo tut noclegować. Warty wystawiajo. Ty im gadasz, co i jak u nas w okolicy... Ot, tak na Sondzie Ostatecznym powiesz, że ja nie ostatni parszuk, nie żaden kaban niemyty, że nie poganna swołacz... Wiem, że ty wrog. Ale ja uważam ciebie, i kryszka, pamientaj, uważam. – Usiłował zacierać ślady swoich zbrodni, nędznie tchórzył. Ulegał zaklętej mocy Żmogusa.

– No to mnie nie szantażuj, skoro wszystko wiesz. Nie strasz wizytami. Słuchaj i nie przeszkadzaj, wygarnę ci prawdę. Może i przekonam...

– Darmo fatygować jenzyk. Ja przekonany. Ja nie z tobo... Nigdy... Kogo ty zamiarywasz sia przekabacić na swoje kopyta, a? – gwałtownie otrząsnął się ze słabości. – Mnie? Coż ja, haman durnowaty, ty naszego kamandira przekabać, tego z Juryzdyki... On by ciebie na jeden łyk. Uch, i rozumny Niemiaszka... – Szaulis siorbnął głośno swoją „arbatę".

– Wszak Bóg niejednego nawrócił i mu przebaczył. Pomyśl, za tobą nic nie stoi, żadna wiara, ale wątpliwości masz, przynajmniej tyle... Oślepiło ciebie bezkarne rabowanie, rozbój... W tym moja wyższość i każdego, który w coś wierzy. To za nami jak opoka. Wsparcie... A ty masz tylko nagan i groźby. Mało, bardzo mało...

– Nadto ty mnie ubliżasz. Drenna krew puskasz, aż świerzbi popeckać tobo rency. Dawi mnie, dawi... Nie łemzaj mojej dobroci, nie łemzaj...

– Żałośnie mało. Miszkiń, Miszkiń, jakiś ty nieszczęsny, w bagno wplątany, mógłby przecież z ciebie być zupełnie porządny człowiek. Na złego konia postawiłeś i nie masz siły się wycofać. Nie masz dokąd uciekać...

– Milcz, milcz, bo czerep rozkwasza. – Szaulis zerwał się i mocował z zabezpieczonym naganem. – Za dużo pomyjow na mnie...

– Usiądź spokojnie, bo jeszcze wystrzeli. Czego gorącujesz?...

Miszkiń posłusznie usiadł i przestał manipulować koło nagana. Ciężko sapiąc, zaczął tłuc się pięścią w czoło.

– Insze miary: twoja i moja, insza kalkulacija, moja przyzwoitość nie twoja, ot i ćwiek... Od twojej prawdy mnie rzygać sie chce, obrzydzenie mam do niej. Tyle już ja ich poznał, a kużda z chwostem pawinym, tylko brać, aż oczy kole... Kużda jedna insze pióry nastrasza, kusi: do mnie, do mnie. Kużden lis swoj chwost zachwala. – Dotknął kantem dłoni ucha. – Dopotond prawdy, do obrzydzenia – pociągnął dłonią, jakby nagle zapragnął uciąć sobie łeb – do rygania. Nu to i nie łasy ja na wasza prawda. Moja tyż, choć horka, choć zbuntowana, ale tyż prawda. Nie kużden pokusiłby sia na moja. Ona spać po nocach nie daje, zwidy puska, mary nasyła, ukrop na poduszka wyciska. Cienżka moja prawda. Nu, wyrywam zemby, i co? – wyciągnął łykowatą szyję – mój tołk, moja zdobycz trofiejna. Wirowate moje wody i dawio, oj dawio za gardła. Wichrowate moje darohi...

Powietrze jeszcze bardziej zgęstniało, spiętrzyło się w płucach. Zapierało oddech, dusiło krtań.

* * *

Ksiądz Montwiłł prowadził od czasu do czasu naukowe wykłady o biesach. Teologiczny nurt wynosił Szatana do rangi konkurenta Boga. Szatan w znaczeniu ogólnym przewyższał Szatana tutejszego. To już nie był kompan do dokazywania i drobniejszych przykrości, wystrojony z niemiecka. Rang anielskich było siedem – wywodził poważnie kapłan – a najwyższą rangę stanowili cherubini. Wśród nich i Lucyfer, czyli dawca światłości. Aż się pewnego razu zbuntował i został przeciwnikiem Boga, czyli Szatanem. Zwiódł on wielu z zastępów anielskich, zmaterializował jako ludzi płci męskiej i kazał im wybrać żony spośród córek ludzkich. W rezultacie została powołana rasa olbrzymów – demonów, mężów sławnych. Dopiero podczas wielkiego potopu Bóg zniszczył tę rasę, skalaną rodzinę ludzką, hybrydę szkodliwą, która nie była na wzór i podobieństwo Boże. Uratowany został tylko Noe wraz z rodziną, która nie splamiła się grzechem szatańskim. Przeciwnik Boga próbował zawładnąć światem i ludźmi. A imiona jego przeklęte, choć wpierw przewodził aniołom. Belzebub, czyli władca much, nikczemnego i dokuczliwego paskudztwa zadręczającego świat, demon mroczny, władca ziemi, książę ciemności, faraon nieszczęścia. On, król demonów, Belial-nikczemnik, ma swoją szatańską Biblię Boski Miecz Prawdy. Jego zarozumiałym marzeniem wciąż jest stworzenie imperium zła, królestwa ciemności. Szatan marzy, że wstąpi na niebiosa, ponad gwiazdy, ponad anioły i Boga, wywyższy stolicę swoją, swój Rzym wzniesie nowy, siądzie na górze ludzkiego zgromadzenia i stanie się wyższy od Najwyższego. Stworzy uciskające rządy, grabieżczą arystokrację i fałszywą religię. Upadłymi aniołami się otoczy i to będzie jego duchowieństwo. Zawładnie edukacją i umysłami, ukształtuje przyszłe pokolenia, pożeni upadłe anioły z ludzkimi niewiastami, potworzy pół bogów, pół ludzi, stworzy piekło na ziemi, piekło uciech, pożądań, kłamstw i zdrad, piekło śmierci wojennej i pohańbienia. Ten mistyczny świat ma nas, ludzi, pochłonąć i strawić. Ale obroni nas Bóg Wiekuisty i Jego Majestat, a harde, zarozumiałe stado demonów ze swoim przywódcą w popłochu odstąpi, lecz nie skapituluje, nadal będzie knuć podstępnie, nakłaniać do zdrad i nierządu, do wszeteczeństw, złodziejstw i fałszywego świadectwa, atakując uporczywie okopy Świętej Trójcy. Trwa stan oblężenia. Czyż nie jesteśmy świadkami upadku? Czyż to nie przekleństwo, gdy instaluje się na tronie czerwony i brunatny car, łaknący krwi, opanowany żądzą władania światem w imię fałszywego dobra? I któż to wymyślił, jak nie Szatan dumający o władztwie nad światem doczesnym? Upadli aniołowie triumfują, pycha ich rozpiera. Łowy udane. Ludzie zaniepokojeni, co się dzieje. Rebe Mojżesz Soshe i ksiądz Rafał Montwiłł wymykają się ukradkiem do domów Bożych w Ejszyszkach. Zasiadają jak dawniej przy stole do gry w szachy, do karafeczki czegoś mocniejszego. Wspominają szynkarza z Dzieguć i chałki pyszne, mówią o Dziczkańcu, co bułeczki podkradał, od czasu do czasu sobie przygadują: com popili, tom popili, ja i kompan mój, Bazyli.

O chwale napoleońskiej, że jeszcze do dziś ślady Wielkiej Wojny, wzdłuż błotnistej rzeczki Nieździlki Wały Napoleońskie. W Dzieguciach jeden płowy po włosach i szalony po oczach mówił następująco: w kużdym jednym człowieku czy skacinie jest część normalna i część durnowata, a wszystko razem składa się na cały bochen chleba, dokładnie po pół, niczym na wadze szalkowej. I w zależności, do której części człowieka ktoś przemawia, tak się ten zachowuje: normalnie albo nienormalnie, człowiek wariat albo zanadto dobry. Kiedy gorsza strona ma głos, Boże, nie daj, wtedy pożary, rozboje i kłopoty, a kończy się przeważnie tragediami i kryminałem. Dom przemienia się w ruinę. Kiedyś leśniczy Gabzdyl – opowiadał – zaatakował organistę Łopato, a za nim wstawił się jego szwagier Cydzik. Porozwalali płoty, kołki świstały, pół wsi poszło z dymem. A o niewierność w rodzinie się rozeszło, niby organista Łopato zaglądał do żonki Gabzdyla, i choć szwagier Cydzik mówił, że bójka bez dania racji, to jednak żonka Gabzdyla nie ze Świętym Duchem zaciążyła i wypchana paradowała po wsi bezwstydnie. Gabzdyl obliczył, że to nie z nim. Rozmaite zdarzały się wypadki – prawił – równowaga najważniejsza. Wtedy w głowie nie lęgną się wyobrażenia o wiedźmach, że niby więcej wiedzą, że szeptuchy zaszeptają różę na łydkach. Szeptuchy szeptuchami, a porządek porządkiem, cudze żonki nie po to, żeby je brzuchacił kużden jeden, pastuch czy parobek, i Gabzdyl wymógł poważanie. Żył w Dzieguciach Żyd, nazywał się Abram, a jego córka, aż nadto powabna i figuratywna, z dzwonnicy ejszyskiego kościoła próbowała zeskoczyć, tylko jej Cydzik na wieżę nie wpuścił albo może za połę jubki przytrzymał, czy coś podobnego. Stary Abram smaczne chałki wypiekał, o córce zapomniał, a ta w romans nieszczęśliwy się wdała z jakimś urwipołciem. Stary Abram przy koszu z bułkami stał koło szosy, a córka w łóżku bawiła się z chabaziem. Nie przypilnował Abram córki, bo za dużo przy szosie orańskiej próbował zarobić, potem oszalał, rzucał bułkami w przejeżdżających i wykrzykiwał: „Wy córkę moją skrzywdzili, na kurwę wykierowali, ona teraz z łachudrami pije, oberwana z godności i honoru, kto ją za narzeczoną weźmie, kto będzie jej bejstruki wychowywał?" Napady szału miewał stary Abram, do samobójstwa prawie, a córka szalała. Pejsy siwe Abramowi wiatr rozwiewał, chałat na plecach w skrzydła przemieniał. Takie pośmiewisko, potyrcze z szanowanego piekarza. Żonka go ze wstydu porzuciła. Piekarz pierwsza klasa, wypieki cymes, a przeputał bogactwo. Córka potem została kochanką jakiegoś wojskowego, wywłoką bez szacunku, gdzieś wyjechała i słuch o niej zaginął, karczma w Dzieguciach spłonęła, gruzy zarosły piołunem. Tak bywa, kiedy miary się zatracają i nie ma równowagi w duszy. Stary Abram szewcem został, ale i na ulicy w Ejszyszkach żebrał. Na Wszystkich Świętych dziadował pod cmentarzem, w kucki w błocie siedział, żonka gdzieś w restauracji posługiwała czy u jakiegoś doktora, bo Żydzi albo doktorzy, albo adwokaci, albo handlarze, albo muzykanci, tak w ich przepisach, bo

Stary Testament – ich prawo i handlowe, i małżeńskie, i doktorskie, i adwokackie. Oni tego prawa przestrzegają, a jeżeli który się wyprze, sprzeniewierzy, dziadem zostaje, nędznym żebrakiem przy gojowskim cmentarzu, marnym szewczyną, do którego nikt ze zgrabnymi łydeczkami nie zaglądnie, przyzwoitego obuwia nie obstaluje i pantofelków do załatania nie przyniesie. Najwyżej taki łapcie zszywa i biedę klepie. A jeżeli krawcem zostanie, to od poszew na pierzyny i poduszki, bo garnituru nie potrafi sfastrygować ani szykownego munduru wojskowego z szamerunkiem na manekinie nie zawiesi, ani czapki wojskowej, ani bryczesów, ani płaszcza na zimę, pelisy fasonowej, ani letniej narzutki modnej. Najwyżej fartuchy dla służącej i spódnice z jednego kawałka czy chałat uszyje. O, piekarz z mąką pytlową ma do czynienia, z drożdżami i sodą, z mlekiem i tłuszczem, musi maczać w handlu palce, musi cieszyć się zaufaniem i czystością świecić, kudły pod chustką trzymać, w czystej bieli występować. A łachudra, łachmyta – byle co robi i byle jak żyje.

* * *

Za oknem buzowała zrudziała zieleń klombów, płożyły się witki krzewów, pozarastałe alejki siały mroczne światło... – Kyrie elejson, Chryste elejson – odmawiały pobożnie litanię w przeczuciu czegoś złego wiejskie baby. – Chryste, usłysz nas, Chryste, wysłuchaj nas. Mocny z nieba Boże, zmiłuj się nad nami...

– Pytlowały machinalnie godzinki i Anioł Pański, kiedy głos dzwonu z odległej dzwonnicy wzywał je do spełnienia obowiązku. „Pozarastały ścieżki i dróżki, gdzie przechodziły najmilszej nóżki..." – przypomniał sobie dumkę Żmogus. W ten sposób szukał ucieczki od gadania szaulisa podczas jego kolejnej wizyty. „Pozarastały mchami i trawą, gdzieśmy z najmilszą leżeli razem. Nawet zmroczniała i woda w stawie, i klekot młynu jak gdyby zamilkł..." Kiedy szaulis mamrotał, Żmogus rozmyślał nad losami pewnego lwowianina, którego w te strony rzuciły koleje dróg wojennych. Wesoły, radosny człowiek. Przezwali go Tajojkiem, bo zawsze łapał się za głowę i wykrzykiwał: tajoj... Przyplątał się, kobiety miejscowe go polubiły. Niektóre dopuszczały nawet... Ot, nie wiadomo skąd, przybłęda. Przechwalał się: „ja kinder z Kliparowa", choć podobno mieszkał na Łyczakowskiej we Lwowie, naprzeciw Kinderwaldu... Siadał na ganku pod wieczór i wyśpiewywał o Anielci:

Anielciu, gdy słońcy zejdzi i księżyc si nam udmieni,
Spotkajmy się w Kajzerwaldzie, z tyj strony, dzie jest zniesieni...
Przyhulał ja do niej pod płotek i dawaj jo klawo trajlować,
Bo ona jest l'wowska kubita, a ja jestym kinder zy L'wowa...

Miękko, mięciutko zawodził. Panny ochotnie wylegały, żeby posłuchać. A on, zasępiony, patrzał w gwiazdy. Tęsknił do swoich stron...

– Ot, gołembi hałasujo – wyrywał Żmogusa z zadumania szaulis – abo tak skrzypio deski w podłodze.

– Zamieniał się w słuch. – Nie, gołembi brukujo – upewniał sam siebie – czubio sia pod krejko, aż iskry ido...

– Gołębie, gołębie – uspokajał szaulisowe zaniepokojenie Żmogus – mają gniazda na strychu...

– Kużdemu zdobycz potrzebna. I tobie, i mnie, i gołembiom. Ot, za czymści zamarzyli, patroszo gniazdy, znerwowawszy sia. Może deszcz nadcionga? Ot i ja sia odkuł trochi, zapasik uskładał... Nie żal tobie?

– Miszkiń, wciąż bluźnisz... Biednyś dalej jak ruda mysz. Biednyś swoim splamionym krwią bogactwem. Zresztą nieuruchomione bogactwo staje się przekleństwem, ciężarem albo maniactwem nic niewartym...

– Nadejdzie pora, uruchomia. Kużden ma swoja pora...

– O królu Midasie pewnie nie słyszałeś? Też zbierał żmudnie i nudnie.

– Królow mnie nie trzeba i nie przyprowadzaj ich dla przykładu. Niechaj oni o mnie posłuchajo. Nic lepszego im nie doradzam i tobie...

– Ani zauważysz, kiedy zbiedniejesz. Do nędzy siebie dopchasz, do żebraczej torby...

– Drenny z ciebie prorok, co przepowiesz, psu na buda...

– Poczekaj...

– Skond ty akuratnie wiesz, że zbiednieja? Krakasz na wyrost, straszysz... Nie strasz straszonego... Jaż nie z piździukow. Na darmo... Gadaj po prawdzie, co wiesz, nu. – Przechylił się w stronę Żmogusa. – Krakanie, job jaho mać, wnentrzności przewraca. Nu, breszesz? Abo mów – ciekawość w nim brała górę – dzie ty chował żydowskie bejstruki, a?... U mnie zbior złotnich pierścionkow i futrow, brasletow. Przetopia na sztaby... Chcesz, przetopim razem i ucieczem za morze, do Afryki, do Hamaryki... Ty mondryj, ja durny, tam ciebie benda słuchać. Nu, gadaj? Zgoda?

– Weź kompres, Miszkiń, zwariowałeś... Nigdzie stąd nie uciekniesz. Nie obrażaj mnie...

– Ależ niedotknionyj i obrażalski. Złotni interes jemu nie pasuje. Nie ja durny, nie ja, ot, co tabie ja skażu. Złotni interes, chodź i bierz, ile wlezie. Moje rency brudne, twoje czyste, uciekniem i pa pałam. Nie odprawiaj mnie z pusto patelnio...

– Nie obchodzi mnie twoja propozycja pokrętna, Miszkiń...

– Przekupywali mnie, błagali, żeb darować życie, i ja im obiecywał, że obformia obstalunek. Dawali, co mieli, najdroższe skarby, i ja brał, tyb odrzucił, a ja brał, w mordy im spluwał i brał. Wierzyli mnie. Po tym ja im... i kryszka. Do nieba ja ich po kolei. Kużdemu sia wydawało, co robi drenny interes, i nie pomyliwszy sia, ale dawali, bo i tak zginełob. U mnie służba nie drużba – wynurzeniom nie było końca, płynęły jak wezbrana brudna rzeka – w łeb, i po ambarasach. Takiemu pomarłemu już nie boli, a mnie grudka złotnia zawsze poratuje. Mnie, dopokond żyja.

– Miej litość nade mną, nie zadręczaj, Miszkiń...

– Uparty ty, Miszkiń i Miszkiń, gadam, co ja Miszkinis, a ty naumyślno nie pamientasz, żeb mnie na złość.

Uch i ty, szywarot na wywarot zawsze. Natura przekorna. Nu i dobrze, może być. Nie złujem sia...

– Przegranej sprawie służysz, zaprzedałeś duszę dziełu szatana...

– Nie nawracaj mnie, kiedy i ja ciebie nie moga przekabacić... Uciekaj ze mno, gadam, a ty uparty, nie i nie...

– Zaparłeś się siebie...

– Małczy i nie ciawkaj. Ja do ciebie po dobroci, a ty mnie wróżysz. Tut ja po wróżby nie przyszedłszy. Ot, wypić, pogadać, posłuchać, co nowego, czemu nie. Ale nie na wróżenie. Nie nawracaj mnie na swoja wiara, nie taki ja podatny... Z Niemcami ja, bo oni silne, im nikto nie da rady. Kużden ciongnie na swój stroj, kużden ma swego Boga i niechaj do jego sia modli. Moj Boh heta złotnia kareta, złotnia góra, złotni kopiec, złotnie odzienie. Bajka moja wiara, złotnia bajka. Złotni pałac moja wiara. I my, ja w ostatecznym rozrachowaniu wygram.

– Nikt w historii mordowaniem i niegodziwościami nie wygrał...

– I nikto kazaniami z ambony nie wygrał. A z ciebie ksiondz jak z koziej dupy tromba.

– Nie każę... Miszkiń, opamiętaj się...

– Prawdziwa historia od nas sia rozpocznie, obaczysz, spomnisz moje słowy. Dopotond nie historia, a chwostem zapendzanie wody w druga strona... Dokond my, dopotond nasze, dalibóg, każu tabie, job w hrob...

– Można żyć, dopóki wszy niedużo i niewielkie. Niestety, teraz wszy bez liku i żrą, morderczo żrą, żądają krwi...

– Nasza historia...

– Słyszałeś, że dzwoni, ale nie wiesz skąd. Stwarzacie historię koszmaru. Co wam przeszkadzają ludzie?

– Chleb jedzo darmowy.

– Historia rzecz martwa, ale nienawiść ludzka. Poczytaj Biblię: kto nożem wojuje, od noża...

– A może twoje powołanie w czarnej sukni chodzić... Minowszy sia ty...

– Ludzie przeciwko wam się obrócą, nie historia... Zapamiętaj.

– Zakład. – Szaulis, urażony do żywego, aż podskoczył. Stał nad stołem pochylony, spocony, zuchwale bębnił kciukiem o blat, gotów przypuścić morderczy ogień, piać zachwyty nad niemiecką wyższością. Bronił swego, jak gdyby jego racjom groziła katastrofa.

– Zakład. Całe moje złoto w bank daja. Nu, trzymaj, jeżeli twoje na wierzchu. Kupuj bank... Milczysz. Aha, bździnami sia obłożył. Słaba miarka... Ja daja złoto, a ty co? Nu, niby uczciwy, a haładupiec... Won z twaimi ważnościami, kali groszem nie śmierdzisz. Ile dajesz? – nacierał bezwzględnie, spieniony – co stawiasz? Zakład. Jeżeli przegrasz, pula w łob, dalibóg... Moje słowy na wiatr nie pójdo... Ubliżasz bezkarnie. Drażnisz sia.

Zagryza, ot, tymi kościanymi zemboma. Złotnie w kapszuku, kościane na wierzchu. Wybieraj...

A za lasem beznamiętny proceder unicestwiania starego porządku. Przewalały się przez te strony nieustępliwe boje i hurmy wojska. Za ocalenie i przeciw ludzkości.

– Nie zakładam się z ludźmi bez honoru – wybrnął ryzykownie Żmogus. – Nie gorączkuj się, Miszkiń, siadaj albo już sobie idź. Jestem bardzo zmęczony, idź sobie... – spokojnie, z rozmysłem cedził słowa, a brzmiało to niby: paszoł won.

Szaulis w bezradnej wściekłości zaciskał pięści, zgrzytał zębami i ociągając się, siadał na powrót.

– Z ogniem igrasz, z ogniem – warczał. Wiesz, że mam słabość do ciebie. Wykorzystujesz... Żeb ty sie nie pomylił cienżko. Pomagaj mnie, a nie rozdrażniaj...

– Pomogłem kiedyś sąsiadowi, a nie...

– Nu, nu, hamuj, bo zabuksujesz. Bestyja, gad ze mnie, tak? Masz rewanż... Kiedyści pomógł ty mnie, teraz ja tobie, i dość... Nu, gadaj, co chcesz... Wiem, drennie nam życzysz...

– A spodziewałeś się czego? Uniżonych ukłonów? Kto całą okolicę terroryzuje? Ty i twoje kamraty własowcy. Nawet ze swoimi mniej trzymasz, by więcej kraść. Oto i cała twoja idea. Do czego mnie nakłaniasz? Gdzie mam z tobą uciekać?

– Ja tutejszy... Nie moga, nie moga... ale moga ciebie wykonczyć w try miga...

– Prawdziwie hadko ciebie słuchać, Miszkiń. Smród i trzęsawisko wokół ciebie. I mnie w to bagno wciągasz...

– Wykoncza ciebie...

– A własowcy? Wspomogą?

– Ja sam. Nikto mnie do pomocy niepotrzebny...

– Cóż, kiedy ze mnie słaby zysk. Nie mam złota. Może właśnie dlatego mnie oszczędzasz. Czekasz, aż się utuczę. Próżne czekanie... – szarżował desperacko Żmogus.

– Rwał ja i benda rwać złotnie zemby, nikto mnie nie oduczy...

– Krótka meta... Nie wierzysz w to, co robisz, nie wierzysz w zwycięstwo swoich mocodawców. W tym sekret twojej słabości. Chcesz zebrać cały majdan, tylko nie wiesz, co potem z tym zrobić. Chcesz gdzieś wiać, ale gdzie? Cuchniesz krwią... Nigdzie nie pryśniesz... A to twoje marzenie... Przejrzałem ciebie, Miszkiń, na wylot, mnie nie zwiedziesz. Nie masz odwrotu. Za daleko zabrnąłeś. Padliną cuchniesz, tak, tak...

Zdenerwowany szaulis przerwał monolog Żmogusa. Nie zwykł był tak długo milczeć. To jego ostatnio słuchano.

– Może tak, może inak, a bogactwo pomaga. Prostuje...

– W ucieczce od siebie nie ma ratunku, i bogactwo na nic. Żadnej Litwie nie służysz, odwrotnie, przeszkadzasz... Dokonujesz ciemnych interesów, słuchasz bandyckich podszeptów takich samych jak ty zbirów.

Pijesz, wymuszasz, rabujesz. Nic i nikt za tobą nie stoi, twoi kamraci pierwsi cię opuszczą. Nie masz czym się podeprzeć. Ja, ja twoja jedyna opoka... Boga wygnałeś... Paskudztwo z ciebie, śmieć... Możesz mnie zabić. Co zechcesz, możesz...

– Paszkudztwa, paszkudztwa... Nie dasz wiary, jak mnie renka świerzbi.

– No, pociągnij za spust. Nic łatwiejszego... Wykonaj groźbę, bo nudzisz mnie, brzydzisz, łajdaku... Kończ szopkę, przestań się bawić w kotka i myszkę...

– Moja kula nie dla ciebie. Szkoda jej...

– Odgaduję twoje najskrytsze zamiary. Cuchniesz łajnem i padliną. Czyżby ten smród ciebie powstrzymywał? Na innych mścisz się za swoją słabość, a mnie masz za zakładnika.

– Prostymi gardzisz... Wielki pan, a tylko posesor...

– Nie gardzę, bo prości mają godność, ale nie prostacy. Mścisz się na innych za swoje niepowodzenia, za swoją marność...

Szaulis raptem przemienił się w poczciwego, zagubionego człowieczka o rozbieganych ślepiach i niepewnych ruchach. Sprawiał wrażenie niegroźnego komedianta czy pajaca pociąganego po mistrzowsku za sznurki przez Żmogusa. O, jakże to wrażenie było mylne...

– Dość katechizmów, dość... – Zerwał się i bez pożegnania wybiegł na dwór, trzasnąwszy drzwiami, aż echo potoczyło się przez korytarz. Po drodze nerwowo wsadzał pistolet do kabury i nie mógł trafić.

I tym razem nie ośmielił się targnąć – myślał z gorzką satysfakcją Żmogus – i tym razem głowa cała, ale miarka nieuchronnie się przebierze. Balansuję na krawędzi.

* * *

Szaulis po drodze rozpamiętywał swoją upokarzającą porażkę. Przecież przychodził po zwycięstwo, a czuł nieokreślony respekt pomieszany z szacunkiem przed miażdżącymi wywodami Żmogusa. Nie potrafił tego człowieka powalić i przygwoździć, kiedy z nim rozmawiał, zawsze miał wrażenie, że jest czymś gorszym, oślizgłą rybą złapaną niespodziewanie w zastawione sieci, że w nim dusza za chwilę zdechnie z tej szamotaniny. Wówczas umykał, a Żmogus przewidywał, że umknie, i to Miszkinisa doprowadzało do szewskiej pasji. Wiedział, wiedział... Przepowiadał... No, do następnego spotkania – otrząsał się niczym pies po wyjściu z wody... Maskował, jak potrafił, speszenie ordynarnym pokrzykiwaniem, impertynencjami. Nie pomagało. Hipnotyzer, psia mać, tak, tak, czysty magik.

Nie potrafił skierować broni w stronę Żmogusa. Już, już miał wyszarpnąć nagan, pociągnąć za spust... Blokada. Pot z szaulisa spływał. Mamrotał pod nosem przekleństwa i coś go zniewalało. Wracał do głęboko skrywanej spowiedzi.

Nieraz w obecności Żmogusa zdobywał się na kanciastą życzliwość: – Nu, ja żeż ciebie poszkodował... – Częściej jednak, kwaśno skrzywiony, trzaskał drzwiami, chęć zemsty brała w łeb. Wreszcie ubzdurał sobie, że nakłoni go do współpracy.

Obiecywał nagrody, a w razie czego, wspólną ucieczkę, uczciwy podział zrabowanego majątku: – Ot, po pałam i kryszka, ty bogacz, ja bogacz. Hamaryka czeka.

Żmogus takie wizyty musiał odchorować, obrzydliwa lepkość go ogarniała, wrażenie upaprania w gnoju, ale dawał się wciągnąć w podobne rozmówki, coś perswadował – groch o ścianę. Długo trwał nieporuszony przy stole, ugniatał w palcach miękisz chleba, rozkładał i składał pudełko zapałek, a w czasie wojny zapałki to skarb, liczył sęki, na suficie badał szalunek, stukał kantem dłoni o poręcz: psiamać, znów przegrałem, wdałem się w spór.

Blada plama słońca za las się toczyła, by wzejść karminem. Korony płonęły. Obłoki bezszmernie sunęły ze wschodu na zachód. Żmogus myślał: zaraza jak przyszła, tak przejdzie. Ale wciąż słyszał słowa szaulisa:

– Ot, sonsiad ty moj, swoja dusza na zarez chciawszy ty pognębić. Gdzie kiepełe na karku, a? Leziesz w piekło, samego czorta kociniasz w pięty bez skrępowania. Czemuż mnie drażnisz, a? Na moja słabość rachujesz? Ot, mnie świerzbi renka, żeb na twojej mogile świeczka zapalić. Letko sia przerachować. Bez żadnej fatygi moga pociongnonć za cyngiel i kryszka, kaput...

Gdybyś ty o mnie wszystko wiedział. Zaledwie przypuszczasz – myślał wtedy Żmogus – niczego nie wiesz. Skradasz się, węszysz podstępnie, zakładasz pułapki.

– Ty, brat, niby chitry, lis z ciebie – ciągnął szaulis.

– Co ty miarkujesz, a? Ja musi durny? – Rechotał zjadliwie. – Spryt u mnie w naganie, dany przez Boga, twego i mego, po równo. On mnie nie lubi, ale szanuje. Straszenna zniewaga grzmotem może zranić. Mam Boga w duszy, a nie każdemu służa.

– Nie wycieraj Bogiem gęby – odburkiwał Żmogus i cicho dodawał: – Szubrawiec.

– Siudy, tudy, a jego na wierzchu. Ty chitry, uczonego walasz, uważaj, bo kryszka, kaput. Listy w okolicy wszystkim piszesz, na głos ksionżki czytasz o polskich bohaterach, rachunki prowadzisz i masz swoje radio, a za radio śmierć. Kontyngenty obliczasz ludziom z oszukaństwem. Chitry a durny. Darmo uczoność. Nie ja, to kto inszy łeb tobie urwie, noga podłoży i wykopyrtniesz, nie najdziesz obrony. Niejednego ja na tamten świat wysłał, musi kopa i więcej, ot, tymi rencyma na świentych ja ludziow przerobił, w biel przebrał, na droga obuchiem poświencił i przeżegnał młotkiem, a kosa poprawił. Współpracuja z Bogiem, do nieba wyprawiam. Żeb ja ciebie, uważaj, nie stuknoł. Nie leż, gdzie nie proszo. Ani lisznia ślozka nie skapnie po tobie. Za Ojczyzna moga wszystko... Moga wszystkich na tamten świat – zagwizdał przeciągle – aż zakurzy sie, moga wyprawić...

– Za pieniądze...

– ...I na droga siekiero pobłogosławić... I bogactwo tyż zajma. A na coż komu na tamtym świecie? Na mojej też ziemi oni tego bogactwa sia nachapali, to jakby i mnie zabrawszy. Z mojej ziemi soki puskajo i cisno dla siebie. Ot, kiedyści i ja tobie „pan" gadał. „Pan, ponas", a teraz, nu... Narodny socjalizm i baćka Hitler wszystko przemieniwszy. Nu, teraz i ze mnie pan. Zrobia, co zachca... – przechwalał się pyszałkowato, z poufałością prostaka. – Jeżeli mnie w pora posłuchasz, na bliszczoncy order zarobisz. Wybieraj. Sam komendant w komendanturze tobie na piersi krzyż zawiesi... Nie ustonpisz, z dymem kiedy noco pójdziesz, oczuchasz sia za późno...

Żmogus upartym wzrokiem dawał odpór namowom szaulisa. A ten wciąż mówił:

– Interesno, jak by ty śpiewał cienko, oj, cienienko, żeb ja ciebie dorwał i pod żebry kruczkiem stalowym zahaczył. Nie uśpiałby ty i achnonć. Stawasz demba, narowisz sia... Narow sia... Nie chcesz ze mno trzymać... Hyrkasz... Hyrkaj, ale miej miara. Roztropności wartałob trochi wiency, jeżeli życia miła. Taka moja ostatnia sonsiedzka porada. Wybieraj. – Przewrotnie trącał Żmogusa w ramię i poufale mrugał.

Przylazł nażłopać się, a przy okazji dobrosąsiedzkich rad udziela, swołocz. Za darmo nażreć się, wypchać bebech... A zawsze początek niewinny:

– Nu co, giarsim po stikluka? Ja do chaty nie pójda prendzej, jak wypija...

Chałujskie nasienie – myślał Żmogus z odrazą.
I głośno mówił: – Jesteś, Miszkiń, jak zbryzgłe mleko,
niestrawny i niesmaczny...

– Nachapał sia ty mondrościow, i co z tego, a? Goło
dupo świecisz... Dzież ty żyjesz, na ksienżycu? Krakaj
razem z wronami, kiedy siedzisz razam... Ot, myślisz,
zaszywszy sia w głusza... Nie, czort łabaty, ciebie widać,
same kałdoby, nie ucieczesz...

– Ty uciekasz, Miszkiń... I gorzko kiedyś pożałujesz – przerywał bezceremonialnie Żmogus – zapłaczesz nad swoją dolą...

– Żeb ja był kłybo, może by i przegrał... Nu i ileż
razow ja powtarzał: Miszkinis... Zasraniec ty – pouczał
go szaulis – zasraniec, nie wiesz, dzie dobrze... Tam
dzie siła, tam i prawda... Dabar suprato mania?

– Czemuż mam nie rozumieć, rozumiem...

– W gówno wleźć letko, wyczarapkać sia na
wierzch cienżko.

Żmogus odczuwał ogromne zmęczenie tą bezpłod-
ną gadaniną. Poplątało się wiele i nie wiadomo często,
gdzie prawo, ale nadal obowiązuje uczciwość...

– Kużda kałojsza bliżej ciała...

– Niechaj będzie kałojsza... Prawo...

– Co prawo, kiedy dokumenty rozpiździli – przerwał szorstko szaulis – prendzej wszendzie lewo...
Gdzie on, rozpiździaj? Nowy ład naokoło... Wymiana
kołow przy starym wozie. Towot potrzebny, szmar na
osi, a szmar toż to krew, nu i leje sie... Czego szkodować... – Przechylał szklaneczkę. Przegryzał ogórkiem.

– Nu i hara, ale niczym ziołki zdrowa. Najlepszejsza mikstura... Sam ty, samiutki. Ani bejstruka. I nadto honorowy – roztkliwiał sie fałszywie nad dolą sąsiada. Ale nie bieduj, ja pomoga. Wszystkie wy zanadto biedujecie i narzekacie na wojna, a w duchu zadowolnione... Żeb tylko nam zaszkodzić, oszukać... Zadowolnione, a na gembie smutek. – I wtrącił znane obraźliwe litewskie porzekadło: – Pabucziuok szykno ir ważuok namo. Nu, podobuje sia? – spytał obłudnie przyjaznym tonem.

– Kuzden by dziorhnoł dla siebie trochi kordły...

– Sam siebie całuj w dupa, darmo jajca obaczysz.

– Aha, zabolawszy... Zabułdyha z ciebie, smrod puskasz...

– Co pragniesz uzyskać judzeniem?

– Na ten przykład ty na mnie zamachiwasz sia kaciubo, a ja sprytny, za drugi kanczar kaciuby i tobie jak nie zamaluja... Popadłszy frant na franta. Nie judza, gadam... Dziorhasz, szmorhasz mnie za poły, aż piszcza... Sekrety ze mnie dusisz, a branduk ze skarłupy ledwie lezie i nazad sia chowa... Nie wyciongniesz. Darmowa fatyga. Tylko biedy napytasz. Rachuj dobrze... Sam badziasz sia, brazgasz niczym pusta kubarka. Oporny ty... I darmo po bruku brazgasz, twoje kantary, kiarszki twoje, gawno... Chodź do nas, nie poszkodujesz. Zafasujesz deputaty i szmat świata obaczysz...

– Pewnie tyle co ty. Spójrz lepiej przez okno, Miszkiń... Kruki krążą. A wiesz chyba, że kruki karmią się ścierwem? Ścierwem, padliną...

– Hadkie ptaszydły.

– Mądre...

– Wróżysz, a?

– Gały wywaliłeś?

– Śledztwo?

– Trzeba wybadać, co w trawie piszczy.

* * *

Zamierało bractwo wpatrzone w nieboskłon.

– Już nadlatuje? – dopytywali się mniej spokojni.
– Co widać?

– Widać, nie widać, wzrok wytężajcie.

Wytężali z całych sił, bałuszyli oczy, aż wyłaziły z orbit, robiły się pod nimi sine podkowy. – Wyłupiastych gał dostał – kpili z niedojdów załzawionych, łatwowiernych – bzdury, lepiej babę w zboże zaciągnij, patałachu. Wymiętosić babę, dopiero wiedźmy na niebie wyglądać. Nie latają one na każde zawołanie, nie według rozkładu, jak arbony. Mają wychodne, nie latają, obwarzanków nie rozwożą. Czarownice nie strachy, żeby sterczały w kapuście i żeby im noga gniła, a na kapelusz gołąb srał. No, kto odważny i pójdzie dziś o północy na cmentarz, kto waleczny i na grobie Siekluckiego w karty zagra? Takiemu, który pójdzie, i wiedźma za służącą będzie, wiedźmę zgodzi za darmochę, kto do grobowca wejdzie i na trumnie zje jajko razem ze skorupą.

Śmiałków wielu się nie zgłaszało, a ci, co się zgłosili, szli bez świadków i przed cmentarną bramą zawracali. Niektórzy się przechwalali, że jedli, że wieko trumny unosili, że tam tylko kupka kości wyżółkłych, żadnego ducha, energli.

– Masz czaszka?

– Nie brałem.

– To idź i zabierz, świeca w niej zapalimy i na parapet. To dopiero będzie, zobaczysz.

Ale jakoś nikt nie poświadczał, że wieko unosił i do wnętrza zaglądał. Prochem sypało, wapnem bieliło z bojaźni, Siekluckich grobowiec trwał nienaruszony, nikt go nie burzył, a że się przechwalano – wymysłów ludzkich nie poskromisz, fantazji nie obetniesz. Każdy zełże, żeby ważniejszym zostać. Tumanem zaściełało łąki i zagajniki między Ponieździlem a Marcinkiszkami, strzępiastym tumanem, z krzaków podarte kawałki zwisały, chlupotało pod stopami i człowiek wpadał w przerażenie od własnych myśli, panicznie rwał do przodu, serce łomotało, przez gardło chciało wyskoczyć, ktoś sypał piasek w tryby, blade widmo goniło. W oczach czad, przeklęty łopot, w uszach szum. Ani chybi, wiedźma ląduje w pobliżu, porwie, uniesie, żeby spod nieba łubudu o glinę aluminiową, o ziemię jałową, kości nie pozbierasz, pogruchotane, żadnej przyjemności, człowiek tulił uszy i gnał galopem. Śmieszny musiał być widok. – Patrzajcie, zdurniał, bezdrożami szusuje, gdzie go zaniosło i gdzie mu się śpieszy, że na skróty. – Taki zrozumienia nie znajdzie. Na razie niczego nie widać, wiedźmy po uroczyskach odpoczywają, niebo przeźroczyste, a ten rękami macha, „Na pomoc!" krzyczy, torbę zgubił, z kieszeni majątek wyrzuca dla okupu. Nienor-

malny, na gębie odmieniony, pewnie gruszek sinych się
nażarł. Z nerwów kij osiodłał, unosi się w powietrze, już
w chmurach topnieje. – O Matko, toż prawie jeździec
Apokalipsy. Adna baba zaduraczyła sia, na kij sieła, raz-
kieraczyła sia. A to chłop, nie baba, ludzie, uciekajmy,
patrzajcie, w powietrzu, na kiju, aż w oczach pociem-
niało, patrzajcie, koziołki-fikołki wyprawia. – W młodych muskułach wyładowuje się zgromadzona energia.
Zwycięża wyobraźnia – zgraja wyrostków pomyka, aż
furczy, stada kapustników spłoszone, nad kartofliskami
kurz. Kopulują czarne żuki w łajnie. Przyroda wre. Pieją
czerwone koguty, krowy trąbią hymn poranny. Rosa,
jakby kto brylanty rozsypał. Nastrój pełen wyczekiwania, choć nic ciekawego się nie zapowiadało wieczorem.
Biją dzwony. Atmosfera wojenna, ale jakby już wszyscy
się przyzwyczaili. Co ważniejszego, to przecież za lasem, za horyzontem, w Ejszyszkach, tu, na zadupiu, żadnego specjalnego napięcia, a że natura podlega regu-
larnym przemianom, to normalne. Że trochę ludzi
postraszy? To krew szybciej płynie. Zawsze tak, kiedy
przełomy pór roku. Dziesięciolatków, trochę starszych,
młodszych wojna nie dotyka, a nawet zwalnia z obowiązku chodzenia do szkoły. Pani Helena, owszem, prowadzi nielegalnie wiejskie nauczanie, ale uczestniczą
najgorliwsi. Pierwsze zetknięcie z abecadłem i słupka-
mi rachunków, z kaligrafią pisaną skośnie. Który chce
się dobrowolnie męczyć? Łatwiejsza swoboda, buja-
nie w obłokach, zbijanie bąków, obserwacja przyrody
podczas wiosennych roztopów albo kiedy byk krowę

dopada, ogier klacz ujeżdża, knur świnię, taka nauka mnożenia wzajemnych par. Młodzież ściga się z kulami, idzie na huk wystrzału, wyprzedza śmierć, uczy się władania bronią i ma respekt przed partyzantką, która, choć z ukrycia, utrzymuje porządek, karze krnąbrnych, zabiera furaż dla koni i prowiant dla ludzi. Do Ejszyszek robi się wypady raz w tygodniu na targ, po naftę, po zapałki, sól i sacharynę. W domu na kołowrotkach przędzie się len, na krosnach tka się płótno i sukno, wiejscy krawcy szyją przyodziewki. Dziewczyny obmyślają ekstrawagancje. Im krócej, im mniej materiału, tym więcej figury, tym ładniejsze kolana, im ukręcony wyższy kok, drobniejszy lok, tym żwawiej za mąż. Dla potyrcza nie ma zmiłowania. Burakiem i marchwią policzki się podróżowi, wargi pomadką wyrysuje, drobniejszy krok się wyćwiczy. Jemioła na szczęście w każdej futrynie. Na deseczkach wzdłuż płotów suszone sery zawinięte w płóto, dzbanki dnem do góry na kołkach, wyprane ścierki, bielizna. Młode loszki drobią kopytkami, tuptają za człowiekiem, tykają ryjami, domagają się pełnego koryta. Na żarnach mąkę z ziarna się ukręca. Z oddali słychać detonacje, wybuchy pocisków, znak, że wojna trwa, tu tylko czasami odłamki spadają, rykoszetem kula zbłądzi, wysłana na poczęstunek kogoś innego. Bywają potyczki lokalne, między sąsiadami, o broń łatwo, każdy uzbrojony, każdy potrafi dźgać widłami i siekierą machać.

W te strony z rzadka szaulisi zaglądają. Ale miejscowi sługusi wystarczających kłopotów przysparzają. W podziemiach świrnów przechowuje się Żydów. Niektórzy z nich zaciągają się do partyzantki, przeważnie czerwonej. Czerwoni z białymi niekiedy współpracują w tępieniu szaulisów i gestapowców. Ejszyszki z Żydów wyludniono, ich dobytek rozgrabiono. Ci, co nie zdążyli uciec, zostali natychmiast zamordowani. Reszta tuła się po leśnych sadybach, szuka schronienia, niektórzy wyrzekli się swego pochodzenia, gojów udają, zostają wychrztami, byle uratować życie. W leśnych ostępach wykopano bunkry, założono bazy wypadowe, zgromadzono opatrunki, jodynę, karbol, żywność. Miejscowi urządzali zasadzki. Znienawidzony Miszkiń, co się przemienił w Miszkinisa, znalazł się na muszce. Czekają tylko na dogodną okazję. „Gardłem zapłaci – mówią – skurwysyn, zaparł się nas niczym Piotr Jezusa, zalał zbyt dużo sadła za skórę". A był poczciwina, łagodny, usłużny, nikt się nie spodziewał. Teraz zhardział, psa bez dania racji kopnie, kułakiem pogrozi, nagan z kabury wyszarpnie. Wszędzie wlezie, wszystko wywęszy, wybada i doniesie, kto parsiuczka zakłuł, kto szarwarku nie odrobił, kto kontyngent zataił, skóry nie odstawił. Taka zaraza. Łazi, namawia do zdrady, Żydów szuka, bagnetem stogi siana przekłuwa. Własnej familii nie poznaje, wyrodek, gorliwie zarabia srebrniki. Ale go w końcu dopadniemy albo jak Judasz sam się powiesi. Dziś, jutro wpadnie we wnyki. Teraz Żmogusa się czepił, bo ten go grzecznie przyjmuje, zamiast przepędzić. Nalewkę wyciąga, a ta zakała siedzi, gada i szpicluje. Żmogus człowiek powolny i praktyczny, nie lubi się narażać, dba, żeby coś Rabemu się nie przytrafiło. Chłop jak tur, ale do Miszkinia delikatny, do późna z nim przesiaduje. W nocy rowerem albo konno do Ejszyszek Miszkiń wraca. Czuje pismo nosem. Nocować u Żmogusa się boi. Ludzie na jego widok głowy opuszczają, spode łba łypią. Na zaczepki reagują nerwowo.

– Idź, idź, Miszkiń, nie gadaj, w robocie nie przeszkadzaj. Tobie w miasteczku płacą, my tu musimy. Za darmo boli gardło, sam wiesz najlepiej.

I Miszkiń ustępuje jak niepyszny. Coś tam mamrocze pod wąsem.

– Żydów w okolicy nie widzieli, a? – jeszcze pyta.

– Kto Żydów szuka, swoje znajdzie, Miszkiń.

– Ja nie ze strachliwych – gburowato odpowiada Miszkiń. – I Miszkinis ja, nie żaden Miszkiń. Pora wiedzieć.

– Podobno zarobił ty na ich nieszczęściu?

– Wymysły i plotki. A któren tak . gada, a? Powiedz.

– Wszystkie gadajo.

– Kto konkretnie? – już natarczywiej atakuje.

– Ptaszki na wierzbie, ot co, i nie wyciągaj kiszek z brzucha.

– Siwe ptaszki siwuchy ożłopały sie i bredzo.

– I życie nasze siwe, a ty, Miszkiń, to życie na swoje kopyto próbujesz rozjaśniać. Bodajby ciebie pokręciło, zgryzoty siejesz, zastraszasz, w robocie przeszkadzasz. Nawet księdza naszego ty nie poratował.

– Wasza robota.

– Każdy swego pilnuje.

– Ptaszki ćwierkają, ptaszki, ot, powiedz, dobrze zapłacę, nie poszkodujesz – ugodowo zbliża nabrzmiałą twarz.

– Znajdź sobie takiego. Może się kto połakomi.

– Ksiądz Montwiłł Żydom pomagał, z ichnim rabinem kumał sia. Z rabinem, toż to przestępstwo, w szaszki grali, w karasinkę, brzuchy paśli. Żydzi Chrystusa ukrzyżowali, a nasz ksiądz z nim w szaszki. Skumali się, ksiądz rozum stracił, odebrało mu za karę, że za Żydem sia wstępował. Osobiście odważył sia pójść do komendanta, żeb rabina wyciągnąć, ale za późno.

– Nie ma wytłumaczenia, Miszkiń. Padalec z ciebie, nie sąsiad, ludzką krzywdą się bogacisz, nikogo nie pożałujesz dla zysku. Znów tobie mało, dawaj Żydów, a skąd ich nastarczyć, rosną na polach? Pouciekali, sam wiesz, do czerwonych. Idź i zabierz. Wyciągnij ich za kudły od nich.

– Wykurzę ich obowiązkowo – burmuszy się Miszkiń – masz moje słowo, grob-mogiła – ze wściekłością macha naganem.

– Twoje słowo, dmuchniesz i poszło.

– Zakarbujcie moje słowo. Za ukrywanie parchów kula w łeb, grabicie ich majątek, nie za darmo ukrywacie. Przekupili was, przekabacili, Chrystusa ukrzyżowali i was ukrzyżują. A ty, mnie grozisz?

– Nikto nie grozi, ale ty, Miszkiń, tutejszy, zgodnie do tej pory z nami, a teraz szyworot na wyworot, na udry.

Rozstawali się ni to w zgodzie, ni to w zwadzie. Sąsiedzi spodziewali się najgorszego, bo nie przelewki sprzeczać się z Miszkiniem. Wróci i dopnie swego, zbój, nie daruje. Trwał więc kruchy rozejm do następnego spotkania.

Ornamenty cieni turlały się po bezdrożach. Drzewa stroiły się wiosennie, przyoblekały zielone szaty. Trwożnie szeleściły zeschłe badyle przydrożne. Ludzie oczekiwali wojny, bo wiecznie trwać nie może szatański porządek. Z władzą jak z gównem na kole: raz w górze, raz w dole. Miszkiń prześladuje. Należy mu w tym przeszkodzić. Kto kogo pierwszy dorwie? Ale rozumnych w ogrodzie nie sadzą. Każdy słodkiego chce skosztować, a żłopie siarę. Gdy zagrożenie, zwierz i człowiek częściej się parzy, byle gatunek zachować. Z zagrożenia więcej dzieci na dworze.

Człowiek obrasta wygodą, hoduje opony sadła, gnuśność go dopada znienacka w pościeli. Obroty krwi słabną. Matki samotnie dbają o rodziny w czasach wojennych. Wszy wygryzają sen spod powiek. Smutno na Bożym świecie. Można oszaleć.

* * *

Nadchodzi straszny Miszkiń, lęk blady pada. W okna zaglądają obcy, a z drugiej strony baby obnażone przygotowują się do spania, w jasny dzień bezwstydnie stroją miny. Miłość szybka, grdyka podryguje, wszystko po króliczemu, tup, tup, byle zdążyć przed Miszkiniem.

Ruchu-szachu, szachu-ruchu, nie daj temu, co w ko-
żuchu, a daj temu, co w kaftanie, on porucha i przestanie – hasło codzienności, żeby nie nadużyć szczęścia.
Miszkiń przylezie bez zaproszenia, humor popsu-
je, a ty hamuj nerwy, w mordę nie palnij. Łotra ude-
rzysz, za człowieka odpowiedzialność spadnie. Miszkiń
przyczynił się do śmierci księdza i rabina. Wielu innym
też dopomógł przenieść się do wieczności. Ludzie przy-
sięgli, że i Miszkiniowi ułatwią podróż w zaświaty. Za-
piekła nienawiść trawiła ich umysły. Pamięć przemieniła
się w zapiekłą pamiętliwość.

Dziki zwierz oswoił się z leśnym człowiekiem.
W lasach żyło się bezpieczniej. Liczyła się nieuchwytność. Zmalała liczba obojętnych. Angażował się każdy.
Opornych zmuszano. W przyrodzie cykle zmian odbywały się po staremu, w zbiorowiskach ludzkich zapanował gwałt. Odór unosił się nad zgliszczami domostw,
bo rzadko kiedy grzebano ciała. Anioły zanosiły ludzkie
modły do Pana Boga bez pośrednictwa kapłanów. Anioł,
boski posłaniec objawiał się każdemu. Ubrany w skrom-
ną komeżkę, lądował na srebrnych skrzydłach, w asy-
ście białych bocianów i lśniąco czarnych kruków wprost
na pastwiskach i w ubogich stajenkach, zwiastował otuchę, tchnął nadzieją. Łyskały czerwone brzuchy gilów,
mądre sowy stroszyły pióra, puchacze i puszczyki pohu-
kiwały nocami i służyły podczas anielskiej celebry, wiatr
się zrywał z uwięzi, drzewa chyliły korony. Brał anioł
dusze pogorzelców na barana i unosił w rewiry niebieskie. Dzwony ejszyskiego kościoła okrywały ziemię

spiżową trwogą. Ranni na pogorzelisku czekali w kolejce na ostatnie tchnienie. Ledwie dobywając głos, błagali: pić, pić. Wody znikąd, ratunku znikąd. Rytmicznie rzęziły oddechy. Umierali w takich pozycjach, jak ich nieszczęście zaskoczyło. Tylko niektórym udawało się dowlec do ruczaju i zanurzyć twarz w chłodnej wodzie, ożywczy haust zaczerpnąć, oprzeć się o brzeg łokciami i złożyć głowę na kamieniu.

To się nazywało: lżejsza śmierć. Oswojona z takimi widokami leśna dziczyzna wiedziała, że coś i dla niej skapnie. Zasiadały drapieżniki w bezpiecznej odległości, na rzut kamieniem. Robiły bokami, zwisały im łakome języry.

Zgliszcza dogasały. Podrywał się gorący popiół, z trzaskiem rozpadały się zwęglone głownie i tylko swąd, odór spalonego mięsa zatruwał powietrze. Niedorżnięte, ryczące bydło, wyłażące z leśnej gęstwiny zagubione psy, bezpańskie koty. Wszystko garnęło się, łasiło do przypadkowo napotkanego wędrowca, zastępowało drogę, błagało: zabierz mnie ze sobą. Wędrowiec wymijał natrętów, skazywał na zdziczenie. Wszystko dziczało. Zwierzyna domowa, ludzie, zagrody, pola orne, ogrody i pastewniki, obyczaje. Jeden drugiemu stawał się wilkiem i wilcze natury w każdym się budziły. – Szybko wstawaj, uciekamy. – Pośpieszne łapanie przyodziewku. Umykali niekompletnie odziani ludzie przez okna. Rozlegała się palba. Domostwo okrążone. Od sadu droga wolna. Przez pasiekę, kartofliska, konopie, byle prędzej w zbawienne zarośla. Półnadzy dopadali stodół. Sfory prześladowców działały z zaskoczenia. Plenił się donos, choć każdy udawał przyzwoitego, i wszystkich o najgorsze występki podejrzewano.

Bez łapówek i przekupstwa nie sposób było się obejść. Docieranie do ratunku słono kosztowało. Kto wykupu nie dawał – ginął. Ludzie żyli jak efemerydy – byle od rana do wieczora, byle przetrwać noc złowróżbną. Polowania na nich wyróżniała szczególna bezwzględność, o wiele okrutniejsza niż na zwierzynę. Zapanowały tylko takie zasady, które pozwalały ocaleć. Wasale znosili dary. Szperali, gdzie by co wyszabrować dla pryncypała, jak zasłużyć na pochwałę. Wymuszali, szantażowali. Ale opór rósł. Wróżki odprawiały egzorcyzmy. Wśród zabobonu i barbarzyństwa święcili triumfy prorocy.

– Józuś, trzymaj gromnicę, bo on zmiłowanie przepowiada. Patrzajcie, jak drętwieje, a twarz jakby mąką obsypał albo mlekiem polał.

– Ludzie, nie poddawajcie się, trwajcie w oporze. Kiedy nadejdzie pora, Bóg do siebie was wezwie, zbawieniem wynagrodzi.

– I na obuwie też da? – dopytywały się dzieci.

– Ciszej tam – gromiono niesfornych.

– Ale czy da? – nie ustępowała dzieciarnia.

Domagano się pomocy Bożej natychmiast. Nie proszono o zmartwychwstanie, tylko o godziwą śmierć, pokarm i odzież, choć z pokarmem radzono sobie najlepiej.

Oluś z odległych Popiszek to prawdziwy prorok, oczami przewracał, tężał na ciele. Okolicę objeżdżał.

– Broniuś, konie zaprzęgaj, w Jurszyszkach czekają albo w Hornostaiszkach, albo w Montwiliszkach. – I zaprzęgnięta w cherlawego konika drynda terkotała po wsiach. Prorok w natchnieniu dawał przedstawienie, lał otuchę w wątpiące dusze. Niezłomny, nawet Miszkinia lekceważył i Miszkiń czuł przed Olusiem respekt, nie nalegał na odwołanie proroctw. Władze wzywały Olusia do komendantury, Oluś sztywniał, wieszczył o zbawieniu, piekle i klątwie i go wypuszczano, choć władza podobno przymierzała się do jego likwidacji, cichcem nasyłała tajniaków, bo przeszkadzał.

– Ot, i nasz zbawca – szeptały przykościelne dewotki i składały nabożnie dłonie – on nas, jak Mojżesz, przeprowadzi przez pustynia zarazy. Niechaj prowadzi, niechaj zmiłuje sie. Niechaj w nas wejrzy swoim okiem. Miej go, Panie, w opiece.

Dawano na mszę w jego intencji, a Broniuś to nawet rękę skaleczył i krew wyciskał, żeby nogi Chrystusowi w kościele pomazać. Wszyscy widzieli spod zawiniętego rękawa głęboko ciętą ranę i broczącą krew. Poświęcił się Broniuś. Rana goiła się krótko, a sąsiedzi podrwiwali, że indykowi gardło poderżnął i na ofiarę dał. Indyk całą noc gulgotał, przeszkadzał w spaniu i Broniuś się zemścił. Żeby zupełnie nie narazić się na śmieszność, Broniuś w niedzielę dzieciaki wsiowe na przejażdżkę na sankach aż do Półstok zaprosił, żeby z górki poszusowali. Czy tym odkupił śmieszność? Moment nadgorliwości i tyle kpin, tyle docinków.

– Broniuś, a ty Miszkinia spotkał?

– Spotkał, nu i co?

– Miszkiń podobnież gada, że ty na drugiego proroka Olusia gotowisz sie, że dla pokuty do Palestyny na wiosna wybierasz sie. Masz przyszykowano gromnice? Uważaj, bo ci ją Miszkiń zabierze. – Broniuś ze strachu kulił się w sobie, włosy mierzwił zgrabiałą ręką, tłustych strąków wiatr nie rozwiewał. Ukrywał zmieszanie, bo przecież pragnął zostać prorokiem, wikt darmowy, poważanie, ale gdzież ta Palestyna? Czy już w samym niebie, czy tylko w pobliżu? Na geografii się nie znał, ale lubił pomarzyć. – Idź, Broniuś, do Żmogusa po wsparcie, on w zastępstwie księdza i rozgrzeszenia udzieli – podkpiwano życzliwie. – A do Palestyny żaden koń i furmanka nie dojedzie, próżna fatyga.

Wieczorami Broniuś szperał przy świecy w książkach, oglądał geograficzne obrazki, potajemnie szukał map i kompasu.

Łagodnie podrwiwano i ze Żmogusa, że postawny i na kościelnego by się nadał. Łączono Broniusia i Żmogusa w zabawną parę. – Ty, Broniuś, prawie święty, Żmogus, bydlę kościste, pierdolnięty i odludek – szydzili zadziornie młodsi.

– Niechaj tylko Żmogus się dowie, bez mojej pomocy wam grzbiety wygarbuje – bronił się Broniuś. – Znacie jego siłę, na przycinki nie pozwoli.

– Zobaczysz, Broniuś, Raby zgodzi się za ministranta.

– A wam Żmogus kark skręci. Zamachnie się i kaput. Zaczym Raby będzie ministrantem, Żmogus kopnie w zad jednego z drugim.

– Nie ma zmartwienia, on nie poturbuje. Sam Raby tobie, Broniuś, starczy, takie sztuczki pokaże, że w kiszkach stwardnieje. Wdał się w Żmogusa.

Nagła skrucha łapała Broniusia: – Odpuść im, Panie Boże – padał na kolana – za moje krzywdy, za krew, po prawdzie nie serdeczną, tylko z ręki, ale szczerze pragnąłem sąsiadom dopomóc i nie lękam się Żmogusa ani Rabego, i do Palestyny bym chciał pojechać, żeby Ciebie, Panie Boże, odwiedzić, tam pewnie i ciepło, i wyżywienie tanie, trochę bym tam posiedział. – Oj, Broniuś, za dużo żądasz, przechwałkami się karmisz, nigdzie nie pojedziesz – raptem usłyszał głos wewnętrzny. – Pan Bóg nie ma czasu takich gościć i za darmo słońcem ogrzewać. Nie zarobiłeś na taką podróż. – Ocykał się Broniuś, wracała rzeczywistość: – No, może trochę i lękam sie, ale nie tego bandyty Miszkinia, jego nożem w kawałki bym kroił. – Znów z chrobotem walił się na kolana. – Ja dla Ciebie, Panie Boże, z bagnetem na komendanturę mogę pójść, dalibóg. – Bił się zapamiętale w piersi. – Baranku Boży, którén gładzisz grzechi świata... – Zastanawiał się troszeczkę. – Nie, nie, czysta prawda, własną krew przelałem dla Ciebie, Panie Boże, teraz chcę do Palestyny, obiecuję, konia do wiosny podkarmię, uprząż wyporządzę, osie i piasty w wozie wyremontuję, wstydu nie przyniosę nawet w Palestynie, choć ona w niebie. – Nie bluźnij, Broniuś, nawet nie masz w co się przyodziać, na dziada wyglądasz, a z wizytą do samego Pana Boga zamiarujesz się wybrać? – znów słyszał karcący wewnętrzny głos. – Za wysoko mierzysz. – Ale Broniuś nie ustępował, wykłócał się: – No, a nie moja krew? I nie z nosa, z rany prawdziwej, ciętej. I na bagnety mogę, jeżeli trzeba, do samych Ejszyszek, do komendantury, mogę i jeżeli przymuszę, dokumenty mnie wydrukują prawdziwym pismem. Czyż nie zasłużyłem na Palestynę? Konia i wóz mam własny, na odzienie zarobię do wiosny, o kompas i mapę się wystaram, od Niemców kupię, złote guziki do kapoty przyszyję i biały kołnierzyk z prawdziwego perkalu, nie z płótna, i mankiety z rękawów wypuszczę, i ciało gorącą wodą w ceberku wyszoruję, i włosy na mokro grzebieniem przygładzę, i buty juchtowe obstaluję, owsa i siana sporo nazbierałem. Czyż wstyd przyniosę? Gdybyś, Panie Boże, nie wierzył, jeszcze mam blizny świeże, na odkupienie naszych win i grzechów. W takim odludziu i o grzechy łatwo. Można nie grzeszyć w Palestynie, u nas się nie opłaca, u nas grzech w modzie, bo zimno i głodno, i Miszkiń się kręci, strzelają po lasach, i nikt kul nie nosi, w byle kogo trafiają. – Broniuś porywał się na spór z Najwyższym. – Nie ośmieszaj się, Broniuś – mitygował go wewnętrzny głos – nie pchaj się, gdzie nie proszą, kości pogruchoczesz. Pomieszania rozumu dostałeś, nawet życzliwi z ciebie szydzą. – Jak to, ze mnie? Z mojej ofiary? – oburzał się sprawiedliwie.

– Pan Bóg każdą ofiarę przyjmuje, tak w katechizmie napisane, nie gardzi biednym, bo pacierz odmawiam i na pasterkę piechotą idę, i Grób Pański na Wielkanoc odwiedzam, i przed świętymi obrazami świeczkę zapalam. Pan Bóg przecie nie wybiera, co Mu się opłaca, a co nie, przyjmuje każdego w potrzebie. – Oj, Bronius, ślizgasz się po niepewnej drodze, dzieci na sanki do Półstoków zabierasz bez pozwoleństwa rodziców, na taki ziąb. Zęby potracą, ubranka poniszczą. Ty z pychy tak czynisz, z próżności, żeby na wdzięczność zapracować, za orędownika spraw dzieciaków się uważasz – głos wewnętrzny nie dawał wytchnienia. Bronius obraz Matki Boskiej ze ściany czyścił cebulą do glancu, rzewnymi łzami się zalewał, przysięgał, że nieprawda, że z potrzeby ducha to wszystko robi, że uczciwość na pierwszym miejscu. – Krew moja. Żeby tylko się nie zmarnowała, bo szkoda. Tyle krwi na darmo się wylewa, a każda kropelka w cenie. Panie Boże, nie szafuj krwią naszą. – Pana Jezusa udajesz, udajesz tego proroka Olusia, który Biblii na pamięć się nauczył i gada przy gromnicach. Niczego nie rozumiesz, Bronius, szalejesz – głos wewnętrzny domagał się skromności – hardością niczego nie zwojujesz, lepiej końmi się zajmuj, bo się na koniach znasz, Palestynę wybij sobie z głowy, bo za górami, za lasami, stajnię oporządź, obroku do żłobów podsyp. – Nie mam bzika na punkcie Palestyny, Panie Boże, i do koni, do żłobów mnie, Panie Boże, nie odsyłaj, dbam o inwentarz, w żłobach zawsze pełno, ale pamiętaj: w żłobie i Twoje miejsce było, Panie Boże,

Twoje dzieciątko w żłobie się urodziło i nawet nie na koniu, ale na ośle podróżowało. – Pozwól, że ciebie upomnę, Broniuś – znów w monolog wtargnął głos wewnętrzny – nie przyrównuj się samozwańczo do Jezusa Chrystusa. Wtedy, w zamierzchłych czasach, wygodniejszych legowisk nie znano ani środków transportu nad ośli grzbiet. – W Palestynie wojłoki i derki należały do bogactwa – upierał się wewnętrzny głos. – Stajenka i żłobek wówczas to wcale niemało. – Broniuś szarpał koszulę i darł włosy. – Żadnych machlojek, Panie Boże, nie dopuszczam do sumienia, krwi Ci nie żałowałem, o obejście dbam, towotem osie wysmaruję, obręcze z kół nie spadają, podwórze zamierzam posprzątać. Zawsze widzę, kiedy anioły w powietrzu latają, na niebie znaki krzyża w purpurze co rano widzę, na kominie pojawiła się raz Matka Boska z Dzieciątkiem, a na szybie cały w niebieskościach Krzyż Pański chybocze od niedzieli. Teraz z gliny palonej ołtarz zobowiązuję się wykonać. Z naszej, aluminiowej gliny. Będzie mocny niczym stal. I specjalną odrynkę zbuduję, budyneczek Boży, gdzie wygrodzę nawę główną dla ucieczki grzesznych, posadzkę z gliny ubiję i krzyżem legnę, zmyję krew z mojej głupoty, jeżeli, Panie Boże, ją we mnie dostrzegasz, bo po mojemu to nie głupota, tylko szczere oddanie, wiara gorąca, zaćmienie umysłu pragnieniem wyjazdu do Palestyny, do nieba. – Złą monetę na dobrą, Broniusiu, usiłujesz zamienić, przechytrzyć – wytykał wewnętrzny głos. – Odgaduję każdy twój naiwny zamiar. – Za naiwność mnie nie karaj, Panie Boże, poucz, jeżelim zbłądził. No to dobrze, nie odrynkę, prawdziwy pałac na Twoją chwałę Ci wzniosę z żywicznych bali i most przez rzeczkę, żeby dojazd ułatwić, i ołtarz z naszej błękitnej gliny, w ogniu palonej, elegancko, z glazurą błyszczącą na wierzchu. Tak, z aluminiowej gliny naszej, mocniejszy będzie niż stal, wieczny. – To już zapisane, obiecałeś – tym razem wewnętrzny głos brzmiał łaskawie. – Nie forsuj obietnic, bo nie podołasz i grzech zaniechania powstanie – głos ostrzegał i zarazem jakby szantażował. – O, Jezus Maria – jęczał obolały Broniuś – nawaliło się tyle spraw ważnych, że nie rozumiem, co do czego spasować. Od czego zacząć. Istny galimatias. Nie składa mi się, Panie Boże, możem próżny i dufny? Może błądzę? Boże, czym mam Ci dogodzić? Cokolwiek obiecam – źle, za mało. Rugasz mnie, że zbyt wiele, rugasz, że zbyt mało. Wychodzi, że wciąż nie tak, że wciąż grzęznę w winach. Po kolei, co mam robić, podpowiedz, czego nie mam tykać, co zakazane. – Pisz – ozwał się głos wewnętrzny. – Kiedy pisanymi nie umiem, tylko książki drukowane potrafię czytać i sam wiesz, że czytam sporo. – Pisz kulfonami – podpowiadał głos wewnętrzny – spisuj na garbowanej skórze, co ci każę.

Taki wiódł Broniuś spór z Panem Bogiem, a raczej z głosem wewnętrznym, który za Boski uważał.

* * *

– Ty kałdun cudzymi nerwami chcesz wypchać? Już ja gadał, zrobił ja swoje, ważuok, namo, tajp?

– Nikt nigdy ciebie tu nie zapraszał. Sam przyłazisz...

– Bo ciebie musza namówić na praca u nas. Brakuje takich...

– Albo do ucieczki z tobą do Ameryki?

– Ot, ja żartował. Posada lepszejsza dostałby ty. Lepszejsza ode mnie. Na oficera ciebie wykierowalib. Srebrne pagony naszyłby ty i na boku cości zachapał, supranto? Niestratny by ty był. Wiency w kapszuku. Bogactwo nie cienżar, nie zawada. Taka moja dorada... Bieda jak sto pudow do ziemi przyciska, krzyż złamie. Chiba ty nie szwienty, a? Kto szwienty, ten goły... Miałby wtenczas ty i baby. Ładne, zarazy, Żydówki. Leco, starczy kiwnonć palcem. Ot, co tam obiecasz, machniesz jakim kwitem, czym popadnie. I już nogi rozkłada, świeża, pachnionca, a ty bryzg-bryzg i w łeb. I przyjemność, i piniondz goroncy. Niczego nie brakowałob. A brzuchi Żydówek mientkie i przylipne, nogi, tut dzie trzeba, grube, piczurka ciasna. Poznałby ty niebo w dupie, a tak zapomniawszy musi, co robić, kiedy stanie, a? I ty goła, i ja goły, bendo dzieci jak anioły... Ot, ja już nie goły. Nie musi być przesyt, ale w sam raz... nie puskaj tego, co gadam mimo uszow. Mataj na us, bo padochniesz i baby nie poszczupiesz. Tołku z tego, co brudow za pazurami, chiba żeb na czarno pazury pomalowane. Wtenczas brudow nie widać. Robota na ziemi maluje wszystko na czarno, kużden jeden pazur. Darmowe maniukiury. A u Żydówek i na nogach, bywa, pazury pomalowane, rozchilisz i masz czyrwona pipirka. Takie bogate, nogi, znaczyt sia pazury na nogach, malujo. Ot, ja im robota i znajdywam, żeb durnotami głowow nie zaprzontali. Magluja im dupy, a potym w łeb. Coż ty, ani bensiow już tut nie namajstrujesz, ani w szyroki świat nie pojedziesz. Tut prendzej durnota sia przyplonta, i kryszka. Biedo bogactwa nie nasztukujesz, baby biedo nie zwabisz. Ona dla ciebie ma dupa ciasno sciśnienta i ty jej nie rozprawiczysz, a ja tak. Kużda przede mno ma brama raju otwarta. Sonsiad, baszkoj treba krucić, kab wesz uciekła... Chitrościo treba brać, moja prawda. Tam lepiej, dzie dajo, job twaju mać, dajo, bierz, bijo, uciekaj... Dajo, bierz i nie pytaj sia, za co, byle dużo. Byle kapszuk tłusto naduty... Te twoje kantary, kindziu-ki, balei. Możesz dupa podetrzeć...

— Odczep się, Miszkiń, bo stracę cierpliwość i wy-rzucę z domu...

— ...twoje kiarszki myczonce z głodu, twoja posna zacierka-pachlobka, kałbatucha i padkałodka, żebracza jedzenia... Twoje zaciekajonce gumno, puste świrny. Czego ty pilnujesz, a? Przeszłego roku? Na chren tobie tut siedzieć? Kudy tut do luksusow? Małczy, nie ziawaj na mnie. Pomoga, ustroja ciebie na oficerskiej posa-dzie. Dorobim sia, podzielim. Tylko sza... Ze mno tobie daroha. Na chren barachło. — Szaulis chyba rzeczywi-ście zdobył się na szczerość. Mówił z przekonaniem. Zapalczywie, wychylony w stronę Żmogusa: — Luksus, kiedy do nas zapiszesz sie. Ot, co... Nie, nie małczy, nie ziawaj, nie przependzaj mnie. Rencow rencoma pilniuj, a moje rency praktyczne. Ja tobie po dobroci. — Rozdarł koszulę na piersi. – Ot i Żydówki jak lalki, i złoto... Patrzaj, serce przed tobo odkrywam. Bierz i razam, razam... – Żałośnie wyglądał w tym zapamiętałym namawianiu. – Luksus nam pisany. Ty uczony, ja mam dryg, spryt. Na pałonik zupki, penczek redyski wartałob mieć zawsze, do konca dniow... Taka moja prawda szwienta, i kryszka. Dobrze radza... Rozbierz na zimno, rozważ i daj sygnał. Nu, poboż sia, że dasz, nu. – Groźnie wymachiwał palcem przed nosem Żmogusa. – Tyle naszego, co na ziemi. Ty na niebieskie nagrody nie czakaj. Moja prawda. Na niebo nie oglondaj sia. Ono milkliwe. I za wysokie progi. Tyż nie ksiondz ani pop. Niebo zwodzi ludziow tutejszych. Na bosiakow wyprowadza. Na gołodupcow... – zawiesił głos w oczekiwaniu na odpowiedź. – Nu i co? Ty za bardzo lubisz chwalić swego Boga. Kiedy musisz, chwal i bierz od ludziow swoja dola, co bogate, bierz...

– Te kruki, kruki, krążą, przeskakują z gałęzi na gałęź. Kraczą. Ziemię żałobą pokrywają. Włóczą ścierwo, zachłystują się padliną...

– Nie słuchasz, a ja tobie cymes podsuwam, na, pij, żłopaj do przesytu. Ja tobie pokazuja, dzie iść. U Boga, po mojemu, ważniejsze zmartwienia. Bóg wysoko i daleko. Władza blisko, za lasem. Tak ty wybieraj rozumno. Moja prawda... Nie licz krukow za oknem... Krukow na pomoc nie wołaj. Oho, władza ty, w mundurze, oficer. Wszystkim żebry bendziesz mógł porachować. Wszystkie krzywdy jak na liczydłach, żebro za żebrem. Nu, dalibóg.

– Rzecznikiem piekieł jesteś, Miszkiń, samego Lucyfera...

– Zamałczy. – Szaulis machał rękami. – Zamałczy, słuchaj, co ja gadam... Twoje wrony, piekła, Lucypery... Zamałczy. – Jego głos mógłby wypalać dziury w betonie. – Nie zapieraj sia czteryma kopytami, nie walaj duraka. Zalizałby ty rany... Z ciebie nie ułomek. Pleczysty jak drzwi od chlewika. Letko wyrobiłby swoje baryszy. Nu, chiba żeb postanowił ty żebrować i swoje peluszki z bobem żreć. Wtenczas insza sprawa. Pamiraj, tusz swoje zasrane peluszki i zakanszaj saradelo, kiedy taka fanaberia. Strapiesz po próżnicy i zaraza tobie w bok, a nie nagroda, nie Żydówka gorońca z brzuchiem na wierzchu jak ta lala, cycki jak zbanki. W hrob zajdziesz prendko. Padochniesz jak ryża mysz pod wienikiem. Zachwoszczo ciebie kontyngenty i szarwarki. Siłow nie nastarczy... Z tych marcupanow suchoty, a na pochwała krzyż jodłowy w piasku. Nie nabrykasz i nie bendzie baryszow.

– Roztaczasz ponurą moją przyszłość, a twoja?

– Wybieraj – szaulis, nie zwracając uwagi na Żmogusa, z uporem dążył do celu. – Ty musi naumyślno ze mnie sia droczysz? Jakaż twoja prawda, powiedz. Odkryj karty – nie swojego żeż ty dobytku pilnujesz. Cudzego sagana. I kot zdycha przy cudzej dziurze. Sraj na ta wasza sprawiedliwość. Ona przestarzała. Bo dzie twoj interes? Z nami... Na żarnach krencić monka, czyż nie szkoda fatygi? Te twoje cieluczki, źrebuczki, parszuczki, won z imi. Grube złotnie kopcy przed nami.

Odzienia ze srebrnymi frendzlami – (gust miał lokajski) – wysokie czapki z futrow... A nie twoje brazganie kantarami, smrody i bałachony, końskie szczyny i przegniłe krejki. To truszczoba, nie kapitał.

– Ryczysz jak niedojona krowa. Sprawdź, czy klepki w porządku...

– Nu, faktyczno, ściany majo uszy. – Miszkiń zaniepokoił się i zaczął nasłuchiwać. Jego kombinatorska natura zalecała ostrożność. – Tak ja benda ciszej – dokończył szeptem.

– Nie w tym rzecz – wyprowadził go z błędu Żmogus. – Targu nie dobijemy.

– Nu i kruki już nie latajo... Ale czy moje gadanie na marne?

– Na marne... To kubeł brudów...

– Oczuchaj sia żeż, stukni sia w czerep. Patrzaj na dzisiejszy dzień – po chwilowych wątpliwościach znów rozpoczął podchody.

– Szczwanyś. Tawo arklis, mano kumiała, tajp? I wilk syty, i owca cała... Tyle mi proponujesz? Sama ociekająca pomyjami chytrość, Miszkiń...

– Groma tam chitrość. Pomogłby ja tobie w ta pora. Ale z ciebie numer. Hyrkasz bez zmiłowania nijakiego. Szwinstwy, paszkudztwy, ot, tym mnie karmisz. A ja od duszy radza. Z nami tobie, z wielko Litwo tobie...

– Ale nie z tobą, Miszkiń, nie z tobą...

– Tobie ni z kim, nigdzie i nikudy. Tut, nie tut... Fałsz. Nie brykaj po mnie, bo nogi połamiesz... Ja nie masło. Banalukow nie pleć. Na swoboda czekasz. Nie przyjdzie...

– Z ciebie majster od banialuków. Chcesz mnie wykołować. Pchnąć w przepaść. W gnój za sobą pociągnąć. Gruntuj sam... Niedoczekanie. I tak piekło ciebie pochłonie, beze mnie... Samotnie się uskwarzysz – Żmogus przerwał i w duchu dał upust dalszym życzeniom pod adresem szaulisa: bogdajbyś piorunami zaszedł, bogdajbyś sczezł z powierzchni, antychryście. – I głośno dodał: – Przynajmniej dobrze, że życia mi nie żałujesz.

– A cóż mnie za interes do twojego życia. Groszem nie śmierdzisz...

– Doradzasz jak nikt. – Dobrze mi życzysz, sąsiedzie – z przekąsem artykułował każdą zgłoskę, tak że wreszcie szaulis pojął kpinę, ale nie zareagował natychmiast. Jedynie siarczyście splunął i roztarł butem ślinę.

Zaklął ze złością: – Job twaju mać, sabaka... Nu, obaczym, obaczym, czyje na wierzchu bendzie – wycedził jakoś tajemniczo. – Jak na udry, tak na udry...

– Dziwię się, żeś mnie dotąd nie zlikwidował. Że tak długo i cierpliwie się ze mną cackasz. Proponuję szybsze rozwiązanie. No, Miszkiń... Skąd tyle wyrozumienia?

– A ot i moj sekret... z dawniejszej znajomości, sonsiad. I nie drenny żeż ty człowiek, tylko szczadzina u ciebie za sztywna. Zmienkczyć wartałob... Za durny honor. Musisz skruszeć i posłuchać, trochi sia przygarbić. Ot, taka pochiła łoza, skrzypi, a nie złamiesz jej.

A dąb trachnie... Sprenżystości tobie brak... Taka moja prawda, siudy-tudy jeho mać...

– Powiadasz: dobrosąsiedzkie skrupuły? No i o przyjemności zadbałeś... Proponujesz piękne Żydówki za bezcen, z zyskiem...

– A co, serce kamienne, a? Nu, kochajmy sia jak braty, a rachujmy jak Żydy. Żydówki, czemu nie, u ich miendzy nogami taka sama wilgotność, palcy lizać, sonsiad. Żydówki, oho, cymes, kolczyki, bransalety.

– Same zagadki... Podejrzane interesy... A intencje podłe, szmatławe. Zamordujesz mnie swoim gadaniem. Daj odpocząć... Gdybyś mnie od razu wykończył, skończyłoby się i twoje zadowolenie. Przed kim rżnąłbyś ważnego, wspaniałego? Tu cię boli... Twoja góra z ciebie kpi, bo pełno mają podobnych szubrawców. Wykorzystują ciebie do brudnej roboty, a na zapłatę śmieci otrzymujesz. I wiesz o tym... Dlatego mnie nakłaniasz, żeby spółkę założyć, żeby więcej wydrzeć...

– Swoje zyski mam i nikogo o pomoc nie prosza...

– Ale chciałbyś większe. Rozbój, oto twój żywioł. Pod płaszczykiem współpracy z gestapo rozbój w majestacie prawa...

– A ty co, zwadzić chcesz mnie z imi? – strwożył się Miszkiń. – Ja sobie sam służa i sam sobie zadania wyznaczam, dawam borysz. Moje tut...

– Przesadzasz. Jesteś zaledwie małą płotką, taką podłą śrubeczką do przykręcania, najmniejszą. Jesteś ślepym i tępym narzędziem...

– Gemby sobie o mnie nie peckaj. Znam swoja robota. Śpiewać darmo boli gardło... A ciebie nie boli? Breszesz niby nanięty... Kozioł w tobie siedzi. Ot, nam na szkoleniach gadajo, co da nam Hitler i narodny socjalizm. Nawodź ucho i słuchaj...

– Uparłeś się mnie nawrócić? – nie bez ciekawości spytał Żmogus. – No proszę, nawracaj, ale próżne zamiary...

– A ty, ot, mniej bełtaj, a słuchaj. Nauczysz sia światowego rozumu światłych ludziow. Weźmi na wstrzymanie i słuchaj... Nasz ruch masowy. Po zdobyciu władzy światowej zadba o szyrokie masy biednych i prostych, takich, co bez ziemi i bez roboty. Jest i wojsko rzondowe, i oddziały partyjne, nasze. Kiedy kryzys światowy i komuna od wschodu, my to jedyne lekarstwo, ratunek dla świata... tak ono musowo i prawdziwie jest... Komuna my zniszczym. Gospodarka i masy ludziow poparłszy Hitlera i jego polityka... Równość dla nas z panami bogatymi i podział ziemi. Majontki rozparcylujo. Nie bendzie bezrobocia. Uczony kuzden jeden bendzie. Lekarzy za darmo. Opieka za darmo. Nu i kontrola panstwowa, żeb nikto nie oszukiwał. Kużden krok kontrolowany, żeb nam było dobrze. Wszystkim kieruje panstwo i władza, a ona nasza, narodna i socijalistyczna. Ot, my przeciw burżujom i wielkim bankom, fabrykantom i majontkom. Nie bendzie kapitału i ucisku... My, ludzi spoconej roboty, z partio naszo NSDAP zwycienżym... My góro i partia góro, onaż nasza i władza nasza, partyjna. Ot tak i bendzie. Tak nasz Hitler postanowił. Uważasz, że niedobrze? Pomyślane jak po maśle. Trzymaj z nami... I z gudłajami pohulasz, i dobrobyt bendzie. Co upadło, przepadło. Gudłai, gudłajki – sok i mliko, tylko smakować. Wypróżniona kabza na nowo wypchasz.

Żmogus doskonale sobie wyobrażał to przemeblowywanie łba, wypychanie go trocinami propagandy. Te ochrypłe głosy, pełne patosu, kiedy wykrzykiwały niepodważalne racje. Te nasiadówy. Duszne pomieszczenia spowite gęstwą żrącego dymu, sinawych obłoczków wydychanych z płuc nowych wyznawców idei. Machorkowe samoskręty w poślinionych gazetach zmieszane z wytwornym, perfumowanym zapachem cygar narodu panów. Ebonitowe pudła radioodbiorników, gardłowe przemowy wodza. I śpiewne, karykaturalne ludowe tłumaczenie na język tutejszy, prosty, litewsko-białoruski... Zachwyt na poczerwieniałych z emocji gębach. Otworzył usta, jakby pragnął coś powiedzieć, ale w porę się pohamował.

– ...Nu, nie zaikaj sia. Raptem zajonkliwy ty... Wiem, przeciw mondrościom cienżko gadać, a? Hitler ma kiepełe, a? Moja prawda... Szepietliwy ty raptem zanadto. Widać, że złapawszy tołk naszej prawdy... Nie boj sia, i mnie letko nie przyszło. Nałamał ja mozgi, nałamał... Rozumem musiał pokrencić. Niechaj sia ustoi zmentniałość, na dno paprochi zleco, a na wierzchu sam smak...

– Szumowina – nie powstrzymał się Żmogus.

– ...sam smak, ot jaki on, sam miod... Oczyścim z bandow tut. Potym Wisincza. Tam podobno bolszewi-

ki zagnieździwszy sia. Słyszał ty? Sowiecka partyzantka, pospuskali z paraszutow... Zaraza jak pyrnik plenna.
Konsajo nas z puszczy, i z Rudnickiej, i z Nackiej. Wszendzie partyzantow wykurzym. Wytrujem razem z lasami.
Puścim z dymem... Nie niuchaj sia z imi, radza. Oj, nie
całujo oni nas. Jak wszy konsajo do śmierci. Praciwne
gady... I kto im płaci, a? Takie jak ty... Nu, i musi Hame-
ryka... Z samolotow na paraszutach puska prowianty,
uzbrojenie. Inakczej nie pociongnelib i tygodnia...

— Miszkiń, a iluż was, na miły Bóg? Wienas, du,
trys, kiaturi, pianki... Iluż, wiernych okupantowi?

— Wieluż, wieluż — odciął się zgryźliwie szaulis
— dużo, masy, nie do przeliczenia, nie wienas, kiaturi, sziaszi, a harmia, paniatna? Niedowierak ty. Ja żeż
tobie dokładnie powiedział, czego nas uczo i w co my
wierzym. A ty?

— Głośno myślę...

— Mokro pościałko sobie głowa obmataj. Jak ciuć-
ka pchły łowisz nie na swojej skórze... A coż tobie Hitler
drennego zrobił, a?

— Nie widzisz? Ale ja wyznaję teorię ostatniej
chwili. Kiedy najgorzej i zdawać by się mogło, nie ma
ratunku, nagle coś się wydarza cudownego. I człowiek
na nogach...

— Lepiej po cicho. Mniej szumu. Złość może mnie
schwycić na twój upor. Cości podjudzi, i kryszka. Za
pozdna, nie nawrócisz renki. Kto ciebie poratuje, jeżeli
nie ja? Ot i grosz podsuwam. Bierz. Kuzden grosz, gudłajowski, nie gudłajowski, pachnie...

Odbijali się od siebie niczym dwie rozpędzone kule. Przepychanki trwały do znudzenia, a nikt zwycięstwa nie odnosił. Wciąż nieustanny remis.

* * *

– Towot grubo na osiach, fura wypchana grochowinami, koła solidne. Panie Boże, co się ze mną droczysz. Wstydu nie przyniosę, jeżeli pozwolisz mnie dojechać szczęśliwie do Palestyny. Nie pożałujesz. Nawet podarki w worku przywiozę. – A jakie? – z zaciekawieniem dopytywał się głos wewnętrzny. – Jakie? Tajemnica. Zrobię niespodziankę.

Broniuś poddawał się tym natręctwom z lubością, zbierał książki, mapy i atlasy, rozglądał się za kompasem wojskowym i lornetką, żeby przypadkiem nie pobłądzić, żeby dokładniej trafić, jeżeli Pan Bóg szyków nie pomiesza i pojechać przyzwoli. Któż by śmiał głos wewnętrzny, głos Boski lekceważyć. Owszem, Broniuś sprzeczał się z zapałem, bo skórę sprzedać postanowił drogo i usiłował wytargować jak najwięcej. – No to tak, Panie Boże, przemawiasz przeze mnie, w paskudnym moim ciele mieszkasz, w paskudnym, bo w paskudnym, ale zważ łaskawie: krew oddałem dobrowolnie, dzieci na sankach wożę na górki do Półstoków, należycie szykuję się do Palestyny. Ustalę, gdzie jest, w którym kierunku trzeba wyjechać, wiosną zaprzęgnę konia w nową uprząż z brazgulami do wyrychtowanego wozu i ruszę. – Ty nie wyliczaj swoich zasług, bo je znam – oburzał się głos wewnętrzny – dobre uczynki to obowiązek wszystkich i każdy patałach wie, co do niego należy, każdy będzie kiedyś musiał zdać egzamin i spisać sprawozdanie drobiazgowe ze swoich postępków. — A ja też — Broniuś ciągnął niezmącenie — swoje robię, konia czyszczę zgrzebłem, obiecałem domek Boży i zbuduję, ołtarz z czystej naszej gliny wzniosę. Znaki święte na niebie, na kominie i na szybie odczytałem i ludziom przekazałem, na kolanach klęczę, do spowiedzi przystępuję, kościelnej tacy nie omijam. Czego jeszcze, Panie Boże, żądasz ode mnie? Nawet organowej muzyki słucham, choć nie lubię, bo Łopato grać nie umie. Na weselach ładniej grają akordeoniści, i akordeony widać, a organów nie, bo na chórze schowane. — Głos wewnętrzny zaniemówił, a potem w jadowity syk się przemienił: — Broniuś, miarkuj, na wąs ostrożnie nawijaj, bo pleciesz koszałki, zachwalasz swoje uczynki, a w niedzielę drzewo rąbiesz na drywutni. Głupszego od siebie nie szukaj.

W umyśle Broniusia zapanował zamęt i groźne przeciągi. Oluś z Panem Bogiem mu się pomieszał, Palestyna z niebem. Niby z pękniętej dętki powietrze się ulatniało. Wychudł na szczapę, poczerniał na twarzy, robota mu z rąk leciała. Skóra pergaminowa, krok chwiejny, szalone wejrzenie, ale postanowienia dotrzymał. Na wzgórku, sto metrów od domu, na własnym gruncie, oczyszczonym z darni i krzewów, z nawiezionych kamieni podmurówkę na wapiennej zaprawie z domieszką gliny wyprowadził pod sznurek. Do zaprawy kilka kop jaj wtłukł. Kiedy podmurówka okrzepła,

217

z okorowanych bali, wysuszonych pod daszkiem sło-
mianym, ociosanych na płask, pachnących smołą, zrąb
budynku zaczął wznosić. Fugi między balami mchem
zmieszanym z łajnem utykał. Od wczesnej jesieni do
wiosny zgrabny budyneczek był gotowy. Znajomy zdun
pomógł piec wyfasować, też z gliny, zatarty na gładko,
uklepany przypiecek, palenisko. Sprawdzono ciąg w kominie, aż zahuczało, dym zafalował nad dachem gon-
towym. Drzwi ozdobne, futrowane z deseczek żółto
bejcowanych woskiem z terpentyną, drzwiczki i szyber
w czopuchu aż w Ejszyszkach obstalował. Koszt spory,
ale i interes nadprzyrodzony, do Palestyny droga otworem. Pewien wozak, choć obrzezany, po znajomości
obstalunek na miejsce dostarczył. Kiedy się okoliczni
zwiedzieli, że Broniuś kaplicę czy też kościół zafundo-
wał własnym pomysłem, pomocy nie skąpiono, skwapliwie jego polecenia wykonywano. Nikt nie szemrał, bo
na zbawienie uczynkiem dobrym zarobić wartało, a i
błogosławieństwo na całą rodzinę się kładło. Wreszcie
do wykonania zostało najważniejsze: ołtarz, bo tylko
w ołtarzu Pan Bóg mieszka. No i teraz Broniuś ołtarz
obmyślał. Wpierw deskami formy oszalował w wykopie.
Dobrał deski bez sęków, heblowane, żeby odcisków na
glinie nie było. Formy w najbardziej nasłonecznionym
miejscu dziedzińca ustawił, żeby glina szybciej schła.
Nikogo za ogrodzenie nie wpuszczał, żeby mu czego
nie zepsuto, żeby form nie połamano. Glinę ugniatał
warstwami i polewał mlekiem, wygładzał dłonią ma-
czaną w krynicznej wodzie, uważnie, powoli grudki

rozcierał w palcach. Piec w domu przysposobił do wy-
palania glinianych części. Nagle i dalsi sąsiedzi spoważ-
nieli, całą tłoką śpieszyli oglądać Broniusiowe cuda. Hyr
poza najbliższą okolicę sięgnął. A Broniuś, z obnażoną
blizną na przegubie po oddanej krwi na chwałę Bożą
i dla odkupienia win, krzątał się koło swojego ołtarza.
Harpagony grzeszyli, nikomu za grzechy żałować nie
wpadło do głowy, a Broniuś za nich krew puścił, ale Pan
Bóg tego uczynku, wydawało się, jakoś za wysoko nie
ocenił. Może z ołtarzem będzie inaczej. Miesił Broniuś
glinę, do form układał, suszył, na zagięciach jałowcem
wzmacniał, żeby nie kruszała. Przed deszczem do szopy
chował. Uzbierało się tych części sto siedemdziesiąt
cztery. Na razie do siebie nie pasowały, należało niektóre doszlifować, przyciąć. Po wypaleniu w piecu skurczy-
ły się, zmieniły kształt, ale od czego dobrze wyostrzona
siekiera i dłuto. Ociosywał Broniuś niepasujące kawałki,
dłubał dłutem, postukiwał obuszkiem, porównywał do
części rozrysowanych na płachtach pakowego papieru,
rozściełał rysunki na klepisku, manewrował stolarskim,
płaskim ołówkiem koło dziwnych pokratkowanych
figur naturalnej wielkości. W natchnieniu coś mazał, ka-
sował, zacierał, przekrzywiał głowę, odstępował krok
do tyłu. Większość czasu spędzał w obejściu. Nawet
z Bogiem zwady ustały. W nowo zbudowanym budynku
miejsce pod ołtarz umocnił płaskimi kamieniami, jakby
brukiem. Utwardził grunt, ubijakiem wyrównał.

Temperatura oczekiwania osiągnęła szczyt.
Wieść błyskawicznie się rozniosła. Cztery pobliskie

wsie z przysiółkami zacierały niecierpliwie dłonie w oczekiwaniu uroczystego otwarcia. Podobno nawet sam prorok Oluś z Popiszek obiecał przyjechać. Tylko księdza brakowało, żeby budynek i ołtarz wyświęcić. Osiem klęczników przed barierką dzielącą ołtarz od sali ustawiono dla najważniejszych osobistości. Każdy wypieszczony, z wypisanym chemicznym ołówkiem nazwiskiem. Nazwiska wozak wypisał, bo miał dryg do kaligrafii. Tabliczki z dykty wyciął Broniuś. Na centralnym miejscu ułożono Biblię w czerwonej oprawie, złoconą, z jedwabną zakładką. Na klęcznikach książeczki do nabożeństwa i przewieszone różańce, a w drewnianych lichtarzach, rzeźbionych własnym pomysłem, szereg łojowych świec. Tylko jeszcze ołtarza brakowało.

Pewnego przedwieczoru Broniuś zapalił trzy naftowe lampy, zdjął klosze, żeby więcej światła rzucały, zaniósł je o zmroku do budynku na wzgórzu, rozesłał koślawe bohomazy na pakowym papierze, kilka na kartonach, i ostrożnie rozpoczął znoszenie gotowych, sekretnie trzymanych części. Przez całą noc można było zaobserwować mdławe światełko sączące się przez okna budynku. Okna były dwa, po bokach. Rozpoczął się montaż. Żmudna praca w zaduchu trwała do białego rana. Wreszcie przed drzwiami pojawiła się sucha, przygarbiona, ale promieniejąca szczęściem sylwetka Broniusia. Przed budynkiem nikt nie czekał, choć w naiwności swojej Broniuś spodziewał się tłumów. Skoro nie czekali, nie miał kogo zaprosić na najpierwsze otwarcie. Stał samotnie, dumny, przed drzwiami na oścież. Stał nieporuszenie do południa, aż ciekawi ludziska zaczęli ściągać. Wchodzili do wnętrza pojedynczo i grupkami. Tliły się jeszcze trzy naftowe lampy, dogasały, skwiercząc, knoty. Broniuś zapalił świece i oczom niedowiarków objawił się cud, prawdziwy, cielesny, w Bożej postaci. Ołtarz, pasujący jak ulał w centrum ściany szczytowej, od ziemi po sufit skrzył się glazurą. Główna figura Chrystusa Męczennika przebita włócznią z boku, ślady krwi na opasce, po obu stronach dwie kobiety klęczące naturalnej wielkości i leżący u stóp biały baranek. Wrażenie potęgował półmrok. Ludzie w uniesieniu zaczęli klękać, żegnać się, głośno odmawiać modlitwę, a przecież ołtarz jeszcze nie został poświęcony. Jednogłośnie okrzyknięto Broniusia największym artystą okolicy. Dusze wiernych zawiązane w woreczku życia przycupnęły na obrzeżach ołtarza. Po uważniejszym obejrzeniu objawiło się coś więcej – najpierw ponumerowane, potem złożone w jedną całość części rozrastały się w coś skrzydlatego i rozłożystego, bo Chrystusowi urastały z ramion skrzydła, ułożenie rąk sugerowało grę na skrzypcach, a w pobliżu leżącego baranka widoczny był kapelusz niczym skarbonka na wolne datki. Zniszczone i pomięte twarze zebranych jaśniały podziwem i radością. – Patrzajcie, Pan Jezus gra na skrzypeczkach – pokazywali sobie nawzajem. – Pan Jezus-człowiek. Ależ mocno zakrwawiona przepaska na biodrach – płynął struchlały z przejęcia szept. – Figura jakby z pnia sękatego dębu, sczerniałego, na całą ścianę wyrastają skrzydła, ściana jakby w locie. A tam ni to kapelusz, ni to kosz wypleciony z wikliny. Nie, z gliny palony. Widzicie, głowa obwiązana zwojami kolczastego drutu, złożona na barku. To nie drut, tylko korona – poprawiano się wzajemnie, upewniano – a widzicie, skrzydła z łusek naboi. Ależ gilzy połyskują. Bo z miedzi. Niczym złoto. Figury kobiet u podnóża wsparte o lufy karabinów. Broniuś się namęczył. Skąd te karabiny znalazł! Na szyjach różańce z kul. Gryf skrzypiec opleciony szkaplerzem, a smyczek z piły. Nie gadaj, to żadna piła, tylko ostrze kosy. Śmierć zawsze z kosą. Bluźnisz, Chrystus toż, nie śmierć. – Głosy zachwytu padały z jednej i drugiej strony centralnie rozmieszczonego ołtarza. Broniuś słuchał i milczał. Promieniał. Mógłbym lepiej zrobić, żeby więcej czasu, śpieszyło mi się przed niedzielą – mówił jego wzrok – glazurę mocniej można było przepucować, biel skrzydeł do glancu, ale i tak widać, że się podoba.

* * *

Szaulisi przyjechali trzema budami wczesnym przedpołudniem, w piątek. Wtargnęli znienacka. Zatrzymali się koło krzyża, pośrodku wsi. Ludzie, przerażeni, kryli się do komórek. Dzień zapowiadał się pochmurnie. Cóż znowu, pacyfikacja? – zastanawiali się ukradkiem. Szlaki zamaskowane, tropy zatarte. Kogo szukają? Zbrodnie bez sumienia, nie mają nic do roboty, jeżdżą ludzi straszyć! Znamy ich, wszystko pochowane.

Tajniacy po cywilnemu przemieszani z mundurowymi zgrają rozsypali się po obejściach. Łomotali do domów, wyłamywali drzwi w oborach i stajniach. Sądny dzień. Rzeź niewiniątek, jak w Biblii. Momentalnie krwią pokryły się dziedzińce. W kałużach gnoju zmieszanego z krwią leżało zastrzelone bydło i porżnięte owce, kwiczały zarzynane świnie, rżały wypędzane konie. Oprawcy uwijali się, znosili do bud zastrzelone wieprze, wlekli martwe krowy, owce. Z domów toczono beczki z mięsem w saletrze, pęta kiełbas rzucano na trawę.

– Wypalim do korzeni siedlisko band partyzanckich! Gadajcie, gdzie są ukryci – wygrażano ludziom.

– Znajdziemy bez was. A bydło i świnie za karę. Czasy wojenne, wojsko musi jeść, wojsku trzeba mięsa – żartowano podle.

Zapalające kule kreśliły na pochmurnym niebie świetliste smugi, splatające się w złowieszcze znaki Apokalipsy. Straszliwi jeźdźcy galopowali po przestworzach i zapadali za horyzont, odezwały się trąby piekielne. Zapanowała ogólna rozpacz.

– Cóż zrobim teraz bez bydła, panoczki – załamywały ręce kobiety. – Darujcie żywiołce, żeby choć cieluczki na rozpłód, żeby nie zabiwać ciałuszeczków, pany.

Oprawcy, zdumieni, że o coś ich proszą, jeszcze bardziej się wściekali i seriami siekli. W zakłopotaniu stał na uboczu Broniuś, zachowywał się tak, jakby go to nie dotyczyło. Nawet się uśmiechał. Ot przydurek wsiowy. Nikt go nie zaczepiał. Ludzie grzęźli we krwi i wnętrznościach bydła. Nad horyzontem kotłowała się zorza, krwawo, jak na burzę. Szaulisi nachalnie żądali bimbru. Pili wprost z butelek.

– No, gdzie wasz samogon, nie żałujcie władzy.

– Szperali po kątach, wyciągali kosze z butlami, wlewali do wiader śmierdzący samogon. – A gdzie partyzanty? Pochowane siedzą, sprawdzim. – Pruli bagnetami sterty siana, rozrzucali słomę widłami po dworze, kłuli szpikulcami stogi ze snopami. – My bandy dopadniem i do cna wypalim, a wam kula w łeb.

Kobiety lamentowały wniebogłosy: – Panoczki, litości, z głodu pozdychamy.

– Nie pozdychacie, z was żywotny narod – pocieszał tajniak, szeroko rozkraczony, a krwawa łuna łopotała na niebie jak sztandar zagłady. Każdy nieopatrzny odruch groził śmiercią. Mężczyźni klęli pod wąsem i oglądali ruinę własnej pracy, niszczenie dobytku. Nic już nie zostanie, jednej marnej krowy, świnki ani owcy. Konie się rozbiegły po wygonie. Może choćby one. Wozy, brony, pługi niszczono łomami. Wyły przeraźliwie psy na łańcuchach. Z blaszanek do koryt mleko wylewano, śmietanę z dzbanów do kanek blaszanych i do bud, jak zdobycz. Dobiegało ostatnie porykiwanie bydła, kwiczenie świń i beczenie owiec. Gdzieś w oddali, jakby na zbawienie, rżały konie. Dogorywała szopa na skraju wsi.

– Nie ma tam partyzantów, panoczki, i w łaźni nie ma...

– Trzeba spalić. Niechaj ryją w ziemi swoje nory, ziemianki, stamtąd też wykurzym. Nie dzisiaj, później.

Triumfalnie w górę, na wiwat strzelali. Grzmiała palba gęsto, bez zmiłowania. Będziecie przeklęci – anioł z nieba trąbił, ten jeździec, co z kłębów dymu dosiadał wierzchowca z krwistymi chrapami.

Nagle na uboczu dostrzeżono Broniusia.

– Cóż to za kawaler?

– Wsiowy, nasz, przydurek, co proroka wozi po wsiach okolicznych.

– Jakiego proroka?

– Olusia z Popiszek – stłoczone kobiety zagadały razem – on najpierw tężeje, a potem, pobladły, jakby Chrystus prawi.

– A o czym on prawi? – tajniak ucho schylił.

– O wiecznym zbawieniu, o raju, panoczku. Broniuś posługuje, gromnice zapala. Przybiera go w komżę, odwozi po prorokowaniu.

– A cóż to za kościół? – Tajniak uważnie spojrzał na Broniusia dzieło.

– Jaki tam kościół, to kapliczka nasza. Broniuś zbudował.

– Ten wasz cały Broniuś to nie całkiem dureń. – Tajniak się rozbawił.

– Panoczku, on do Palestyny wybiera się wiosną. Tam chce Boga chwalić.

– Aż do Palestyny, spory kawał. Cóż, tu Żydów mało? – dworował tajniak.

Gardłowy rechot szaulisów wsiąkał w ziemię. Groza wciąż w powietrzu wisiała. Mech od ognia zrudział na korze. Pnie drzew osmalone. Koło szopy głownie i żar, w popiół wiatr dmuchał. Zza chmur od czasu do czasu wyglądało słońce, krople promieni rozwieszało na drżących liściach osik. Jagody wilcze na kruszynach czerniały.

Szaulisi z pompą zapuścili motory. Do bud powsiadali. Tajniak uniósł rękę – za wcześnie na odjazd. Silniki pogasły.

– Samogon na zapas zabrany? – rzucił od niechcenia i kaburę zapiął.

– Zabrany – pijany chór szaulisów odezwał się zgodnie.

– Nic nie zapomniane? – Tajniak sprawdzał łupy.

– Zapasy na tydzień – potwierdzono chórem.

– A ot i nie bardzo. Mało podsmażonych.

– Nie było rozkazu.

Ludzie zdrętwieli. Szaulisi powoli z bud się gramolili. – W dwuszeregu zbiórka. – Tajniak się wyprężył i machnął naganem. – Przeszukać ten kościół, migiem i dokładnie, coś mi się nie podoba.

Nowiutka kaplica żywicą pachniała.

– A ty, na uboczu. No, podejdź, a szybko, rusz kulasy, biegiem! – Tajniak otarł twarz chustką. – Czego się ociągasz, masz jakieś sekrety? Do Palestyny? Tu niebo, na miejscu. Kogo po wsiach wozisz, propagandę siejesz, wieści zatrute? Z gołąbka jastrząb? Dam ja ci nauczkę. Jak się nazywasz?

– Ja, ja się nazywam... – jąkał się potwornie Broniuś.

– Baczność – ryknął tajniak – ręce przy sobie, nie wiatrak ręce, nie machać.

– Broniuś, dalej nie wiem. – Na szyi chłopca grdyka oszalała.

Trzaskano drzwiami w nowiutkiej kaplicy.

– Ostrożno, można złamać – wykrztusił Broniuś.

– Trzeba delikatno, uważać. – Aż się poślinił.

– Milczeć, zasrańcu. Sprawdzać tam dokładnie – huknął tajniak do szaulisów. – Palestyny, proroka ci się zachciało. Co, kręcisz przed nami? – Groźnie szarpnął chłopcem. – I nie kracz, padalcu. Na kolana.

Broniuś posłusznie ukląkł i ręce złożył niczym do modlitwy.

– Nie pojadę, panie, jeżeli nie można – patrzał na tajniaka jak w obraz Najświętszej. – Niczego nie kręcę. On gada, ja wożę, ludzie mdleją, podają kolację.

– Prawdę gada, panie komendancie – ludzie chcieli pomóc. Tajniak awansował już na komendanta. – On nie całkiem zdrowy, tylko robotny, sam wszystko zbudował. Nikt mu nie pomagał.

– Tym gorzej. Udaje. – I jak tu dogodzić, tajniak wiedział swoje. – A gdzie Palestyna? – świdrował wzrokiem Broniusia.

– W niebie – Broniuś ani przez chwilę się nie zawahał.

– To gagatkowi do nieba śpieszno. Wpierw piekło pokażę. – Strzelił nad uchem Broniusia z nagana. Broniuś się rozpłaszczył.

Tymczasem z budynku szaulisi wybiegli.

– Niczego tam nie ma, pusto prawie.

– Co to znaczy: prawie? – ustalał tajniak.

– No, prócz ołtarza.

– A za ołtarzem?

– Ściana.

– W kaplicy wasz i nasz Bóg. – Broniuś się ocknął.

– Proszę zachodzić – zapraszał tajniaka z nieśmiałym uśmiechem, jakby bolesnym grymasem.

– Tu nie przedstawienie. – Tajniak odtrącił chłopca czubkiem buta. – My karny batalion, ekspedycja karna, na zadanie tutaj...

– No, to do kaplicy, tam Pan Jezus stoi. Ja więcej nie będę z prorokiem ani do Palestyny, znaczy do nieba, nie pojadę – Broniuś bredził jak na mękach. – Sam nie wiem, co gadam, panie komendancie, uniżenie proszę. Bimber mam, wyciągnę, przyszykuję szklanki. Miałem na otwarcie. Ludzie się rozeszli i ja nie zdążyłem. Ja wszystko naprawię. – Czołgał się za tajniakiem.

– Zabrać go natychmiast – rozjuszonym głosem parsknął pan komendant – a kaplicę z dymem.

– Nie można ocalić? – podbiegła kobieta, w chustce zawiązanej po wiejsku, pod brodę. – Panie komendancie, cóż kaplica winna...

– To kogo rozwalić? – Tajniak chytrze pstryknął dwoma palcami. – Tego pomyleńca? Razem z jego wszami? – Zarechotał głośno. – My nie na zabawę. Nie dla przyjemności. Nam zameldowano, że tutaj bandytów przechowujecie. Mam raport napisać, rozumiecie, babo?

– Rozumiem, panoczku, ja jak na spowiedzi... Przecie Pan Bóg mieszka w tutejszej kaplicy, no i tak na pożar, czyż trochę nie szkoda?

– Czegóż takie blade, jeżeli bez winy i sumienie czyste? No a w tej kaplicy gniazdo zarazy, bandy przesiadują.

– Nie ma partyzantów.

– Łżecie. Nie puskacie pary.

Ludzie opuszczali plac, zatrzaskiwali w domach drzwi i okiennice.

– Partyzanty w lesie. U nas ich nie ma – zapewniała baba, potakiwał Broniuś.

– A komuż ten frant kaplicę wystawił?

– To wioskowy Broniuś, kaplicę w intencji wyjazdu, żeby poszczęściło, bo daleka podróż, nawet nie widomo, w którym to kierunku.

– Gdyby pan komendant... doprasam się mapy, mapy i kompasu. – Broniuś znowu klęczał. – Mapy wojskowe bardzo dokładne.

– Na nich nieba nie ma – podrwiwał komendant. – A ty chcesz do nieba?

– Przenajświętsza prawda, wprost do Palestyny, bo tam wieczne słońce, a u mnie zimnica, jedzenia brakuje.

– Do Palestyny? – przekomarzał się tajniak. – Do dupy na grzyby. Cóż to, raptem do Ejszyszek za daleko, wygoda raptem was opanowała, kościół na miejscu zafundowali! Dla bandytów kościół, i nie oszukiwać! Władza widzi lepiej, po co durnia kleić. Kaplicę dla leśnych sprawili, duraka walają. Bandyckie siedliszcze, gniazdo zabijaków. Im, po prawdzie, do miasteczka nieśpieszno na modlitwę, oni w ukryciu czują się bezpieczniej. Po norach, jak krety. Cały las poryli w potajemne przejścia. Bandyckie gniazdo, nie żadna kaplica.

– Ale ksiądz przyjedzie.

– Ksiądz nie parawan, żeby się chować za szaty księdzowskie. Fatyguje się do was. My znamy i księdza. Wiemy, komu sprzyja. A czemuż on do was, a nie wy do niego? Sekret rozwiązany. Tajne gry nie z nami. Las, na odludziu sekretne spotkania, narady, wypady. Leśne niebo żytnie, msza wioskowa z chleba. Czegoż po barakach się chować, kiedy kaplica obszerna, bezpieczna jak schron? Sprytnie wymyślone. Nie mnie czarować. Na litość mnie, wróbla? Rozgadane baby... A bydła nie szkoda?

– Oj, szkoda, zabrali...

– Do komendantury w Ejszyszkach przyjedźcie. Delegacja jutro, może część oddamy, może nam się przyda. Dowódca rozsądzi. W niedzielę na mszy chcę widzieć was w mieście, a nie chyłkiem tutaj. Kaplicy nie będzie. Bandyci do piekła, a nie do kościoła.

– Partyzantów nie ma – upierała się kobiecina, poprawiając chustę.

– A kto ich wykurzył? Ich las, nasze miasta. Wy i my wiemy... Na darmo gadanie. – Tajniak pchnął kobietę, Broniusia trącił łokciem, po żołdacku, aż ten stracił mowę i powietrze łapał, jakby już się dusił.

Smugi ogniste znów zatańczyły w chmurach. Rozległy się strzały, seriami, jakby w ludzkie głowy. Ogień lizał niebo. Uleciało z dymem dzieło Broniusiowe. Wysoko płonął ołtarz niczym stos żywiczny. Zniknął dom Boży. Szaulisi rechotali zadowoleni z siebie. Na pochmiałkę pili samogon i nadal strzelali. Pociski ogniste przekreślały niebo. Tak rozstrzelali leśną świątynię, tak rozstrzelali marzenia Broniusia. Rozstrzelali wieś, bydło, owce, świnie. Wyciągnęli aparat, do zdjęć pozowali zwycięsko, z czapkami na bakier, podkręcając wąsa – w kaburach nagany, przez pierś karabiny i miny marsowe. Chwacko podparci w boki, rozkraczeni władczo, kręcili kółka na czołach, patrząc na Broniusia, a ten stał spokojnie i ni to rozpaczał, ni to śmiał się z nimi, może śmiał się z siebie, z własnej naiwności, że śpieszył do nieba, że tym chwatom proponował bimber i zagrychę, że z prorokiem jeździł i ten mu nie pomógł, że Bogu świątynię z drzewa wyfasował. Patrzył tępo w płomień, co trawił świątynię, i miał życie swoje jak na fotografii – niczego nie żałował. Więc śmiał się z siebie, nie z nieszczęścia, co całą wieś pogrążyło. Ku chwale Bożej wzniósł swoje dzieło, ku chwale Bożej ono spłonęło. Bogu widocznie świątyń nie brakuje, nie chciał strzec leśnego przybytku, bo las to świątynia i w zielonych nawach anioły mieszkają. Broniuś o tym wiedział i śmiał się z rozpaczy, że kompasu nie ma, że mapy brakuje, że władze przeszkodzą, ludzie już gadają i kpią sobie z niego, a to wstyd i hańba. Głos wewnętrzny mu wtórował: – Nie pomogę – a był to głos boski – niech spłonie dzieło pychy, to nie sztuczne ognie, właśnie w taki sposób ziarno wiary zasieję w waszych duszach podłych, pogaństwem podszytych. W waszych duszach pustych ziarno zakiełkuje. Sami wybierzecie, czy rozpusty, czy zwątpienia, bo zło albo dobro musicie zrozumieć przez własne dopusty, przez krnąbrność wobec mnie, waszego Boga. Prawdziwy ogień – zgadzał się Broniuś – będzie tak, jak zechcesz, Boże, nieważne, że z dymem pofrunął dorobek, bydło wystrzelali i pokłuli świnie, że owce beczały. Jednak smutno, Boże, gdy patrzę na chmury popiołu, na spaloną zieleń, smutno. I już nie krzycz na mnie, bo za co, sam nie wiem.

Broda opadła mu na pierś, śmiał się nadal tak samo skrzekliwie jak otaczająca go zgraja w mundurach. Dorównywał jej w zapale. Oszalał – ryczeli i wytykali go palcami, choć na inne przykrości nie narażali. Zabawiali się plugawie, zadowoleni z siebie, potem, ledwie trzymając się na nogach, gromadnie odjechali. Trwożne cienie przemykały obrzeżami lasu, gdzieś z jego trzewi dolatywał niepoczytalny, gardłowy rechot szaulisów. Dobro nosi się w sobie, zła należy dotknąć. Wolałbym, Boże, żebyś cudowną mocą odtrącił złoczyńców, a z ułomków gliny na pogorzelisku odtworzył dom swój i ołtarz. Może w przyszłości porwę się na odbudowę – marzył Broniuś – te moje bohomazy przecież istnieją na papierze i w wyobraźni, resztki ułomków pozbieram. Przepadła moja Palestyna. Przeklinam ten dzień, Boże. Lubisz krzywdzić? Nie bluźnię, pytam...

W zgliszczach długo jeszcze wiatr kotłował, rozniecał pióropusze iskier, dął w tlące się głownie, wył bezlitośnie do wieczora. Broniuś wśród mieszkańców zyskał szacunek, przestał uchodzić za odmieńca. Kpiną nikt już nie ośmielał się go ranić. Często puszczano go pierwszego z uszanowaniem w kościele, podczas procesji nosił baldachim za nogę. Z trzema innymi, równie zasłużonymi dla okolicy, co on, szedł zgodnie. Kapłan przewodził, a małe dziewczynki sypały z koszyków kwiecie pod ich stopy. Szli po kwietnym dywanie jakby wprost do nieba, rzewność pierś rozsadzała, koszmar ustępował. Po bokach klęczała ciżba ludzka w pokorze, rozpaczliwie wznosząc wzrok ku niebu. Zazdrościli Broniusiowi ważności, że się wspiął wysoko, że na widoku u wszystkich w parafii. Szykowne i uroczyste były to festy, kilka razy wokół kościoła się chodziło. Broniuś żalu nie miał za minione, bo główną nawą przed główny ołtarz godnie kroczył, a każdy ołtarz z jego własnym, spalonym się kojarzył. Widział mękę Pańską, własnego Chrystusa, co grał na skrzypkach i śmierć z kosą widział, klęczące kobiety, Baranka Bożego, co nie zdążył uciec. Włócznią bok przebity, zwoje drutu kolczastego na głowie, drogę cierniową i szumiące skrzydła aniołów, husarię podniebną i skrzydła na krzyżu... Tak Broniuś roił, gdy tylko spojrzał na ornamenty, tabernakulum i monstrancję, na prawdziwy ołtarz tutejszego kościoła. Ale tam ołtarze najwspanialsze, gdzie ludzie żarliwi. Muzyka dzwonów szybowała nad przestrzenią, otulała nadzieją zmysły, niosła w zaświaty. Broniuś traktował nieszczęście jako dopust Boży, nikomu nie groził, nie szukał zemsty. Przemyśliwał o sznurze i haku w belce.

– Baba ci wyjebio, dobrotliwość twoja do rzygania zmusza, jobtwajumać, udajesz, że deszczyk marasi – wołali za nim chłopcy – liżesz im jajca?

– Broniuś nasz – wstępowali się za nim inni – artysta, kto widział jego kościół święty, kto widział jego ołtarz, nie znajdzie piękniejszego na calutkim świecie. Odczepcie się, niedorostki przeklęte, won poszli, plugawcy, już my wam pokażem...

* * *

Byle dotrwać do gongu. Klincz, zwarcie i odskok. Ważne, by ze zwarcia wyjść na swoje, z ciosem...

– Stasiuk, między oczy, śmiało – dopingowano zewsząd. – Nogę podłóż, w kolano go, w żołąd, w nery, pod wątrobę, w nos, żeby juchą zalał się, żeby popamiętał. – Chybienie, jęk powietrza, natychmiastowy rewanż. Kolorowo pod powiekami, czarne plamy płyną, rozhuśtany horyzont, słońce w jaskrawej pełni za las się zatacza, po wierzchołkach tańczy, szum w uszach, nie słychać wrzawy. Zbawienne liny, miękkie osunięcie się, liczenie. Wolniej, panie sędzio, za blisko dziesiątka, rozciągnij pan. Najpierw na czworaki gramoli się człowiek, trudno złapać równowagę. – Walczyć, walczyć – ponagla sędzia, sekundanci wodą z wiadra leją. Sędzia zabrania: regulamin... Piękne widoki, drzewa wirują, od spodu najlepiej widoczna przyroda. Znów na równe nogi, choć kolana z waty, zesztywniał kręgosłup i ręce tak ciężkie, że trudno udźwignąć, przeciwnik, jakby nakręcony, zwodzi, myli ciosy, trzeba twarz osłonić, wargi napuchły, stykają się z nosem. Brew spadła na oko, ale nic nie boli, tylko krótki oddech i splot słoneczny odkryty. Nagłe orzeźwienie, płuca rozluźnione, ani kroku w tył. Walka równorzędna, znów się okładają po żebrach, po wątrobie. Kuleczki, plamki przemieniają się w sylwetki ludzkie, w kibiców. Z daleka słychać oklaski i wrzask: – Bij. Zabij. – Stasiuk ledwo słyszy. Napuchło oko i ucho, cała skroń pulsuje, nos jak pędzel wisi. – Hakiem go, w podbródek, dyszlem, na odlew, celuj w bebechy. Nie daj się, Józuś, Stasiuk już pływa. Józuś, nie padaj. – Stasiuk z Józiuczkiem wodzą się za łby, wpadają w klincz, zmordowani, pokrwawieni. Walka na gołe pięści, ledwie w ręczniki poowijane, a ring to wcale nie deski, ogrodzenie ze sznurów. Na skoszonej murawie wydeptany placyk, konopne postronki zawiązane na kołkach. Wokół stoją ludzie. Wiejska rozrywka w niedzielne popołudnie. W tle harmonista tnie marsza, żeby raźniej. Sekundant rozdziela rozindyczonych rywali. – Za co ty mnie tak katujesz – jęczy Stasiuk przez obrzękłe wargi. – No to się nie broń – odgryza się Józuś. – Poczekaj, ja ci zamaluję. – Ciszej tam, bez kłótni, to sport – interweniuje sędzia Dionizy Paczkul, Bazylim zwany. Oho, Dionizy Paczkul, ważna figura, w młodości odwiedzał stryja w Ameryce, tuż przed wojną wrócił. Zna się na boksie, bo tak zarabiał za oceanem. Oglądał walki Murzynów. – Ludzie niczym skały, panie dziejaszku, kamienice. Kiedy się zwarli, myślałem, że miasto się zawali. Szczęki mocne, obuchem za mało, oczy cofnięte pod nawisłe czoła, brwi najeżone. Takiego żeby spotkać, no to szczyny w portkach i rzadko w kiszkach.

Don Bazyl zatem uczy tu boksu, on organizuje zawody, on sędziuje i sekunduje. Żałuje, że wrócił, że bengalskie maszyny rolne, które sprowadził, marnieją. Z nudów i zgryzoty sport organizuje. Koszula jedwabna, czerwona, wypuszczana na spodnie, przepasany szarfą, w amerykańskiej kraciastej czapce z pomponem. Ogłasza trzecią rundę. – Józuś, hakiem go, znienacka – próbuje zachęcić Stasiuka – od spodu. – Stasiuk sprytnie unika ciosów, prostym trafia Józusia w szczękę. Kapie pot, tęczowo bryzga krew. Na nikim to jednak nie robi wrażenia. Białe koszule kibiców – w czerwone kropki. Publika w ekstazie, doping. Las faluje na wzburzonych okrzykach. Gniew pomieszany z płaczem. – Nie ustępuj, dobij zasrańca, co się poważył! Dobij pierduna! – Józuś ma nogi z ołowiu, jakby je kto przyśrubował do murawy, ani udźwignąć, w piersiach piecze, brak oddechu, ani odkleić powieki. Zasłania się odruchowo rękami, krzyżuje ramiona, Stasiuk nieustępliwie prze, bije z obu rąk, w transie: prosty, cep, dyszel, hak, w zwarciu, odskakuje, w półzwarciu, kombinacja uderzeń: góra, dół, ale na razie bez skutku. Gruba przesada, że Stasiuk dysponuje śmiertelnym uderzeniem. Furiackie ataki Józuś, zwinięty w kabłąk, wytrzymuje, a Stasiuk, zmordowany, ledwo zipie. Zmęczył się machaniem. Słania się, ciosy niecelne, płuca zamurowane. Teraz kolej na Józusia. Ten wsiowy fajtłapa w natarciu, przetrwał kryzys, szaleńcze wymachy rąk. Ciosy Stasiuka ześlizgują się z jego spoconego ciała. Odpoczął, szczelnie zasłonięty, i ruszył; cep z góry, dyszel z boku. Miech już nie tak przegrzany, oddech równiejszy. – Nie certol się ze Stasiukiem! – Sympatia widzów jest zmienna. Teraz kibicują Józusiowi. – Nie oszczędzaj zabijaki! Sędzia, pogoń Stasiuka, miga się, co odpychasz Józusia. Daj mu popalić, Józuś, gazu! – I Józuś ostro trafia w nery, między oczy, aż się białka obracają Stasiukowi za obwisłymi powiekami. Z twarzy kotlet. Józuś też ledwie widzi, ale ma wyczucie, instynkt, napiera na Stasiuka, ma go na linii – szczęka akurat na wprost. Bach, celny strzał, okręt trafiony, idzie na dno. Nie, jeszcze niezatopiony.

Szał na widowni. Józuś gwarantowany zwycięzca, Stasiuk, na którego wszyscy stawiali, w odwrocie. Taki osiłek, byka powalał, a tu puszcza smród. Odwraca się, cofa, ręce mu wiszą jak dwie maczugi, nawet się nie broni. Huśta się na powrozach, gnie w narożniku. Józuś gania go po całym placu. I pac, pac, ba-bach, ba-bach, słychać prujące powietrze ciosy. Niektóre osiągają cel. Józuś ma większy zasięg ramion i macha nimi niczym wiatrak. Stasiuk bardziej krępy, niższy, grube uda, gruźlaste łydy, byczy kark, wydęte kolana, ociężały, mniej ruchliwy, bez kondycji. Józuś wysmukły, żylasty, długa, łykowata szyja, zacięty wyraz twarzy, wąskie wargi. Pokiereszowany, ale w natarciu. O takich mówią: ma serce do walki. Przed występem prosił Stasiuka, żeby nie za mocno, żeby trochę na niby, a Stasiuk z całych sił, jak w worek, zajadle próbował rozstrzygnąć bój na własną korzyść. Bez zmiłowania, na pełny gwizdek, chyba z zemsty, że Józuś się wciąż trzyma. Teraz Stasiuk poległ. Żadna dziewczyna na wieczorynce z nim nie pójdzie tańczyć, żadna z nim do łaźni nie pójdzie. Mogiła. To jego łaźnia. – Józuś, daruj, nie dobijaj – szepcze obolałymi wargami. – Józuś, bo padnę. – Niech zdycha – drze się tłum – do dołu z nim, gieroja udawał, niechaj ma! Józuś, w czerep go i poprawka z lewej, bo się odsłonił, prostym z prawej! – podpowiada w amoku publiczność. Józuś w siódmym niebie, nie czuje zmęczenia ani bólu, nie czuje ciężaru ciała, wciąż dopada, trafia. W gardle zaschło, oczy wyłażą z orbit, powieki zasłaniają pole widzenia, czuje moc w rękach i lekkość w nogach, unosi się w powietrzu. Już nie jest z ołowiu, to jasność, to ciemność, zamroczenie, znów głęboki oddech, słodkość w ustach na przemian ze słonością i snopy iskier, kłęby pary. Raptem kolana się uginają. Nieubłagana słabość. Szczęście na pstrym koniu jeździ. Czyżby klęska? Szum w głowie. Z impetem wpadł na sterczącą bez ruchu lewą Stasiuka. Zaniedbał kontroli i śliwka w kompot pacnęła, rozciągnął się na murawie, rozrzucił ramiona i stracił przytomność. Sekundant pośpieszył z cuceniem, mokrym ręcznikiem przetarł mu policzki, potylicę, wylał wiadro wody na piersi. Stasiuk tymczasem kucnął, nie wiedząc, co się dzieje, ukrył twarz w rozcapierzonych dłoniach. Nie Stasiuk, tylko krwawa miazga. Poruszał się niczym w malignie. Zamroczony, w przebłyskach świadomości, pragnął tylko dotrwać do końca, a tu, masz babo placek, nie dał satysfakcji Józusiowi, nie przewrócił się, leży Józuś. Niespodziewanie zwyciężył? Spomiędzy palców spojrzał na ring. Józuś nieruchomy, widownia zamilkła, las przestał wariacko falować, tylko zbłąkana kupka ptasiego łajna pacnęła na sam środek placu boju. Ptak nie docenił powagi sytuacji. Wreszcie docucono Józusia. Słaniając się na nogach, czekał ogłoszenia werdyktu, ale się nie martwił, on miał przecież przegrać. Pan Dionizy uniósł rękę Stasiuka, ale i Stasiuk nie okazywał specjalnej radości. Może z bólu nie potrafił się cieszyć. Boks? Prawdziwy boks? Kto tu o przepisowym boksie słyszał. Wystarczały sztachety na zabawach i końska siła w muskułach, mordobicie i kłonice, kopa w nery z ukrycia. Owszem, chodzenie na rękę było modne. Zawsze po kościele silniejsi zasiadali na ławach, brali się na rękę. Gapie obsiadali sterty pni i powalonych drzew. Osiłki zakasywali rękawy. Odsłaniali muskuły, spluwali w dłonie – i ciężko sapali. Mocno zapierali łokcie, mierzyli przedramiona.

Pan Dionizy, zwany Don Bazylem, postanowił nauczyć tałatajstwo szlachetnej sztuki boksu. Demonstrował na sucho prawidłowe wyprowadzanie ciosów, obserwowanie przeciwnika, wyczekiwanie na jego błąd, pokazywał bicie z półprzysiadu, niczym na sprężynie, z doskoku, w zwarciu i na dystans, uczył haków, prostych, sierpowych, podbródkowych. Okręcał się wokół własnej osi, wystawiał dyszel, młócił cepem.
– O, tak nie wolno, tak pastuchy walczą – ostrzegał
– najlepiej zza ucha, dla zmyłki, i z biodra, to powala.
– Uczył walki przed lustrem. Odskakiwał, kucał, robił

zwody, uniki. Ze sznurka kazał przygotować skakanki i wspólnie skakali. Toczyli morderczy bój z cieniem, biegali po lesie, i znów przygięte kolana, szczęka osłonięta barkiem. Uczył wiejskich osiłków, a nawet kilku postanowił przygotować do pokazów. Treningi odbywały się za stodołą, na placu po skoszonej koniczynie. – I żeby mi ani cepów, ani dyszli, ani z byka który nie próbował, bo zabiję – uprzedzał. – Din-Don, Din-Don – żartowały baby, ocierając ręce w fartuchy. Don Bazyl, tak podobno nazywano go w Ameryce i tu też się przyjęło.

* * *

Krzywymi drogami chadza przeznaczenie, a ptaszuki rozmaicie czyrykają, jak komu zginąć. Wyboiste i kałdobiniaste to drogi, ondulowane silnie, pokrętne... Szczury do nor, a dookoła dźwięcząca w dzwoneczki powietrza cisza i rozwibrowana dal, przepojona ciepłem i aromatami wiosny. Niezmordowany szczebiot ptactwa. Dokazuje leśna drobnica. Dostojeństwo bowiem przystoi wyłącznie bocianom laskonogim i grubej, przysadzistej zwierzynie, tłustym i dużym ptakom. One nigdy się nie gorączkują. Taktownie i bez zbędnego pośpiechu zmierzają do wytkniętego celu: nażreć się, wygodnie ułożyć i pospać, ukryć ślepia za białą, przeźroczystą błoną, zwinąć skrzydła, wyczyścić lotki. Po co fatygować energię, rozpuszczać skrzydła bez potrzeby. No, chyba że się rozeźlą. Drżyj, społeczności leśna... Wyczekać dogodnego momentu, dopiero się poderwać i runąć na zdobycz...

A drobnica, cóż, drobnica w wiecznym szamotaniu. Stale czymś podekscytowana, reagująca gwałtownie, niewspółmiernie do przyczyny, ginie podczas lotu.

– Jada ja rano, mano milimas, z Oranow do Wilnia pociongiem, a tut na długość bicza babina z tłumoczkiem koło nogow. Tengawa, kasałapa, czyrwona na mordzie... „A dokonż to, a?", zagadał ja delikatno, żeb nie spłoszyć. Potajemnie spoglonda na mnie... „Do Wilnia...", „Musi na handel?", ciongna za jenzyk.

Żmogus przysłuchiwał się nowej opowieści szaulisa bez zaciekawienia, robiąc z gazetowego papieru samoskręta.

– Baba głowo krenci... No to ja dalej: „Czegoż do Wilnia, jeśli nie na handel, a?", boruja dziura w brzuchu... „Nieochotnie na wiosce siedzieć", ona na to. „Badziać sia po kamiennym bruku lepiej, a?" Rygi u jej na skórze. Brud na odzieniu... „Czemuż te rygi na odzieniu, kiedy do miasta jedziesz, a?" Baba w przestrachu słucha. Nu, ale sia odezwawszy... „Brat na Łukiszkach..."

Nie, mnie nie oszukasz. Pleć, co tobie ślina na język przyniesie – utwierdził się Żmogus wewnętrznie – cienie niewinnych za tobą...

Ale tego szaulis nie słyszał. Ciągnął swoją opowieść:

– „Za coż on na Łukiszkach?" Oporna baba, narowi... Tajp, tajp, mano milimas. Cości barbocze. Staubuniastymi palcami przebiera. Nogami szaracha. A ja cisna... „Co, nasza władza nie w guście musi, a?" Ona wiency czyrwienieje i ani słowa nie wydusisz... Wstaja. Wycionga machorka... Zapalim? Ona także samo wstawszy... Wyjdziem, zapalim, a? Ona tłumok przed siebie... Nu i na korytarz. Akuratnie minewszy tylko co byli Olkieniki... „Ot, jeszcze Landwarów i na miejscu", wyszczyrzyła się do mnie, aż ja wzdragnowszy. Głos u baby jak blacha po popiele. Na korytarzu skrencili my tabaczki w gazetka. Ja przyodsunowszy drzwi. W duszy zadra: ty mnie sia powyszczyrzasz, ja tobie pokaża... „Duszno... Dymu za dużo", strzygnęła ramionami. Oparłszy my sia o drzwi. Fatyguja ja rozum: co ona może mieć w tym bagażu, jeżeli ani krokiem od jego nie odstenpuje. Obaczym... Obiecuja sobie. Musi tam skarby jakie pochowane... Gadam, co popadnie, i barabania w szyba w rytm kołow pociongu... „Musi i owszem", żuje ona kużde słowo. Podejrzliwa, ściska pakunek. „Pomoga", ofiarowuje swoja fatyga i wyciongam renka. A ona jak szalona, chap za tłumok i sobo zasłania. Ja długo sia nie namyślajonc, cap i łubudu baba za drzwi. Ona ledwie pośpiała rozkrzyżować rency i tyłem... Pociong, kab jaho chalera, słabawo ciongnoł. Baba uśpiała złapać sia za uszak drzwiow i obiwszy sia, schwyciła w pendzie swoj tłumok. Zawichrowało jo. Znowuż ja pomogł pychiem i nie utrzymała sia. Zaryła w żwir na nasypie. Zawyła... Choroba, drennie, myśla, tłumoka nie zostawiwszy... Nu i ja spokojno wróciwszy sia do przedziału. Siondnął, palcyma wymacał nagan. Ot, żeb przed ludźmi, jeżeli co zaczelib. Może i obaczywszy, że ktości wyleciał w pendzie... Ktości zahamowawszy pociong.

Obtoczyli kwiczonca baba... Nic wielkiego. Obdarłszy kolany, ale pisk, szumicha. Krwawe ragi na żwirowym poboczu... Kto? Co? Zbrodniarz jakiści... I zamachiwajo sia przeciw komuś... Nierazbierycha. Wnieśli baba nazad. Trochi pokrwawiona, ale żeb zanadto, to nie bardzo. Trochi gembulka skancerowana, nos... Tłumok trzymała. Nu i pewnie tak do brata dojechawszy. Nawet nikto mnie nie szukał. Musi bała sia przyznać, że ja jo wyszturchawszy... sama sia wykopyrtnewszy, kiedy pociong na zakrencie rzuciło... Nu i ot, tak ja nie sprawiwszy sia, nie sprawdził, co w tym tłumoku: dynamit, listowki nielegalne, piły, żeb kraty brat przepiłował, gościniec albo i przekupstwo, żeb straż zmanić... Nie wyszło. Nie wszystko, co zamiarywasz, wychodzi... Zanadto ja zgoroncował. Musi dla twoich delikatnych uszow nie podobuje sia? – zagadnął Żmogusa i pchnął go w ramię. – Nu, pora na mnie... Dziorhasz-szmorhasz i tołku nie ma, niczaho nie ma. Pora na mnie – powtórzył, ale nadal siedział, jak gdyby oczekując zaproszenia do pozostania.

Żmogus milczał. Ani nie zapraszał, ani nie wyganiał...

– Musu auszra uż waldżiu. Widzisz jo? – Klepnął Żmogusa w ramię. – Blisko, ot, taka moja prawda... A ty słuchaj i nie ciawkaj... Ważnego nie strugaj... Nadojadł ja tobie musi, a? Lepiej za siewienko latać, a? Nogi w necka z zimno wodo. O, cierpliwości ucz sie.

– Zanim grozisz, w porządku, ale kiedy sie podlizujesz, wstrętno... Jeżeli mnie atakujesz, w porządku.

Trudno, bronię się. Tylko jeden z nas wyjdzie źle z tego. Jeden...

– Ot i masz... Jaż do ciebie z duszo na wylot, a ty mnie grozisz. Buntujesz przeciw mnie, nu – cmoknął zwiniętymi w trąbkę wargami – ale nie wyszmulasz mnie jak żyto wiejałko z siewienki. Podsmaliłby ja wtenczas ciebie, oj, i podsmalił.

– Krowę wydoić to ty może i umiesz, ale żeby mnie do czegoś przekonać? Opowiadasz jakieś dyrdymały o kobiecie, której usiłowałeś zrabować pakunek... Dopuszczałeś się gwałtu.

– Nie straszył ja, a po dobroci. Sama za drzwi wyleciawszy. Ty lepiej pościałka pod bok, w rezginiach okłotu przynieś, żeb mienkczej, i pośpi, bo durnoty bredzisz. Ja matam na us. Uch i parszywy twoj charakter.

– Tajp, tajp, mano Miszkiń – na wpół żartobliwie przedrzeźnił go Żmogus. Wykrzywił wargi w bolesnym grymasie, potarł dłonią kolano. – Ty wszystko obiecasz, nawet do nieba pomożesz ludziom... Byle wyjść na swoje.

– Na czyje mam wychodzić, a?

– Byle w bagno człowieka wepchnąć, byle nagrodę złapać. Przejrzałem ciebie. Kto twoim wołem pociągowym chciałby zostać? Brak amatorów na dyszlowych. Próżne nadzieje i zabiegi...

– Ty za dużo rozumów nie zjadłszy?

– Kleisz jak na mękach, mój Miszkiń, i na bezmienie tego nie zważysz. Sam siebie w pomysłach prześcigasz i farmazony prawisz niestrawne...

– Gadał ja, który już raz, nie Miszkiń, tylko Miszkinis. – Sękate paluchy oschle zabębniły po poręczy.
– Zmieniłeś nazwisko? – spytał Żmogus z udawanym zdziwieniem. – Jaki miałeś w tym interes, no?
– Jak ty grasz... Duraka walasz i o droga pytasz. Nie pytaj sia. Ty dobrze wiesz, gdzie zakrenty i jak ich brać najlepiej. Nie oślepszy ty, a i ja nie ślepy i w czerepie nie zamulony.

Tymczasem na dworze porywiście szurgał wiatr. Popielatobure, ciężarne chmury rozdzierały żywoty o sterczące ostro wierzchołki drzew. Sypało obfitym białym prochem. Zanosiło się na porządną zadymkę. Za lasem gdzieś różowo pulsowała łuna. Słońce miało się ku zachodowi. Czyżby pożar? Na sznurku koło pieca suszył się nanizany multan. Obok szeleściły wianki suszonych grzybów i pachnących ziół. Charakterystyczny obrazek w tych stronach.

– Każdy lis zachwala swój ogon.

– Dobra kita to dobra kita, wsio rawno, chwost i prochwost.

– Na kołdobinach koly tarachajo, szprychi sypio sie. I stal sprawdza sie po równym. Spać ochota? – zainteresował się apatyczną miną Żmogusa – w kałojszy nie napaskudź, bo rzadkości w kałojszach – smrod... – Nie puskaj smrodow, moj ty ponas...

I tę zaczepkę Żmogus zlekceważył. Puścił mimo uszu plugawe słowa. Siedzieli w kuchni. Przez otwarte drzwi do pokoju widać było w narożnej serwantce oryginalne dzbanuszki z wymalowanymi na polewie wzorzystymi motywami ze Wschodu. Jakieś rodzajowe scenki. Obok stały inne drobiazgi. Porcelanowe figurki w miłosnym uścisku, krasnale wycięte w drewnie z pomalowanymi na czerwono nosami i beretami w białe kropki. W smudze światła podrygiwały drobiny kurzu.

– Oświeć mnie, oświeć, kiedy łaska, Miszkiń – melancholijnie zauważył Żmogus – jesteś niezrównany... Zajmujesz się każdą rzeczą, o którą ciebie nikt nie prosi. Wtrącasz się w nie swoje...

– Kudy przesz sie, a? Karasina masz? Masz... Z czyjej porenki?

Istotnie, kilka bukłaków nafty szaulis pomógł załatwić Żmogusowi i niebywale tym się pysznił.

– Za naftę i podziękowałem, i zapłaciłem...

– Nie takiej ja zapłaty od ciebie potrzebuja. Obformia i wiency, jeżeli zachcesz... Karzinka podosowikow przedawszy za niczego grosz... Za czyjo przyczyno i komu?

Zebrane przez Żmogusa grzyby trafiły do starosty z Ejszyszek.

* * *

Wspólnie śpiewano frywolne piosenki. Don Bazyl lubił podszczypywać dziewuchy, wsadzał rękę pod spódnice, obłapiał, za staniki zaglądał.

A ja dwa asy w rękawie mam
– i zasiadam do stołu, gram.

Łatwo wynik przewidzieć jest
– stawiam, przegrywam fest.

– A ten twój szeszek? Dla kogo hodujesz? – przerywał śpiewanie i pytał. Dziewczyny popiskiwały.

– Zostaw coś i dla Don Bazyla.

– O, patrzajcie, jaki bimbolet mu na szyi podryguje. Don Bazyl roztaczał aurę tajemnicy i bogactwa, rozniecał ogień pożądania w każdym palenisku, figlował, opowiadał o Ameryce, jak to chłopy boksowali, prawdziwi atleci, publiczność obstawiała zakłady i wyła z zachwytu.

– Wartałoby i tu takie zwyczaje przeflancować, żeby w praktykę weszły, dla zdrowia – powiadał – walka nie żadna bijatyka.

– Ot, gada, niechaj gada, to nie kosztuje – kwitowano jego gawędy – sik, sik, sikoreczka, cmok, cmok, niechaj cmoka.

Jego wisior, zwany bimboletem, intrygował bardzo. Ogromny, na srebrnym łańcuchu. Gruby pierścień na małym palcu budził respekt. Rybie oczko błyskało uwodzicielsko. Spodnie w prążki, wąskie nogawki do kostek albo skórzane bryczesy i sznurowane buty z cholewami. Na czole spokój. Żadna linia nie zdradzała burzy. Całkowita pewność siebie. Don Bazyl, czyli pan Dionizy, i przyśpiewką sprośną błysnął, i wierszyk sentymentalny wygłosił na stojąco. Składał dłonie na brzuchu i smutno recytował:

A kiedy umrę, to zamiast pomnika
poproszę o jamnika,
bo to lżej i bezpieczniej,
człowiek się nie spóźni na Sąd Ostateczny.
I zawsze za człowieka
będzie miał się kto wstawić – poszczekać.

Bito rzęsiste brawa, a Don Bazyl zamawiał kolejkę gorzałeczki w karczmie. Dla wszystkich bez wyjątku, dla kobiet dojrzałych i mężczyzn zgarbionych, dla młokosów i dziewcząt cnotliwych. Takie okazje jednak zdarzały się rzadko. Częściej Don Bazyla można było oglądać z gromadką chłopców i skakanką.

– Jak jest w Ameryce? – pytacie. Każdy ma samochód, na ręce zegarek, każdy pisze wiecznym piórem, chodzi w kapeluszu, na co dzień, w krawacie, w koszuli mankiety ze spinkami, długi szal, skórzana teczka i czarne palto. I w pogodę, i w deszcz rękawiczki, jedzenia tyle, że trzy rodziny przy jednym stole można wykarmić. Zawsze na tacy mandarynki i pomarańcze, w miskach chałwa, chleb pszenny i miód, do pracy trzeba wstawać rano, przed wschodem słońca, bo za dobrze płacą. Nocą na ulicach elektryczne oświetlenie, a w niedziele i święta ludzie odpoczywają, chodzą na mecze bokserskie, do restauracji, żeby usiąść przy stoliku, a kelner przyniesie, co dusza zapragnie. Onuc nikt nie nosi, tylko skarpetki, buty muszą być wyczyszczone na glanc. Idziesz ulicą, oglądasz wystawy, przygładzasz włosy, żeby dobrze leżały. Polewa się je brylantyną, nie smalcem się smaruje, jak u nas. Samochody trąbią, ale same na siebie, bo i dla pieszych miejsca nie brakuje, wzdłuż jezdni są betonowe chodniki, na które samochodami wjeżdżać nie można, policja tego pilnuje. Kobiety na wysokich obcasach, bo zgrabniejsza noga, obcisłe sukienki z batystu, we włosach wstążki do wyboru, do koloru, pachnie perfumami. Mężczyźni kopcą cygara grubsze od palca, wypchane portfele, a domy tak wysokie, że dachów nie widać, kiedy zadrzesz głowę, to się w niej kręci, okna czyste, z firankami. Parkiety dębowe. Takie nowoczesności, maszynami wszystko się robi...

– I dzieci? – Ciekawość wysuszała ślinę na języku.

– Duurak, dzieci się pod pierzyną majstruje, po staroświecku, nie przerywaj, Don Bazyl opowiada.

– ...A jeżeli ktoś ma dom, to z ogrodem i strzyżoną trawą, ogrodzenie z żelaza.

– To jak na cmentarzu.

– Zamilcz, ciemnota, bo przeszkadzasz. Ale, Don Bazyl, krowy i konie takie same?

– Krowy i konie, tak, i koty, i psy także samo, i świnie, tylko że dwa razy tłustsze, słonina na dłoń.

– A myszy i szczury?

– O, tego tam więcej, kraj bogaty, zboża pod dostatkiem. Płynie się tam tygodniami, piętrowym statkiem z kominem i maszynami. Ludzie przyjemni, wypasieni, z rękami w kieszeniach, marynarki porozpinane dla ważności, a w urzędach nogi na stołach trzymają, najważniejsi i dla upiększenia noszą w kieszonkach marynarek chustki koronkowe. A czystość taka, że codziennie kilka razy się myją i golą, niektórzy mają wąsy. Ichni prezydent w białym domu, rozumiecie? Tak czysto, że w białym domu mieszka, psy chodzą przywiązane do właścicieli, koty też w uprzęży. Samochody wypucowane, ale tam też nudno i jedzenie za mało solone, chleb niesmaczny i maławo kartofli, przeważnie kasza, ryż i kukuruza. W śmietanie można się kąpać, a mleko świniom wylewają. Włosy ondulowane u fryzjerów, nie szczypcami rozgrzanymi w piecu, i młodzieży dużo, i nie ma siwizny, bo włosy farbują na czarno, a tak bywa gorąco latem i taki zaduch, że trzeba trzy razy zmieniać koszulę. Po pracy można robić, co się chce, bo czas wolny i Murzyni na trąbkach grają.

– Och, Din-Don, Din-Don – śpiewały podochocone kobiety. – Sama słodycz z twojego gadania, w uszach anioły śpiewają – i zalotnie przebierały nogami, pocierały udami na goło, całe czerwone z przejęcia – gadaj dalej, Don Bazyl, bo ślina ciecze, tam pewnie nikt nie wyrabia marmolady z buraka cukrowego ani nie wałkuje makaronów, tam dobrobyt. – Poklepywały się zalotnie po pośladkach. – My też nie poskąpim, nie od tego, nam potrzebny pan Don Bazyl. Wyszwindolił się na burżuja, starczało, że liznął Hameryki i oceanów ze statkami, już Din-Don, Din-Don – koślawiły przezwisko. – Don Bazyli, kiedyś starczało Bazyl, Dionizy, teraz Don.

Don Bazyl uśmiechał się szeroko, szelmowsko i pstrykał palcami z trzaskiem.

– Ja zawsze stawiam na asa, moje panienki, nie ma co wiercić dziury w taboretce. – Pobrzękiwał swoim bimboletem, błyskał sygnetem i obnażał porcelanową szczękę, podzwaniał dewizką zegarka wypuszczoną na szkarłatną, jedwabną koszulę. Mały palec zadzierał do góry, tak żeby kubka nie dotknąć, i wszyscy go małpowali. Na wisiorku bimboleta wyraźnie był wyrżnięty monogram. Oto szyk. – A kto, chłopy, na boks, to do mnie – zwracał się uprzejmie do męskiej części zgromadzonych – żaden nie osiwieje. Nauczę was, jak gęby nieszkodliwie rozkwaszać, a nie nóż pchać pod żebra.

– Dziś Din-Don w humorze – pochrząkiwali wesoło zebrani. – O, jaki łaskawy, pewnie któraś mu się podobuje.

Młódź, wpierw podejrzliwa, potem lgnęła do ćwiczeń grupkami, umawiała się za stodołą, na placyku, na którym też narowiste klacze ujeżdżano. Tam naparzali się po gębach, aż chrobotały gnaty. Odskok, docisk, klincz pierś w pierś, hak od spodu, przysiad, pad na wznak. Nosy broczyły, wokół oczu kwitły rozległe sińce, ale tak się mody świata poznawało, mody amerykańskie, żeby można było nosić kapelusz albo kaszkiet w kratę, z pomponem. Don Bazyl uwijał się między walczącymi, uczył, pomagał, ustawiał pozycje. – Do wesela zagoi się, nie becz – pocieszał poturbowanych – tu w kość dostaniesz, unikniesz siniaków na zabawie. Jesteś duży i nie miaucz, bo wstyd.

– Tam każdemu w dzielnicy Meksykańców przezwisko doczepiano. Do mnie akuratnie Don przypasowali. Nie ładnie: Don Bazyl? – mówił z uśmiechem. – Komu przeszkadza?

Pytający miął połę kapoty – nikomu, po prawdzie, nie przeszkadzało, ale jakoś śmiesznie. „Co popili, to popili, ja i kompan mój, Bazyli". Tak nawet ksiądz w kościele jednego razu kazał i u nas tak gadają za plecyma. – Ja nie od tego, żeby ani kropeleczki, ale co za często, to niezdrowo. – Don Bazyl z namaszczeniem wygładzał brzuch i fałdy na koszuli, pieścił bimbolet i glancował o nogawkę sygnet, chuchał w oczko, spoglądał pod światło – owszem, ale żeby co dzień, to nie. No, chłopcy, po przerwie, do galopu, bo kości zmurszeją. Musimy za tydzień urządzić przedstawienie, że mucha nie siada. Boks, znaczy się, to boks, nie dla tych, co na mydle dupy piłują. Język, ręka i siewienka, musi być ostro. – „Język, ręka i siewienka", takie miał porzekadło. – Poszli, chebra.

– Ja jeszcze zapytam, a czy w Ameryce wiedzą, gdzie są Ejszyszki?

– Ich wcale nie obchodzi, gdzie Ejszyszki, ich miasta sto razy, nie, tysiąc razy większe i ulic tyle, i kościołów rozmaitych, bo wiary tam rozmaite, i mówią tam rozmaicie. No, do roboty.

Młódź posłusznie ustawiała się w szeregu, po wojskowemu. Na rozkaz: padnij, padali i ćwiczyli pompki, zwroty, zgięcia, wymyki na drążku ze stalowej rury na dwóch słupach, skrzyżowanie ramion, skrzyżowanie nóg, trucht, drobienie, przyśpieszenia, fiflaki, przewrotki, do siódmego potu. A Don Bazyl popędzał:

– Prędzej, prędzej, żeby jaja pływały. Kto szybszy, ten lepszy.

– Co nagle, po diable, Don Bazyl.

– Nie mędrkować tam, knury, bab się wam w nocy odechce.

Chłopcy ćwiczyli bez sprzeciwu, zabijali wsiową nudę.

– No, wycisk, chłopaki, żelazo w muskułach – dosypywał żaru Don Bazyl i sam podskakiwał, aż mu łańcuch z wisiorem furkotał – nie możecie zostać łamagami, nie wy macie ganiać za babami, ale one za wami. Przekonacie się, jak na przedstawienie przylecą, tylko termin ogłoszę. Sport i nikakich gwazdiej. Z cherlawca wyduszę moc i zrobię parowóz, umarlaka na nogi postawię. Nie żałować potu, ciało musi się zewrzeć do kupy, w płucach musi grać jak w miechu harmonii. Sztanca pracuje: raz, dwa, góra, dół, góra, dół, orzeszek w orzeszek, do wypitki i do wybitki, przysięgam. – Don Bazyl podniecał się własnymi słowami, prowadził trening energicznie i sumiennie.

– Skakanka, skłony i uniki to podstawa – powtarzał na okrągło, wyrzucając ramiona na boki – refleks i szybkość, orzeszek w orzeszek. Musicie mi uwierzyć, inaczej skapcaniejecie na tym zadupiu. Wiem, za świńskie ucho nikt karku z was nie będzie nadstawiał, postanowiłem ufundować nagrodę dla najlepszego – obiecywał Don Bazyl – będzie niespodzianka, no, upominki dla każdego. Najlepszy otrzyma trochę grosza, niech zbankrutuję. Co ja mam z wami.

W tajemnicy przed swoją grupką zapaleńców pojechał do Ejszyszek i nakupował jakichś pudeł z kaszkietami, naręcza krawatów. Tylko do czego oni mieliby wiązać te krawaty? Sporo ciesielskich narzędzi, torby cukierków. Odpowiednio to posegregował, popakował, ułożył. Teraz czekano na wielki dzień. Uporządkowano i udeptano na twardo plac pośrodku wsi. Wiadomość rozniosła się błyskawicznie, że wtedy to i wtedy, porą popołudniową, w niedzielę, odbędzie się walka bokserska, nie żadne zbijanie kaciołki kijami czy gra w jamki albo w pikiera. Prawdziwy amerykański boks, sędziuje i sekunduje Don Bazyl. Plac opalikowano, obwiedziono postronkami konopnymi z czterech stron, dookoła przestrzeń dla publiczności. Żeby tylko deszcz nie popsuł szyków ani burza. Zamiast sznurowanych, skórzanych rękawic, zawodnicy powinni byli mieć pięści owinięte ręcznikami i nadgarstki ściśnięte płócienną podwójną taśmą. Rozebrani do pasa, na bosaka, w odświętnych szarawarach z gumkami w kostce. Gladiatorzy. Don Bazyl przewidział najdrobniejszy szczegół, łącznie z dzwonkiem i gwizdkiem zamiast gongu. Dzwonki zawieszono w przeciwległych narożnikach, gwizdek Don Bazyl założył na szyję zamiast bimboletu. Ach, wałakity, wprzęgnę ich wreszcie do porządnej roboty. Będzie święto i w naszym zabździnie. Podobnej walki jeszcze tu nie oglądano, chyba że na orczyki i brongty. Marzył Don Bazyl i twarz ocierał chusteczką w niezabudki. Przygładzał lśniące włosy zaczesane do tyłu. Dać trochę kultury, przewietrzyć koniecznie tę stęchliznę. Dlaczego gdzie indziej ludzie mają wygodę? Nikt o Ejszyszkach nie słyszał na świecie, choć to starożytne miasteczko, no to teraz świat usłyszy. Mleko innym z dobrobytu po brodzie cieknie, a tu bieda piszczy. Wprzęgnę hałaburdów do czegoś pożytecznego, zanim do partyzantki pójdę, niechaj wyładują energię. Kradzieże i awantury wyplenię. Zrozumiałe, że coś z lasu trzeba przytargać, jakąś zwierzynę wykłusować, coś żryć muszą. Las wyżywi, to niewyczerpana spiżarka mięsiwa, grzybów i jagód, i żołędzi dla świń, ale wojny między wsiami wyplenię, rozkwaszone cznable im załatwię inaczej, nauczę ich bohaterstwo donosić.

Zośka Wiereszków mu się spodobała, na werandzie z nią romansował, za rączki się trzymali. Zośka podobno odwodziła go od partyzantki. Heniuk Kałapućko kamieniami w nich rzucał zza krzaków, aż go rozwścieczony Don Bazyl dopadł i gębę skuł na miazgę, zdrowo wytarmosił za łachmany. Don Bazyl nawiązał z młodziutką Zośką jakieś nieokreślone kontakty potajemnie, żeby nie plotkowano. Brat Zośki, Franuk Adaluś, rozpowiadał, że nie szkodzi, że w rodzinie zgoda co do ślubu i że pewnie Don Bazyl Zośkę kiedyś za ocean zabierze na lepsze życie. Widywano ich na spacerach dróżkami po zagajniku. Smarkateria nie próżnowała, mówiono, że Zośkę w szyję całował, ściskał i na rozesłanej marynarce na trawie sadzał, a później przewracał i katulali się po tej trawie. Smarkaterii policzki płonęły. Heniuk Kałapućko najwięcej miał do powiedzenia, bo jemu też Zośka się podobała i z Franukiem za bary się brali, że ten Don Bazyla do Zośki dopuścił.

Nigdy jej nie powiem – rozmyślał Don Bazyl. – Wałakitom nie pozwolę opinii szargać, Heniuka popędzę, gdzie pieprz rośnie.

– Każda, kiedy ją zaswędzi, do byka popędzi, i zaswędziało Zośkę – podśmiewano się zgryźliwie za plecami – łase byczki na prawiczki, a Zośka pewnie prawiczka, Heniuk podkradał się, ale mu nie dała. – Z rezygnacją opuszczali ręce, bo wiedzieli, że nie dla psa kiełbasa.

Zośka Wiereszków, zgrabna panienka, rzeczywiście chyba nieruszana, stanowiła łakomy kąsek, wielu by fortunę za nią dało, ale fortuny nie mieli, a ona pełny kufer bielizny mogła wnieść w posagu. Franuk paradował dumny niczym paw – wiadomo, sporo sobie po tym ślubie obiecywano w rodzinie.

* * *

– A szkło do lampy? Żeb nie ja, po ćmoku ty by siedział. Nu i czyż ja ciebie nie oświecam, a?

Często szaulis istotnie bywał przydatny. Ale doskonale wiedział, kiedy pomoc wypomnieć, kiedy podkreślić swoją wspaniałomyślność w kontraście z notorycznymi świństwami, które innym wyrządzał. Jego bezczelność, wścibskość, bezceremonialność Żmogus znał dobrze. Doceniał przeciwnika.

– Łabas, drutas kałakutas. Już w kłumpiach nie przychodzisz? – witał go niekiedy jowialnie i sam szaulis nie bardzo wiedział, co za tym tonem się kryje.

Podejrzanie dobry humor zawsze wprawiał Miszkinia w zły nastrój.

– Gałagut krenci sia gdzie? – upewniał się.

Żmogus wiedział, kto to jest, ten od wszy, co to wystarczyło schylić głowę i już się sypały jak groch...

– Kałakutas – poprawiał Żmogus. – Dlaczego jesteś naburmuszony jak indyk? Mógłbyś się rozprężyć. Nic złego ciebie u mnie nie spotka...

– Kałakutas, ale nie czyrwony – wybuchał zadowolonym, gardłowym rechotem. Uważał, że dowcip się udał. Niezmiennie twierdził, że wystarczy, iż nie jest „czyrwony", a już lepszy od innych.

Niczym skrobanie paznokciem o szybę, dobiegały odgłosy zbliżającej się od zachodu nocy, potęgując szczególny nastrój wyczekiwania na coś nadzwyczajnego, jakieś zmiany, jakiś szczęśliwy przełom, jakieś natchnienie, pozwalające przetrwać paskudną, długą noc. Pośród czarnych strzelistych pni świetliście odbijała od tła nieba duża odryna. Nawet szaulis o tak wyjątkowej porze wyglądał uroczyście. Szerokie spodnie z kantem. W mankietach koszuli spinki wielkości fasoli.

– Kużden jeden zachowa sia jak gówno, kiedy nóż na szyi czyryka – miedlił kolejny raz to samo. – Czy takiemu sia koło dupow krencić? A ty, człowiek, nie możesz, masz zadania. Albo puskasz musowo, bo nie ma czasu. Ot, i sekret. Tak, tak, polityka z bladstwom pomieszana. A ty? Żeb gaciow nie popeckać, goło śpisz, a? Baba do gaciow potrzebna, bo oni i tak sia popeckajo... Sam mużczyna na czarno pierze...

– Skąd takie doświadczenie? Nie przypuszczałem...

– Ciebie uważam. Szkoda, że brakuje tobie baby. Pamientam, jak ty, założywszy konikow, jeździł. Hołobelki bałandali sia po bokach. Duha z brazgulami brazgała. Zatniesz lejcy, koni galopem. W pierściach rozkosz rozpierajonca...

– Odgradzasz się wspominkami od tego, co wykonujesz, Miszkiń. Rupieć z ciebie. Nieprzydatny rupieć... Wiesz, co ci wróżę. Przy takiej robocie ze starości nie umrzesz.

– Nu i prawda, niecienżko o wypadek u mnie – przyznał Miszkiń rację Żmogusowi. – Prawda i to, że ja mam za darmo wystrapane, a tobie nawet dzierkaczem schodow nie ma kto wyszurować ani podłogow doczyścić. Wychwostać w subota plecow nie ma kto. A ja, co chrapka na jako mam, to i praktykuja... I co mnie wytykasz, że ja gwałtem. Ważny rezultat... Nie chcem, żeb mnie głod i smrod zeżarli. Ty palcem nie kiwniesz, a czekasz na gruszki z wierzbow. Nieudałota z ciebie, bez wygody. Kirzasz, kirzasz, ryjesz nosem i na miejscu. Nic do przodu i pożytku mało...

Żmogus wolał nie dolewać oliwy do tego ognia.

– Nu, żeb nie zedrzeć gaci, śpisz musi goły? Marniejesz. A wieleż zarasta nieruchanych, ileż nierozprawiczonych po steckach ciemnych chodzi... Tylko czekajo, żeb kto komin przeczyścił. Nagabujo, a ty jak barsuk... Nalapał, nalapał i zamilkł. Zakiśniesz bez poruchania. Dupa do zydla przyrośnie. Pójdziem

razem, chcesz? Mam takie w Ejszyszkach. Za darmo
dadzo. Ja poprowadza, nu i co? Pół litry i na zomb.
W perkalowych koszulkach trzymajo. Cycki, nu, malowanie. Tancujo bez majtkow. Jest dzie rency wsadzić.
Dekolty po pempek i pływajo, pływajo po salonie. Ty jo
chap w garść i masz, wprost jajcy penkajo. Anioły, nie
baby. Nu, gadam, kcesz? Nie kcesz. Krencisz głowo...
Szkoda... Zasuszony ty i narowisty, zamiast żył struży-
ny, łyka zamiast żyłow, ściengna na szyi powyłaziwszy.
Same włókny, nieapetyczny ty. Żadna baba za tobo nie
poleci. – Uniósł szklankę. – Nie złuj sia, ot, ja tak, żeb
ciebie zwurdzić. Uż musu wielawa. Tiesa? Uż musu łaj-
stwie ir łajmie. – Dolewał po kolei i wypijał duszkiem.
– Tyle czasu, człowiek znowuż wytrzeźwiawszy. Uch
i przeciwnie trzeźwieć... Kiedy otrzeźwiejesz, ziomb
w kość lezie. Cóści nie pośpiewasz za mno – spojrzał
na Żmogusa z wyrzutem – nie wypiwasz. Ja musi tobie
nie kompania. Ja tobie mały bużuk, glista, w gównieb ty
mnie utopił. Uch i dajosz ty... A pełna karzinka ty koź-
laczkow kiedy nabrawszy? Syrowieszkow, rydzykow,
nu, nabrawszy? Tylko chodzisz do swoich Wiszkuncow.
Do Wiszkuncow i do Wiszkuncow... Co tam wy knuje-
cie? Bunt jaki? On tobie para. Z im w karty... Ze mno nie
uchodzi. Za wysokie progi – uniósł się i skłonił ceremonialnie – za wysokie. Ot, takie wymagania... Oczuchaj
sia czym prendzej, bo przepadniesz. Babskiej dupy nie
poniuchasz. Przywykniesz do samotności, a prywyczka
druga natura, brat ty moj. Objawienia nie czekaj na żadnym feście. Znikond ratunak nie nadejdzie.

Ale i to przemówienie nie odniosło skutku. Żmogus spozierał na szaulisa zmęczonym wzrokiem, spoglądał na stół i ściany, w czarną czeluść pieca.

– Nu coż, nie ma rady, Miszkinis – powiedział sam do siebie szaulis.

Wstał, tym razem zdecydowanie, i wcisnął głęboko na czoło samodziałowy kaszkiet ze złamanym daszkiem. Klepnął się po kieszeni i energicznie ruszył do wyjścia. Jakże drażniły Żmogusa te nieustanne demonstracyjne nagabywania, to droczenie się, nachalne podkreślanie litewskości, ten na siłę litewski język, który przecież on znał nie gorzej od szaulisa, tylko nie miał zamiaru go profanować. To każdorazowe wyzywające guzdranie się przed wyjściem. Byle prędzej wyszedł i nie wrócił...

– Ot, on moj anioł stróż – Miszkiń odwrócił się od drzwi i potrząsnął naganem – bez jego przyzwolenia ani rusz. Wszendzie razem...

Szaulis zatrzymał się i jakby na odchodne ogarnął kuchnię mętnym wzrokiem.

– Uparty czartapałoch, czort niechryszczony. Nie puskasz ty farby... A ja z ciebie i tak wycisna. Wyrygasz ty swoja prawda. Nie popuszcza. Mnie w mozgi nie napuskasz. Kuty ja na cztery kopyty... Obaczym, nu...

– Wiso giaro, Miszkiń – odparł Żmogus trochę nazbyt pośpiesznie, nie ruszając się z miejsca – wiso giaro...

– Uż musu tiewinie. Uż musu łajswie. – Szaulis w niezdrowym podnieceniu zgodnie z rytmem słów wyrzucał ramiona do góry. – Szkodować nikogo nie benda. Zareżu kużdego lesnego, jeżeli złapia, powiedz im... Ty z imi trzymasz, tak i przekaż im moje powinszowanie...

Skąd u niego zamiłowanie do wywlekania okrucieństw? – zastanawiał się Żmogus. – Co go obchodzi, że ludzie truchleją... Pastwi się nad Bogu ducha winnymi... Odwraca uwagę od samego siebie, u mnie zabiega o względy, plugawa kreatura... Łapczywie domaga się pochwał.

Przypomnij, Miszkiń – myślał posępnie Żmogus – Jadźkę Kisielankę, pamiętasz? Ją też wydałeś. Doniosłeś, że leśnym jedzenie nosi... Przypomnij, a przecież do niej cholewki smaliłeś onegdaj. Podstępnie, zza winkla, z kamratami zastrzeliłeś. Wyszła dziewczyna po wodę do studni i wtedy ją kulką poczęstowałeś... Przydybałeś akurat przy studni. Zresztą kula, jak zechce znaleźć, to wszędzie znajdzie... Podkradałeś się do niej jak lis. Przez okno wąsy wtykałeś, a ona ciebie kijem od szczotki. No i z zemsty dojadłeś... Spocony wieprz jako kandydat na męża... Widzisz, Miszkiń, nawet kochankiem nie zostałeś. Coś jej obiecywał? Łagodnie, z ryjem złożonym w ciup. Krepdeszyny, perkale, wiadomo... Dobroduszny Mefistofel, niejedna się nabrała. Ta nie... Rozczarowania nie potrafiłeś przełknąć i wpakowałeś kulkę. Przypomnij – miedza, grusza, marynarkę rozścielałeś i kusiłeś: siadaj, siadaj. A ona po rżysku z rozwianym włosem, zgrabna, młoda... Skradałeś się za nią potajemnie, chyłkiem. Prawda, szyderstw się nażarłeś... Ludzie nie darowali, a i Jadźka języka za zębami nie trzymała... Ty chodziłeś po wsi i trzepałeś swoje prawdy... Nu, jeżeli nie za mno, przepadnie bez wieści... I rodzice się bali. Spali tak, żeby nie zasnąć... Jadźka coś przeczuwała, wszystko robiła tak, jakby po raz ostatni... Wypróbowany sposób – zastraszyć. Kpiłeś: „Nie godzinki ona śpiewa, ale niegodziwki... Klęczy i śpiewa swoje niegodziwki..." Drapieżnie to mówiłeś. „Och, ja by w ta brzoskwinia palcy zamaczał..." I na smaku musiałeś poprzestać. Nie zamaczałeś. Brzoskwinie okazały się nie dla ciebie. Żłopałeś wódę, żeby zapomnieć... Miszkiń, Miszkiń, Hun, i ten delikatniejszy... Attyla, bicz boży. Dobre Zło i złe Dobro... Rozplącz, bratku. Z Jadźki musiałeś zrobić ofiarę... Szwargotanie ci nie pomoże. Zabułdyga z ciebie, na pośmiewisko, tak... Nic za husieńko nie ma, powiadasz. Owszem, ale i nie będzie. Zapeszyłeś dziewczynę i cipluk się tobie nie wykluł. Nawet kurczaczek na paznokieć... Brandzlujesz się, draniu, na jej wspomnienie... Wytarzałeś się w padlinie i fermentujący smród od ciebie. Siksy prześladujesz podobno. Nieletnie Żydówki gwałcisz. Niepoczytalny z ciebie człowiek. Bożysz się, że ludzie fałszywie oskarżają... Na bosaka po wodę Jadźka wybiegła i nie wróciła. Chciało ci się czatować w krzakach. Mściwość w tobie diabelska... Jajcomierz sobie wmontuj, a nie morduj... Znieważasz nie tylko nas, ale i samego siebie.

Jadźka Kisielanka... Żywica i słońce. Biegała w podszytych wiatrem perkalikach. Zabrakło jej nagle, zabrakło... Czyż nasza ziemia to dom wariatów? Człowiek idzie po wodę i nie wraca. Wychodzi za potrzebą fizjologiczną i zakłada pętlę na szyję. Istny cyrk upiorów. Nu i tak pijem nie swoje ze szklanki po falbanki, kosztujem, co inni dają...

* * *

Od razu anioły z nich się nie wykłują, ale zadatki są, bandziorów w nich wytępię, pootwieram zakute łby, łykną sportu, przestaną wierzyć w wiedźmy i w szeptuchy, zaczarowane uroczyska. Nędza rozum miesza, nieróbstwo do rozboju popycha. Udeptana ziemia i reguły gry – najważniejsze. – Pamiętam, pół Chicago wylegało na pojedynki bokserskie. Czarni z białymi przeważnie, bo złość ma kolor skóry. Ręce jak dyszle, karki grube, przekrwione białka i łomot, ale pod kontrolą. Zakłady, kto kogo, solidna gotówka, Ameryka, bogactwo uszami lezie, jeden budynek z żeliwnych części, na ulicach ryk, trąbienie, osobno ludzie, osobno samochody, szybkość, szurum-burum, szykowne ubrania, kostiumy do figury, w domach woda leci ze ściany, a sra się do porcelany, budynki podpierają chmury, bruk, kamień, beton, szkło, parno i hałaśliwie, wesoło, od benzyny mdliło, można za rogiem i oberwać, w ciemnych załomach żuliki, tyle ras i charakterów. Ale człowiek wiedział, za co tyra. Tyle się maszyn sprowadziło i psu na buda. Same markowe, bengalskie. Kręciołek z porami roku, bo klimat tam cieplejszy, nie zdążysz odsapnąć, zmiana temperatury. – Słuchacze z podziwem potakiwali, kiwali głowami, dłonie do oklasków się same składały. Starsi zazdrościli: czemuż nie z moją, tylko z Wiereszkówną kręci, a Don Bazyl niestrudzenie ciągnął monolog: – Rodzenie w polu tam duże, ziarna pełne magazyny, rząd płaci za to, żeby ziemi nie uprawiać.

– Płacą, żeby nie orać? – z podziwu otwierano usta. Ależ rozrzutność w tej Ameryce.

– Polityka, nie rozrzutność, wszystko rozplanowane. – Don Bazyl unosił w górę mały palec z sygnetem i wygrawerowanym monogramem, aż migotało w pomieszczeniu. – Maszyny pomagają. Ameryka... – rozmarzał się, pykając cygaro. – Człowiek sobie pożył, na starość uskubał i na rodzinę, ale żeby tam zostać, to nie za bardzo, do swoich ciągnie. I zawsze tam za parobka, na posyłki. Ciągnie wilka do lasu. Oho, ileż nocy nieprzespanych: wygodnie, syto, ciepło, a tęsknota straszna. Tu umierać sądzone.

– Jakie umieranie, co też gada! – zaprzeczano zgodnie i skwapliwie. – Zośka młoda...

– A, to już się rozniosło. – Don Bazyl rozciągał wargi w uśmiechu.

– Młoda, nie przeżyłaby, każda trawka piszczy o tym.

– Kocioł z garnkiem zawsze się zejdzie – dogadywali wesoło – a umierać nie pora.

– Może i prawda, doktorów tam pełno, pierdniesz, a już pan doktor czopek wtyka, pigułkami futruje, nikt tam wiechciem trawy zębów nie czyści...

– Ale w trawie soki zdrowe.

– Niech i najzdrowsze, do tego potrzebne szczotki i proszek specjalny – bronił swego Don Bazyl – nie trawa. Tam mydło w każdym wychodku. Rodzisz się i umierasz zgodnie z papierami, choć i ludzi pod mostami można spotkać, siedzą, w ułomkach lustra się przeglądają, nie chce im się nic robić, przeważnie kobietki, urodę wyprowadzają szminkami. Taka za kilka groszy pójdzie z tobą.

– To kurwy – pośpieszali z wyzwiskami.

– Z wyboru, bezdomne, w łachach, poobdzierane, w butelkach wino od rana. Siedzi taka na tłumoczku i kiwa na ciebie, zaprasza.

– Toż franca, skaranie boskie. – Pluli siarczyście na ziemię.

– Tłumoczek kartonowy – ciągnął Don Bazyl niezmącenie – usta grubo podmalowane, smród od niej falami. Albo, dla przykładu, na pierwszy rzut oka zbrodzień, zębami łyska, a okazuje się: choć do rany przyłóż, buteleczką poczęstuje, w rękę wciśnie, za to inny grzmotnie, ani podłaź. Przeważnie stadami się gromadzą, pachlobki siorbią, i zadowoleni. Nawet pośród bogactwa takie dziwności, a już z ichnią babą się zwąchać, mogiła, zakatrupią, zarżną tępym narzędziem. Omijałem, ale ciągnęło człowieka, ochota, żeby z taką pofiglować, zabajdurzyć...

– Ten Don Bazyl ma swoje za pazurami, nie dziw, że do świeżyzny go ciągnie. Szkoda Zośki, ona jeszcze niczego nie wie – mówili ludzie. A w domyśle, że powiadomią i uświadomią, że nie przelewki z miejscowymi. Tak sobie dyndać i pleść głupoty o Hameryce. Dyndać, bimbać nie na nas. Pożytek z każdego musi być.

Ale Don Bazyl zawsze czuł się pożyteczny. Dalej opowiadał:

– ...Majtki takiej ściągnąć, łachy przewentylować, zadrzeć koszulę; tylko bojazno podejść, zaczepić. Don Bazylem mnie przezywali, bo ja zawsze elegancko. „Don Bazyl", wołają, „przynieś to, podaj tamto". Wiedziałem, że łacha ciągną, ale co tam. Nazamiatało się hektary podłóg, nazmywało się piramidy naczyń, urobiło po łokcie, ale i zapłata na medal, w każdą niedzielę wychodne, wieczorem szło się do hali ćwiczyć boks. Ten z warkoczykiem, tamten na łyso, aż grzmiało od młócenia, choć rzadko który padał. W innych dzielnicach życie bywało krwawe, w nędzy. Ruiny, czerniejące okna bez szyb, ulice jak kamienne rowy, szczury i myszy szmygają, koty spasione. Robactwo i półludzie, bez nazwisk i wyglądu, taka druga strona Ameryki. Tam mogli zapuszczać się albo oszalali, albo policja. – Don Bazyl z wyraźną odrazą szarpnął bimbolet, aż łańcuch zabrzęczał. – Z takimi wisiorami pojawiali się ludzie w bogatszych dzielnicach, gdzie pewniejsze jutro, gdzie krwawe zorze wschodziły o północy rzadziej. Do tych ludzi i ja należałem – podkreślił to z naciskiem i dumą – wiedziałem, że kiedyś wrócę na własne śmieci i zaprowadzę nowy, amerykański porządek z tych lepszych dzielnic, kto zechce, nauczę poszanowania grosza, pokażę, co z tutejszej ziemi można wycisnąć. Żebyż nie ta wojna.

– Ależ mecyje przywiózł – z niechęcią burknął któryś ze słuchających.

– Pomieszało się, za wcześnie wróciłem, tam bym majątek zbijał, ale na własną zgubę pośpieszyłem. Na utrzymanie mam, czym rozjuszam nawet sąsiadów – rozglądnął się z uciechą – po prośbie nie muszę do nikogo pukać, ale bengalskie maszyny czort chwostem skasował. Niechaj przynajmniej chłopcy potrafią wojować, drzeć kopytami, aż im ulży. Rozrywka po kościele murowana. Ludzie jeszcze za występy zapłacą. Interes gówniany, ale interes. Nawyk został, żeby ze wszystkiego mieć korzyść. Bliźniego mniej się kocha, jeżeli interes słaby. Bóg stworzył diabła, a diabeł człowieka nauczył interesu. Gdzie wzór i podobieństwo, gdzie sprawiedliwość. Moda amerykańska, baby amerykańskie, kanciaste, jakby poskładane z rozmaitych kości sterczących w różne strony, a oni ganiają za nimi. No i wróciłem.

– Pewnie, tu szczęścia szukać, kiedy tam brakowało – malkontenci nie dawali spokoju Don Bazylowi.

Wyciskać grosz z niczego potrafią, to insza inszość – myślał Don Bazyl. – Wszystko u nich przemienia się w palmę z Palmowej Niedzieli, każda pałka w garści kwitnie. Potrzebna kiepełe, i jest zysk. Trzeba, gdzie lepiej, gdzie opłacalniej. Wojna wywróciła piernaty na nice, każdy chuj na swój strój, targaj kałamaszkę, bądź mądry, nie zatyraj się na amen. Pokaż tylko garb – każdy osiodła, wskoczy, żeby dołożyć. Z własnym cieniem trzeba się ścigać, aż plecy pękają i we łbie miereszczy sie. Najważniejsze: nie dać się trafić, zwód, unik i podbródkowy, a nocami okładać zawieszony wór z opiłkami, żeby więcej zarobić, albo służyć za wór treningowy dla Meksykańców i pilnować duszy, bo to energia życia, omijać zaczepki, nie bredzić o bogactwie, nie drażnić silniejszego, od rana szorować piramidy naczyń i nie zejść na manowce. Na kogo ja tych tutaj wykieruję? Ciekawskie nasienie. A wykieruję na takich, żeby się mniej bali, żeby nie musieli tego widzieć co ja. Zapaleńcy, wtryniają kartofle z kwaśnym mlekiem i się cieszą. Zakapiory, gęby rozdziawione łatwowiernie, niby w porządku, a dźgnie taki, orczykiem zamaluje. Znaleźć zajęcie. Giezgołd wiatraki z dynamem na górce stawia, a ja ich cap i do sportu. Chcecie, proszę bardzo, podług dozwolenia, to lekarstwo na zatęchłość. Kutasy paradne, będą z was bohatery, mamulce pogańskie. Doskok, odskok, ładowanie w wór, klincz, hak sierpowy, zamroczenie i klincz, i sierpowy, dystans, prosty. To im ulży. Ciemnota przesądna, baby-jagi ich straszą, po rozmokłych bagnach szukają szczęścia, w przerażeniu, że tam „wodzi". Babę klepie, ze śniegu bałwany kręci. Od urodzenia każdy na śmierć przeznaczony. Tak jest z tymi podejszyskimi głąbami, z tymi szaraczkami chodaczkowymi, udającymi ważniaków. Co poniektórzy za sochami w łapciach z łyka dreptali, a marzą o Hameryce, co skrzy się pachnącymi dolarami. Ich metropolia, Ejszyszki, pożal się Boże, zagrzebana w głuszy, zarośnięta pokrzywami, jawi im się jako cud na ziemi i wszyscy mają obowiązek o tym cudzie wiedzieć. Słoma za nimi się wlecze, ale królewski trakt, ruiny koło Hornostaiszek na Majaku ich chluba. Hardość duszy, bo oni, tutejsi analfabeci, kaczki szczać umieją prowadzić. Tutejsi Żydzi na nich interesy ubijali, a ci kwiczeli z uciechy. Ejszyszki w ich umysłach ważniejsze od Wilna, od każdego miejsca na ziemi. No i po co wracałem? Coś mnie ssało, ciągnęło do smarowozów. Ja już ich nauczę Hameryki.

Przygotowania do walki trwały. Biegano po lesie, ścigano się na rowerach, na przełaj pokonując wertepy, do rozstajów, do zagajnika, konno, na bosaka. Idiot died w sabaki odiet – taka zabawa ze strachem przebranym w psie skóry – mniej zajmowała. Łapać dziada. Kto złapał, wygrywał. Nad nimi unosił się Pan Bóg z ziemi obiecanej, brodaty, z obrazów na ścianach kurnych izb, stary znajomy. W jego imieniu ksiądz Rafał Montwiłł gromił z kazalnicy: – Brudasy, do bieli siedmiu pumeksów za mało, szatanem podszyci. Ale się nie martwcie, zaprawdę, każdy z nas grzeszny i każdy bułwę zbawienia w tornistrze nosi. W niebie dla każdego jest miejsce.

Dobry Bóg mrugał z ołtarza, srogo upominał ponad głową kapłana. Korzyli karki, bo zbawienie pewne. Jednego się przestrzegało: raz w tygodniu łaźnia, maczanie wilgotnego palca w soli, pocieranie dziąseł wiązką trawy, by soki z krwią zmieszać, najwięcej ich w krwawniku. Na odparzenia babka. Czystość sprężała energię.

Nastał wreszcie upragniony dzień. Po kościele krąg wokół ringu zapełnił się szczelnie. Stasiuk i Józuś ubrani przepisowo znów stanęli naprzeciw siebie. Skupieni, mniej rwący się do bójki, wymierzali ciosy ostrożnie, jakby się rozpoznając. Niby czupurne koguty. Czyhali na błąd, sczepieni przeszywającym wzrokiem, instynktownie szukali słabego punktu – pojedynek polega na tym, że któryś musi zwyciężyć. Józuś, długas o niezbornych ruchach, i sprężysty Stasiuk. Łykowaty chudzielec i krępy osiłek. Natarli. Nagle Stasiuk znalazł się na klęczkach, podźwignął się jakoś niezgrabnie, powoli. Wyprostował tułów, rozgiął kolana, wyprostował nogi i przygarbiony dowlókł się do lin, bezwładnie osunął na taboret. Następna runda. Zeszli do parteru, niczym w zapasach. Jeden drugiego próbował uderzyć z byka. Złapali się wpół. Z klęczek podniósł ich Don Bazyl. – Boksować, chłopcy, nie brać się za bary. Czyżby moje nauki poszły na marne? – strofował i rozdzielał, bo ta szarpanina nie przypominała boksu. W końcu jakby zrezygnował z przestrzegania czystości walki. Coś wykrzykiwał, ale w ogólnym rozgardiaszu jego głos ginął. Zapasy przeistoczyły się w bezładne mordobicie.

Stasiuk i Józiuczek z trudem oddychali, odpoczywali w zwarciu. Obnażeni do pasa, w szerokich spodenkach, spoceni, z rzadka wypuszczali ciosy. Macali się na chybił trafił. Jęk na widowni zagłuszał przekleństwa Don Bazyla. – Józiuk, zabiję – szczerzył zęby Stasiuk – padnij, bo zabiję, ty sabaka. – Józuś oburącz odpychał rywala i starał się kolanem trafić w krocze. Stasiuk przysiadał, syczał z bólu i parł na oślep do przodu. Znów sczepieni dreptali wokół siebie. Don Bazyl bezradnie wpychał ręce między walczących, jednak zapamiętanie brało górę. Nikt nikogo nie słuchał. – To ja ciebie, ja

– Józuś obiema pięściami walił Stasiuka w głowę – ja ciebie ukatrupię. – Obaj opadali z sił. Walka nieczysta, nieudany mecz, ale się odbył. Przeciwnicy walczyli twarzą w twarz, patrząc sobie w oczy. Potem siedzieli w przeciwległych narożnikach w oczekiwaniu na werdykt. Stasiuk pragnął zapaść się pod ziemię. Stracił sławę niezwyciężonego zabijaki. Teraz może się pętać tylko poboczami, obok głównej ścieżki. Ten Józuś, niedorobek, tak go rozkwasił, ten wypierdek mamuta, co to od uderzenia fajerką w goleń zemdlał. Gonił z drutem za kółkiem i zemdlał. A teraz raptem wydoroślał i samego Stasiuka tak rozłożył, że ten z klęczek ledwo wstał. Don Bazyl rękę Józusia uniósł na znak zwycięstwa. Stasiuk łypał z ukosa, gruzłowaty, z szyją wciśniętą w ramiona, z przylepionymi kosmykami włosów, pokonany. Tygodniami nie pokazywał się na dworze. Została legenda prawdziwej walki. Nagrody uczciwie rozdzielił Don Bazyl i ochota na prowadzenie dalszych treningów z młodzieżą jakoś minęła. Nawet Zośkę Wiereszkównę zaniedbał. Przepadał na długo, ukradkiem przemykał do domu.

– O, Don Bazyl coś nowego znalazł. Już się nie zajmuje gówniażerią. Rzucił Zośkę, a ta na wesele się szykowała, świniaka tuczyli na przyjęcie. Chyba Heniuk skorzysta.

– Mięso nieświeże, zdaje się, przypsuł Don Bazyl – dogadywano bezwstydnie, przeważnie kiedy mijano Zośkę, ta czerwieniała i zakrywała twarz chustką. – Taką dziewczynę zbałamucić, i to z przyzwoleniem rodziny.

Ale Don Bazyl kupił drogi prezent Zośce i wręczył tak, żeby wszyscy widzieli. – Weź, Zosia, i nie chowaj do mnie urazy, idę do partyzantów, w bezczynności jakoś smutno. Nie będziemy więcej randkować. – Prawie na siłę wsunął w ręce Zośki spory pakunek. Kiedy go rozpakowała, okazało się, że jest tam piękna jedwabna suknia i pończochy w roślinny wzorek, i para brązowych bucików na wysokim obcasie, i kapelusz obwiązany wstążką, i czekoladki. Wykosztował się Don Bazyl i trochę złość jej minęła. Przymierzyła suknię przed lustrem – jak ulał, rozmiar ani o numer większy, Heniukowi oczy załzawiło. Jeszcze na odchodne jej Don Bazyl powiedział: – Z ciebie, Zosiu, ładna dziewczyna, młodszego jesteś warta. – Szkoda, bo ona chciała Don Bazyla, ale on wstąpił do partyzantów i zanim wojna się skończyła, słuch o nim zaginął, a potem w te strony już nie wrócił. Podobno gdzieś w centralnej Polsce zamieszkał, albo i do swojej Ameryki znów wyemigrował.

* * *

– Żeb ja chciawszy, tob ja ciebie jak ciasto na pirogi, ot tak – szaulis przejeżdżał paznokciem po poręczy krzesła – szmorgnąłby, i kryszka, piździec... Pokociniałby ja ciebie gramem ołowiu po czerepie. Tyż nie baran, co to starczy renka nadstawić i bukatysz... Ty rozumny, wielki, nie zbliżysz sia do mnie.

– Jeździsz po mnie, Miszkiń, jak po burej suce... – bronił się Żmogus.

– Czegoż ty skaczesz, nu?

Oczywiście Żmogus nawet nie miał zamiaru skakać. Na tym polegały wyssane z palca prowokacje szaulisa.

– Uważaj, czykna po gardziołce... Kużda ciałuszka, źrebuczek, jagniuczek w mojej władzy... Kiedy co w poprzek, ani drygnie. Żadne ziawanie na mnie... Zaciukam, dźgna pod żebry, i kryszka. Moja prawda... Ty musi za mocno w pióry obrosłszy, nu, i trzeba ciebie obskubać, obgolić te pióry. Pływasz, przebierasz nogoma, machasz rencyma. Macasz grunt i go nie czujesz, boś przeciw mnie... Ja twoj grunt i twoja prawda. Pamiętaj, sonsiad, bo padniesz i piździec z taboj. Nigdy panczoszki nie zastonpio ciepłych onuczek, a u mnie ciepłe onuczki – uparcie pouczał, kiedy sobie trochę podchmielił. Folgował do woli, bez skrępowania. Bezczelnie szukał zaczepek, szukał dziury w całym. Usiłował wymusić posłuszeństwo.

Żmogus milczał, ale nie ustępował.

– Wiesz, co z wszami robio – pytał podchwytliwie szaulis. – Ani słychu, ani dychu, kryszka – rozcierał palcem niewidzialnego wroga – i z ciebie taki zapleśniały durak... Nawet karalewa podobnież kiedyś-ci powiedziała: piździec, uwidziawszy chuj piersidskawo cara... I tabie takaja karalewa, takaja kuryca patrebna. Takaja ot...

Maładaja kurlica
da pietucha jurlitsa
a staraja kwokcze
bo pietuch nie dopcze...

Jak z drennie rozczynianym ciastem, trzeba miesić i wody dolewać...

Zawsze coś żarłocznego tkwiło w szaulisowych porównaniach, coś zohydzającego, brudnego i jątrzącego. Odrażające porównania, obrzydliwe zachęty...

– Ot, cep w garść i małaci... A co z twaim cepem, a? Kłopoty? – wyszczerzał zęby. – W ciasna szparka nie popada, a? Pikowanie obok? Nieświeżość w tabie... Wypij i musowo wlezie. Wczarapka sia... Byle namacać pipirka... Napuczy sia i jak po wazelinie... Odpowiedzialno gadam, nu... Job i w łob... Nie po prośbie na baba, nie co łaska... Ty musi użo zapomniawszy, na co klin w gaciach. Jak piczurynka wyhladzić, zapomniawszy, a? Zakiśniesz i bez majeho zabiwania... padochniesz bez majej pryczyny...

Rzadkie, płochliwe letnie noce rozpościerały się nad lasem. Rzadkie, bo rozrzedzone czyhającym nieustannie świtem, który wciąż gdzieś zza lasu wypełga i gasi gwiazdy, rozmywa chłodny szafir, ogranicza bezmiar... To nie jesienne, wiecznie spleśniałe poranki, ciągnące się w nieskończoność, rozmazane sennie... Wiosenna noc mobilizuje, każe być w gotowości...

Kiedy indziej szaulis zwykł był rozpoczynać łagodnie. Zadzierał z zadowolenia głowę, wyciągał szyję, jakby ni pry czom...

– Ot i stalowanie u ciebie sia sypie. Remont obowionzkowy, a ty hardy... Hardości w tobie potond – przygładzał włosy na płasko. – Łazisz ty jak muchi po kisielu... Na obstalunek remont kosztuje, a jab tobie

darmo... Nu, wojskowe, remontowe bataliony przysłałby ja do ciebie i tyb dostał zezwolenie, żeb z nami...
– obmacywał z każdej strony. – Tylko żeb ty pokorniejszy – śpiewał na znaną melodię – zapleśniejesz inakczej i kości twoje muraszki po kopcach obgryzo, albo na gościncach rozsypio... Przez dziurawa stalowanie ciepło wyciongnie, i z ciebie wyciongnie. Za życia wystygniesz jak piecka bez chleba. Twoj pałac czort weźmie i zaczniesz pobliskiwać goło dupo, a dupa nie lampa, insze jejne przeznaczenie. O, żeb ty ze mno trzymał... Gadał ja żeż tobie o naszych szkoleniach... Chiba że mozgi tobie całkiem pordzewiawszy i nie kapujesz, kudy daroha – skandował chełpliwym tonem. – Palcem tykam, tam, tam daroha, tabie tudy, a ty, małczok, narawistyj... Pry mnie i liszni grosz by lipnoł do ciebie... Ja wiem, ty wiesz – zmieniał raptem temat – powiedz, nu, co u twoich, w lesie, a? Nie durny ja żeż, wiem... Ot, skapnełob mnie, skapnełob tobie. Po kapelce, ale kapelka do kapelki...

– Próżno nakłaniasz... O niczym nie wiem – Żmogus odpowiadał jednakowo. – I wiedzieć nie chcę... Strata czasu. Poniżające praktyki mnie nie interesują...

– Nu, nie nerwuj sia... Ale pokorne ciele dwie matki smokcze. Ot, jaka moja prawda... ja mimochodem nagabnowszy. I zaszedłszy tak, żeb kości rozprostować...

– Do piekieł zstąpił, po drodze mu było...

– Nu, nu, akuratnie tak...

Żmogus głęboko wciągał powietrze, przytrzymywał i ze świstem wypuszczał. Nadymał, to wciągał policzki...

– Dychawica ciebie menczy za twoja hardość...

– Jeżeli herszt durny... Do zdrady ogródkami ciągniesz, mętnieględzisz, obiecujesz. Udław się, Miszkiń, sam... Nie namawiaj...

– Jakaż namowa – obruszał się szaulis – moja prawda... Kiedy nagan nie w robocie, jakaż namowa. Jakaż zdrada... Wypluj te słowy, bo hadko słuchać...

Z naburmuszoną miną podciągał pasek u spodni i wsadzał dłonie do kieszeni, w ich przepastne głębie. Przekręcał głowę zabawnie w bok. – Obrażasz człowieka, od hersztow wyzwiskujesz. Na insza zapłata rachujesz – mrużył przenikliwie oczka. – Nie udawaj, i ty parobak. Ty parobak, ja parobak, pójdziem razem na zarobak... Niczym w pieśni – ty masz cep, a ja mam grabli... Gdzież, do ciebie po dobroci ani przystonp, sfukasz i na zarobek nie pójdziesz... Lepiej tobie zdechnonć, a? Pałac twoj ledwie dycha. Truszczoba rozleci sia, rozciongno jego... I gdzie, w jakim koncie głowa przytulisz? U mnie... Ja tobie dam kont darmowy. U mnie najdziesz przytułek i chleb...

– Wojna nie wieczna...

– I my nie wieczne. Treba żyć i pohulać wartałob... Dla ciebie wojna nigdy sia nie konczy. Ciebie na straty spiszo i po wojnie. Wsio rawno, stare nie wróci sia. Odpokutujesz za wieki...

– Ocknij się, zły proroku...

– A ty co mnie wmawiasz, że uciekna? Ty nie zamiarywasz sia uciekać? – odgryzł się za dawne znieważanie szaulis. – Zadowolniony byłby ty w Hameryce. Brzuchem w wierzch, pan...

– Od siebie nie uciekniesz, Miszkiń, a szarańczę zawisłą nad nami przeczekamy. – Pobłażliwie pokręcił głową, jakby od natrętnej muchy się opędzał. – Tak, Miszkiń, przeczekamy...

– Popiołem tut śmierdzi. Sadzo... Tut muł i proch...

– Właśnie, trzeba wiać, no to wiej i nie roztkliwiaj się, bo zapłaczesz.

– Ta ziemia moja, nie twoja. Onaż nie śmierdzi. Ty śmierdzisz padłem i ścierwem... Ziemia tłusta, przyległiwa. Ty przeciwny...

– Coś nowego sobie ubzdurałeś. Dlaczego mniej ta ziemia moja? Taka sama moja...

– Nu, jak wola, ale pora do głowy po rozum. Hardość do kieszeni wsuń, do kufra z naftalino, i zaprzy na siedym cuhaltow. Isz ty... Nie chcesz...

– Idź już sobie. Pewnie gdzieś się śpieszysz? Na chwilkę zaszedłeś przecież, a zasiedziałeś się...

– Nie z cukru ty żeż i nie z gumy. Kaloszow z ciebie nie pokleisz ani dentkow nie połatasz, to i nie rozmokniesz pod moimi słowami. Nie podobuje sia, co ja przyszedłszy, a? Ty żeż tyż z posesorow, nie z panow... Twoje pany pojechali znajomić sia z nowizno... Nie z czystych ty panow i cudzego pilnujesz bez zapłaty, darmo... Moja mowa uszy tobie kaleczy. Nie po szerści moja mowa, pod szerść wodza, iskrzysz. Po dobroci radza, który już raz... A mnie letko? Chiba że samogonko morda zagłusza. Wtenczas lekczej. Dusza nie piszczy, pod sercem nie smokcze...

– Nic mnie nie obchodzą twoje rozterki. Ruszyło sumienie? Ulgi dusza się domaga?

– Kazioł z ciebie – szaulis z niedowierzaniem wiercił się na krześle – nastajaszczy kazioł, ciongniesz do przodu, a on nazad, i ani prośbo, ani groźbo...

– No to dlaczego wciąż próbujesz, skoro niczego nie wskórasz?

– Wartałob ciebie poratować...

Konsekwencja Żmogusa i pobłażliwy ton perswazji robiły na szaulisie pożądane wrażenie. Zaczął jakby się zniechęcać do namawiania.

– Bądź pewny, sługusem za marne srebrniki ani tajniakiem nie zostanę. Nie moja natura. Z czyjego poręczenia, można wiedzieć, działasz? Komu tak na mnie zależy? Chyba sam nie wymyśliłeś... Tyle łaskawości obiecujesz...

– Krucisz moje żarny... Ot tak, przyszedłby ty do nas i pytlowane bułki murowane co dzień...

– To dlaczego sam ich nie masz? Łatwo rozdawać, czego się nie ma...

– Mam, mam, i tobie kiedyści dam skosztować... Wszystkie wiedzo, co ty człowiek rozumny – brnął szaulis w swoje kłamstwa i pochlebstwa. – Boczysz sia niepotrzebnie... Do urzendu by ciebie ustroili i ja miałby do kogo pójść. Wszendzie ważne plecy. Aligancko:

fotel, mundur, biurko, jak ta lalka... Ja przychodza, ty drzwi zamykasz, obgadujem, co i jak... Barysz sobie dajem... Moja prawda... Kapszuk puchnie... A po tym można byłob sia rozglondnonć, gdzie pojechać... Ot, na Zapad, do Giermanii, i tam żyć jak w puchu. A ty lapiesz, żeb nie pojechał, nu i gadaj z takim. Dalib tobie kantora albo i gabinet. Ot, dla przykładu i szarwarek trzeba obliczyć. Ty na liczydłach stuk-stuk, tudy-siudy... Kontyngenty... Kto po kryjomu świni kole, skóry wyprawywa. Ty wiesz. Zakolesz świnia bez pozwolenstwa, w łeb... Ja poszedłby robić śmierć. Czyryk-czyryk... I z tobo siab podzielił. Żylib tak jak muchi w miodzie, jak brat z bratem... Ludzi tut skryte, najlepiej wiesz, dużo chowajo, dużo do lasu przed łapankami, w ziemiankach. Kto dzie, ot narod... Twoj rozum i moj spryt... Ty wiesz, ja wiem. Wiedajesz, wiedaju. W dwa zgodne rozumy, majontak... Na co sztukować jeden, kiedy jak w dwa zagrasz, to aż przyjemność... Sztukowanie jednego nie popłaca. Czyż ja przeciw, swołacz, a?

– Swołocz przebiegła i podstępna. Sam nie dajesz rady, grunt ci się pali, w mętnej wodzie brodzisz. Pragnąłbyś cudzymi rękami żar wyciągać... Powtarzam, o niczym nie wiem i nie chcę wiedzieć.

– Z inszymi ty trzymasz, a ze mno nie masz życzenia, nu to i ołowiana zapłata masz u mnie – pogroził palcem – musowo. Ja, poki co, ciebie maskuja, ale jeżeli pożytku nijakiego to nie da, ni pucha, ni piera...

– Z chama pan nie będzie...

– Nu i na coż tak ostro? Delikatno, niczym renka pod spódnica. Jaż tobie nie wrog. Gadam, żeb ty wiedział...

– Z tobą rozmowa to sam szantaż. Nieustannie szykujesz się do skoku... Nie mógłbyś poszukać sobie gdzie indziej kamratów?

– A kto sabotażyst, a? Ja? Kto napady organizuje na konwoj, a? Na żandarmow? Nie wiesz? Nie udawaj...

– Napadają? – ze zdziwieniem pytaniem na pytanie odpowiedział Żmogus. – Jakież nieszczęście dla niezwyciężonej armii...

– Z nieba ty zleciawszy? – Nie pojął na szczęście ironii szaulis. – Ty masz dojścia do ich norow, a ja nie...

– Nie rozpaczaj, i ciebie coś jeszcze ciekawego spotka.

– Bezpłatny kurs w niebie...

– Przesada. Zbyt wygórowane mniemanie masz o sobie. W piekle, mój drogi, w piekle, w smole skwierczeć będziesz...

– A czemuż to? Chiba żeb ty mnie tam ustroił. Masz znajomości. Ale nie hyrkaj, nie hyrkaj, nie wróż, kiedy nie prosza. Przepowiadasz, a ja już, w ta pora, moga wyprawić ciebie na tamten świat... Kto pierwszy, ten lepszy...

I tu miał bezsprzeczną rację: mógł wyprawić natychmiast. Należał do grona panów życia, którzy za swoje poczynania nie ponosili najmniejszej kary.

* * *

Tak bywało w tym zakątku: od zgliszcz i zetlałych kości, oparzelisk, do zawodów sportowych, do rozrywki, dziwnych randek, wieczorynek w zadymionych chałupach, na klepisku, przy naftówkach, do zbiorowych sobotnich łaźni, kąpieli w cebrach i śniegu, dokazujących dziewuch, porzuconych Zosiek, bójek wszystkich ze wszystkimi dla lepszej przemiany materii. Wiadomości ze świata docierały tu z opóźnieniem, o ile w ogóle docierały. Nuda stanowiła koło napędowe, zapładniała wyobraźnię, rodziła mit, klechdę, zagęszczała fantazję. Gałagut potrafił przeskoczyć konia od zadu po grzywę, z rozpędu, tyłem i przodem, osadzał rysaka w galopie, łapiąc za chrapy; trzymając się ogona, wykręcał młyńca, rysak stawał dęba. To należało do popisów popołudniowych. Pokazywał Gałagut martwy chwyt i martwy chwyt oglądano. Puszczano z obory młodego buhaja. Szarżował z opuszczonym łbem, a Gałagut, przygięty za ogrodzeniem, łapał rozhukane zwierzę oburącz za rogi i przygniatał do ziemi, niekiedy aż łajno spod ogona tryskało. Racice rzucały darń, leciały drobne kamienie i wióry z płotu, a Gałagut wykręcał buhajowi kark martwym chwytem, aż ziemia stękała. Zziajany, ocierał nabrzmiałą twarz rękawem, w szerokim rozkroku. No i kto kogo, a? Odsłaniał w uśmiechu rząd olśniewająco białych zębów. Zachwyt wtórował zwycięstwu. Najbardziej zapadły zakątek musiał mieć swój sekret, strawę duchową. Bez skazy na honorze. Byk podwijał ogon i wracał do obory, Gałagut siadał za stołem dla zwycięzców.

Oto wspaniali ludzie tej ziemi: Broniuś, Don Bazyl, Stasiuk, Józuś, Gałagut – oni rozsławiali okolicę Ejszyszek.

Oto Broniuś rzeźbi w ukryciu ołtarz, z boków wyrastają husarskie skrzydła, płoną świece w drewnianych lichtarzach, wewnętrzny głos nawołuje, żeby były skrzydła i krzyż, i Człowiek. Wewnętrzny głos nakazuje wzniesienie leśnej świątyni. Na jej zgliszczach zrodzi się wiedza dobra i zła. Spłonęło drzewo. Bóg uczy ludzi, nie strąca ze skał, wskazuje palcem. Nauka warta ognia. Z czego się śmieje Broniuś? Przemienił się w ucznia, słucha głosu, odrzuca bunt. Oto kapłan wielebny i czcigodny rabin giną dla tej samej sprawy. U jednego Boga na dwóch różnych chmurkach zasiadają do partyjki warcabów, Pan Bóg im kibicuje, nie gniewa się, nie siedzą każdy w swoim niebie.

– Zaprawdę, czcigodny – i pac go damką.

– Aj, waj, wielebny – i kolejna damka. Czcigodny rebe narzeka i wygrywa. Kratki szachownicy dwoją się i troją.

– Zagapiłem się, czcigodny rebe, wykorzystałeś chwilę roztargnienia i ciach, już nie mam damki. Słuchałeś moich słów? Zgadzasz się na remis?

* * *

Mieszkała na przysiółku, w łaźni przerobionej na chałupę, w dwóch izbach z sienią i dużym chlebowym piecem, Lilianna Ruska. Wymyślne imię śmieszyło

wszystkich. – Dokąd idziecie? – Do Ruskiej – mówiono.
– Co tam u Ruskiej, ogród kosmaty?

Prawdziwe jej nazwisko brzmiało: Chomiakowa albo Chomiakowicz, jak chciała po spolszczeniu. Prawdziwego nazwiska jakoś nikt nie pamiętał. Schludna, postawna, szybka w uczynkach. Przepadała za młokosami i za żonatymi jednako. Kawaleria waliła do niej drzwiami i oknami, a ona sprawdzała, czy jest mleko pod nosem. Starszych goniła precz. Jej specjalnością było przyuczanie młokosów do miłości grzesznej. Matki klęły w żywy kamień, że dzieciaków deprawuje, nieprzyzwoitości na gołym ciele uczy. Żonki przeklinały, że mężów uwodzi. – Ta bladź znów przynętę wystawiła – mówiono. W jej wnyki zawsze jakaś ofiara wpadała. Lilianna lekceważyła zniewagi. Była wyznania prawosławnego. Obrządek katolicki jakoś ją zniechęcał. Cerkiew to dopiero świątynia, pośpiewać można, nikt na organach nie przeszkadza. Tylko na Zielone Świątki, na Matki Boskiej Zielnej i na Nowy Rok kościół odwiedzała. Chowała się za filarem, nie przyklękała, kiwała się rytmicznie i nieustannie kładła znak krzyża świętego na piersi. Do komunii nie przystępowała. Heretyczka, nie heretyczka, odmieniec. Półkolistym grzebieniem z szylkretu upinała gęste włosy, tak by wypiętrzyć czub najbardziej. – Jaka ona Ruska, pewnie Cyganicha – sarkały baby z obrzydzeniem. – Ileż ta jej centryfuga musiała przepuścić, a ciągle łasa na cudze, ciągle mało. Niańczyła już i Pietruka, i Wićkę, nawet do Broniusia w jego świętej budowli próbowała się dobierać. Dobrze, że spalili gniazdo nierządu. Niby zachodziła podziwiać ołtarz, a tak piersi wypinała, tak kłębami kręciła, że Broniuś tracił pantałyk i plótł o Palestynie. – Pojedziesz, Broniuś, pojedziesz – mówiła – ale wpierw zakosztuj, co potrzebne mężczyźnie, a z ciebie mężczyzna, nie wierzę, co bełtają językami, ty masz pełno w kroku, ja mam oko. – Ale nie mam czasu, muszę do Palestyny szykować klacz, poczekaj – jęczał Broniuś jakoś bezradnie – gdzie ty grzebiesz, jeszcze kto wejdzie. – A niech wchodzi, czego się boisz. Najpierw ty we mnie wejdź. Nie opieraj się, pokażę jak – ciągnęła nieszczęsnego Broniusia na siebie – położę się na wznak, ty musisz rozpiąć portki. – Co ty, Lilka, bezwstydnica! – Broniuś wierzgał nogami, osłaniał przyrodzenie dłonią. – To boli, nie ciągnij! Zwijał się jak piskorz. – O, patrzaj, to chyba najgorzej wyszło – pokazywał palcem słabsze fragmenty ołtarza – z tym najwięcej miałem kłopotów. – Żadne kłopoty, Broniuś – ze złością przygniatała go łokciem – ty prawiczek, ja z ciebie wykluję chłopa, ty musisz spokojniej, bo się zasmarkasz, przecież wiem, że stanął. – Nic nie stanęło – Broniuś obracał się tyłem – nic takiego, guziki powyrywasz, w kość uderzyłaś. – Oszukujesz, Broniuś, rozróżniam kości od męskości. – Ech, Lilka, Lilka, jak ty breszesz w świętym miejscu. – Łżesz, że w świętym, bo niepoświęcone. – Ale figury święte. – To za mało, Broniuś. – Broniuś, jąkał się strasznie, nie do zrozumienia. Lilianna nacierała. – Zabiorę ciebie do Palestyny, jeżeli mnie puścisz – usiłował przechytrzyć Liliannę. – A po chrena mnie twoja Palestyna, ty mnie potrzebny teraz.

– Wyrywał się, bronił, a ta nie dawała spokoju. – Ach, i pięknyż Pan Jezus, Broniuś, ty masz duszę Pana Jezusa. On na skrzypkach i ty na skrzypkach, daj smyka, w żadnej cerkwi ja takiego nie widziała, a ten baranek, chodźżeż bliżej, Broniuś, pogładzę baranka. Och, jak on główkę zadarł, zasłuchany, ale te obok, baby, mógłbyś, Broniuś, poprawić, zanadto płaskie, popatrzaj ty na mnie – łapała Broniusia za rękę i tuliła do wezbranej piersi – czujesz? Krew buzuje. I u tych bab ma być i z przodu, i z tyłu krągło, a to połamańce brzydkie, choć Pan Jezus podobny do ciebie, piękny, delikatne palce. Ja kocham delikatne palce. – Brała do ust palce Broniusia, śliniła. – Zmiłuj się, nie wyrywaj! – Takie palce artysty, a skrzypeczki wypisz-wymaluj, i smyk, daj smyka, Broniuś. – Osuwała się na kolana, Broniuś odskakiwał w tył. – Ja, dalibóg, muszę karmić konia, muszę do żłobu nasypać – tłumaczył się bezsensownie. – Napoisz swego konia, poczekaj, nie zostawiaj mnie samej, Broniuś – rozpaczliwie chwytała za połę rozpiętej koszuli – ja do ciebie przyszła, nie na modlitwy. Chodź, o baranku gadaj. – Baranek z naszej łąki. – Dla kobiet, Broniuś, ochoty brakło, wszystko poszło w baranka. Popraw się, proszę. – Rzucała mu się na szyję, tuliła. Broniuś drżał i nie ulegał. Chociaż spodobał mu się gorąc przeszywający jego ciało, zapach Lilianny, jasny meszek na jej policzkach, duże, wilgotne usta i te rozkolebane biodra jak kołyski. – Ależ ty masz... – nie umiał dokończyć – wprost ogniem parzy. – No to gaś, Broniuś, ten ogień, to dla ciebie zapalił się. – Przestał się bronić. Biodra

Lilianny pochłaniały Broniusia. Nie mógł się od nich oderwać. Później śnił po nocach, zrywał się, wybiegał na dwór zaczerpnąć ochłody. Lilianna nie przychodziła. Tarł twarz prześcieradłem, kiedy mówiła o Chrystusie, o skrzypkach, o smyku, jak po nim palcami jeździła. O ołtarzu, aż do zdarzenia, kiedy świątynię rozstrzelali. – Te piękne, muzyczne skrzypeczki, Broniuś – w uszach dźwięczał jej głos – ja też mam swoje skrzypeczki, dotykaj, odważniej, głębiej, graj szybką melodię na głos, krzycz, grajmy razem, nie przeszkadzam. – Broniuś zatykał ze wstydu uszy, zaciskał powieki, ale pod powiekami dopiero piekło się kłębiło. Nie uległ czy może się zapomniał?

Za to z ochotą ulegali inni po kilka razy w nocy. Biegli ulegać grupowo, na wyprzódki, aż w trawie dróżki wypalili. Bieganina i wachlowanie rozpalonych ciał koszulami. Lilianna wiedziała, co dobre i co do czego przyłożyć, żeby zapadać się w otchłań głębinną. Młodzież wywdzięczała się, czym mogła, znosiła podkradane rodzicom masło i jajka, tytoń jeszcze nieobeschły. Żonkosie, stropieni, że tu się spotkali, też szli tabunami, lgnęli niczym do miodu. Lilianna wiedziała, jak któremu dogodzić w uciechach cielesnych. Tylko Broniuś u niej nie pokazał się ani razu, choć go ciągnęło. No i Broniuś do Palestyny nie pojechał.

Toczą się czarne punkciki ludzików przez przestworza, a tylko niektórym dane jest się spotkać przy wspólnym stole. Zbliżają się, ogromnieją, potężnieją zmienne krajobrazy. Zza horyzontu wciąż nowe tłumy. Odbywa się selekcja. Jedni na lewo, drudzy na prawo, maruderzy na wprost, pozostali – z dymem.

Kolejne zjawy wypełzają, napełniają przestrzeń, wykonują kopulacyjne ruchy. Szkielety otrząsają resztki ciał. Punkciki olbrzymieją, czerń przyobleka się w strzępy formy, nabiera soczystego koloru, zmienia się w sytą, wypchaną dobrobytem figurę. Zdobywa mir i posłuch, ważnieje, zasiada. Dynda krawat pod grdyką, między kołnierzykiem a brodą grdyka drapieżna od wydawania rozkazów, od zachwytu nad sobą.

* * *

Oto kamieniarz postanowił wyrzeźbić monument Żmogusowi. Czyż mało lepszych kandydatów niż ten milczek i odludek z tajemniczą przeszłością? Prawda, dobroć anioła, no i strażnik, nawet kronikarz sławy tych stron, świadek tylu zdarzeń, opiekun Rabego, chłopca, któremu udało się uniknąć wywózki. Reszta rodziny wylądowała na białych niedźwiedziach. Żmogus starodziej, wierny sługa i baczny strażnik tych stron, strzegł czasu, który bezpowrotnie przeminął. Wywoływał duchy przeszłości z ruin i zgliszcz, a nade wszystko wychowywał chłopca. Żadnych wieści od rodziny, przepadli w sybirskich przestrzeniach, pochłonęła ich biel rozchwiei i roztopy bagien. Ku upadkowi chyliły się zabudowania, rozlatywały stajnie i obory, spichlerze i stodoły, zapadła się studnia, zarastał niegdyś gwarny dziedziniec i ujeżdżalnia koni, podjazd pod paradny ganek. Żmogus niczym dobry duch przemykał pośród zrujnowanego obejścia, za rękę wiodąc chłopca. Niewiele mu opowiadał, żeby nie podniecać wyobraźni. Zbyt nieodporna psychika. Człowiek powinien być zahartowany.

Kamieniarz uważnie obserwował Żmogusa, aż postanowił uwiecznić go w bryle kamienia, wydobyć go stamtąd. Wyostrzył całą kolekcję dłut, podreperował piłę do cięcia głazów, przygotował nowe wojłoki do szlifowania, naciągnął je na bęben szlifierki i zatopił się w pracy. Zgrzytało i chrzęściło wokół, pył gryzł oczy, zatykał gardło. Wyłoniły się kontury, niewyraźne, jakby zamazane, ale już postać lekko przygarbiona, zwalista, o zamaszyście uchwyconym ruchu mocno sklepionych ramion, ogromnych dłoniach i nieproporcjonalnie masywnej głowie. Zasępione oczy, wyraziste czoło, stanowczo zarysowany podbródek. Wykuję i dam mu na pamiątkę w prezencie, ciekawe, jak przyjmie – dumał kamieniarz – co powie. Ma to wyglądać tak, jakby postać miała duszę, wewnętrzną energię, a miejsce na duszę trzeba znaleźć. Niby kamień, ale z duszą od środka – cała sztuka i zagadka udanej roboty. Posąg wyłaniał się powoli, odsłaniały się rysy, wyraźniały szczegóły, mozolnie uzyskiwała odpowiedni kształt bryła głowy, formował się duch. Kamieniarz z trudem wydzierał każdy fragment, uwalniał z kamiennych więzi charakter. Ja przeminę, Żmogus przeminie, zostanie przynajmniej kamienny posąg. Może ktoś w przyszłości zechce spisać historię Żmogusa, przy okazji moją. Nie trzeba będzie tworzyć jakichś zmyślonych postaci, spojrzy na kamień i prawdę odczyta, resztę okoliczni dopowiedzą.

Przetaczają się wojny. Obce armie plądrują gospodarstwa, rozgrabiają majątki. Zdziczałą zwierzynę ładują do ciężarówek. Pod ranek okrążają domostwa, rabują zboże na polach, wyrzynają ludzi. Których nie zarżną, pakują do bydlęcych wagonów i na wieczną zmarzlinę. Nowa cywilizacja. Od tych porządków zdychają żuki w gównie, ścięte powietrzem spadają martwe ptaki, ludzie w proch się przemieniają. Czyżby Bóg przeklął te strony? Drugi potop nasłał. Pożoga i gwałt. Mało niewola, na dodatek upodlenie, wpajanie lęku, znęcanie się nad żywym i martwym. Dozwolona zemsta historii.

O, jeszcze trochę podszlifuję obuwie i dokładniej uformuję marynarkę, zagięcia rękawów i spodni. Kamieniarz zmieniał dłuta, przymierzał do każdej fałdy inne, inaczej ustawiał ostrze, znajdywał odpowiedni kąt, stukał młotkiem uważnie. Ile liter wykuł, ile nazwisk, płaskorzeźb. Ejszyski kamieniarz, Buklis, silny jak buk, chytry jak lis – mawiał o sobie. Sława jego sięgała za Wilno. Ile sękatych dębów powołał do życia. Świacko-Świackiewicz do dziś na przykościelnym cmentarzu wartę trzyma, Sieklucki z Hornostaiszek, podstoli lidzki, ksiądz Zasztowtt, ksiądz Montwiłł z Montwiliszek. Dla swojej rodziny też kilka pomników wykuł. Buklis rodzinny fach dobrze znał. Ani dnia wytchnienia. Z dumą wypinał pierś: taki już się urodziłem.

Nauki pobierał dawno temu, aż koło Kielc, w Sukowie i Niestachowie, gdzie pewien rzeźbiarz z Petersburga szkołę kamieniarską prowadził. Buklis granit z tamtejszych kamieniołomów zamawiał na własny rachunek. Marmur świętokrzyski, a nawet pińczowski. Sporo też ciął w drewnie, przeważnie święte figury. Ale najtrwalsze ciosał w kamieniu. Dla własnej przyjemności dobierał modela, dla przykładu Żmogusa. Łączyła ich nawet jakaś daleka nić pokrewieństwa czy powinowactwa, trudno dociec. Korzenie gubiły się w pomrokach. Zawsze musiał dopasować głaz, dobrać cokół. Żmogus na swój dzień czekał w stodole, bo tam przeważnie rzeźbił i kuł Buklis. Gotowe dzieła wystawiał na podwórzu. Zaludnił w ten sposób cały dziedziniec. Ale kucie w kamieniu Żmogusa szło niesporo. Kamieniarz za bardzo dbał o wierny przekaz. Dla odmiany kuł kraty w sąsiednim budynku, gdzie miał podręczną kuźnię i narzędzia. O kowalstwie wiedział również niemało i często dla zainteresowanych prowadził ni to wykłady, ni pogadanki.

* * *

Szaulis w każdej chwili, wedle kaprysu, mógł wyciągnąć broń i strzelić. Nikt by prawdy nie dochodził. Porcja ołowiu była jedyną niepodważalną prawdą, niepodlegającą weryfikacji. Naprawdę nie istniał chyba na świecie występek, na który by się szaulis nie poważył.

– Nie szypi, nie szypi, a potakuj... Ja ciebie gabam w renkawiczkach, a ty w dusza z pazurami leziesz. Ty sztorcem do mnie – słowa pobrzmiewały groźnie.

– Paszkudztwa, paszkudztwa... Tylko tym mnie karmisz. Po darmo moj zachod – jazgotał szybko.

Kot czochrał grzbiet o nogę stołu.

– Dochował sia ty tura, nie kota. A ktoż jemu chwost obrombał, a?

– Widocznie komuś przeszkadzał – niechętnie odparł Żmogus – a prawda, tur, nie kot. Boża skacina.

Luźne, niezobowiązujące sąsiedzkie pogawędki, prawie niewinne. Niezapowiedziane beztroskie wizyty. Jakie niespodzianki szykowały? Najdrobniejsza nieostrożność groziła śmiertelnym wypadkiem. „Może i straciwszy ja figura, ale pretensjow mnie nie brakuje" – powiedziałaby baba babie, ale tu odbywała się rozmowa mężczyzn. Szaulis wypowiadał twarde, zatrute groźbą słowa. Półsłowa, ledwie „namioki". Nie wiadomo, co mu nagle do łba mogło strzelić. No i musiał chandryczyć się człowiek. Musiał kołować.

– Ot, człowiek żyje jakby na kredyt, bez przerwy na poświcie. – Szaulis niedbale kiwał się w tył i w przód na krześle. – Noc, kaganiec ze smolakami bucha, ty cicho, po wodzie, oścień w pogotowiu, na śpionce szczupaki czatujesz. Spokoj, ani drzewo szarachnie sia, nie drygnie cień. Ryba niczego sia nie spodziewa, śpi miendzy korzeniami ajerów. Dźgasz ościeniem i trzepota sia. Aha, zahaczona... Po tym dziorhasz z kruczkow, mienso sia wywala czyrwone... Nie telepie w szuwarach. Nie pyrsknie... Woda nie zabarbocze... Tak i z tobo... a ktoż ty, lepszejszy od ryby? Albo ze mno, albo sam przepadniesz. Ciebie kto znienacka ukatrupi? Całen czas w napienciu. Nawat sen w pogotowiu. Za żelazo macasz pod poduszko, kiedy okiennicami brazgnie... Oścień w pogotowiu. Tylko poluzujesz i już może czyje ostrze zahaczyć w twoje płuca, już wisisz na kruku. Nie do zerwania. Bałandasz rencyma, nogoma. Co ty i ja wiem tak samo i spodziewam sia, nu, nie samych różow. Noga mnie podkładajo i ja podkładam. Byleb sia nie wykopyrtnonć... Ty przynamno nie suń nogow, kudy nie treba, bo, dalibóg, zezłowam sia – zawsze skądś wygrzebywał odpowiednią przypowieść, kiedy był zanadto podekscytowany lub kiedy mu Żmogus za mocno dokuczył – nie bondź ty łachudra dla mnie, łeb urwa gadzinie. Hadko gadać. Jak ty wyglondasz, tranty podarte, kiedyści jak szustka, nu, a pana udawasz. Nie wyłżesz sia, z posesorow żeż ty...

– Każdy posesor na czyimś bogactwie – odparł dwuznacznie Żmogus – i każdy siedzi na czyimś karku. Szkoda Miszkiń, fatygi... Włączasz swój pytel, z tego mąki żadnej...

– Toż nie współpraca, a dbanie o swoje, żeb lekczej. Nie nagabuja. W miasteczku gadajo: ty pan, swoj rozum masz, tylko z tobo do ładu dojść, nu, cienżkawo... Jakie wymogi, gadaj? Ledwie stukniesz pierzyna, a puch tabunami.

– Daj mi święty spokój...

– Bożeż ty moj – rozczulił się szaulis – krzyku ludziow od krzyku skaciny nie rozróżnisz, a on zachciawszy spokoju. Czegoż ty tak zajadle przeciwny naszej władzy, a? Ona żeż tobie niczego drennego nie zrobiwszy. Aksamitnie z tobo... Toż niemiecka kultura sama najwienksza i porzondak u ich nastajaszczy... – utyskiwał płaczliwie, prawie skamlał.

– Znam ich ład. Człowiek we własnym domu osaczony...

– Uch żeż ty i niesprawiedliwy. Nie wszystkie żeż jenczo, chiba przeciwniki. Zamkni sia lepiej – szaulis spurpurowiał – zatkaj morda, dalibóg. Czego chcesz? Wojna, onaż krwawa. Skonczy sia, sam gadasz, słonko i dla nas wzejdzie. Teraz nie dziwota... Ty dalej patrzaj...

– Miszkiń, niczego nie osiągniesz, żebyś ze skóry wylazł. Ni prośbą, ni groźbą. Darmo język strzępisz. Masz inne zajęcia, ciekawsze. Nie szkoda dla mnie czasu?

– Straszna może być nasza zemsta. Ryzykujesz, twaja wola. Jakby ja słuchał rochania parszukow, bez tołku. Moja prawda. Coż, derniak, do śmierci derniak. Pościałka jego z gliny i syrowych liściow.

– Nikt nie wieczny – kwitował przepychankę Żmogus.

Zawiedziony w swoich nadziejach szaulis naciągał kaszkiet, jak niezliczone razy przedtem, i mamrocząc przekleństwa, wynosił się z domu Żmogusa, zawsze gościnnego z musu.

* * *

Aż wreszcie szaulis wpadł, został złapany przez partyzantów, do czego walnie przyczynił się Żmogus.

Szaulis bronił się zajadle. Dopiero podstępem wywleczono go z nory. Siedział ukryty w lochu niczym kret. No, ostatecznie można go było i granatem wykurzyć, ale postanowiono wziąć żywcem, aby potem uwiązać do hołobli i popędzić konie, dla dodania wigoru chłostając popręgami. Skończył niczym pies w rowie i nikt nawet grama ołowiu nie zmarnował. Sama z niego dusza wylazła. Wpierw biegł za furmanką, potem padł. Nie wytrzymał tempa. Ścierwo podskakiwało na wybojach, aż dusza się wytrzęsła. Strzęp niepodobny do człowieka. Jakaś oblepiona gliną galaretowata masa. Jakiś zakurzony, bury tłumok zakrzepłej krwi i ziemi... Nędzny wrak.

Szybko człowiek z ziemią się zespala, stapia, zrasta, przewarstwia. Krew miesza się z kurzem i żwirem...

Oblepiona bezkształtna bryła – oto człowiek...

Ale przedtem szaulis otrzymał solidne lanie wyciorami w obnażony zad. Toczył oniemiałymi ślepiami i szepetliwie skamlał: – Za co, za co? Ja was tak uważał... Nawet nie stwarzano pozorów przesłuchania. Nic ciekawego przecież nie miałby do powiedzenia.

Gdy tylko wylazł z nory, ukląkł, załamał ręce i błagał o lekką śmierć. Na tyle honoru mu starczyło. Tego mu nikt nie chciał ofiarować. Ktoś jednak przyrzekł, że otrzyma taką, na jaką zasłużył.

– Przypomnij Gembicza – Żmogus wystąpił kilka kroków naprzód i tknął go butem w pierś – pamiętasz? Czy miałeś dla niego zmiłowanie? Litość? Ilu innych pokotem położyłeś? Czy miałeś dla nich choć słowo otuchy, choć cień współczucia?

– Użmirszau – szaulis powiódł zdziczałym z przerażenia wzrokiem – dalibóg, użmirszau...

– Łżesz wobec majestatu śmierci. Dokładnie pamiętasz swoją chwalbę – prawie wysyczał Żmogus – swoją potworną chwalbę... Tego się nie zapomina. Klejmo na całe życie... Kirza byłeś i kirzą zdechniesz.

– Dobiegł jego kres – podchwycił któryś z partyzantów. – Nie ma pomyłki.

– Uważał ja ciebie... nu, sam wiesz. Teraz zemsta – szaulis sprytnie odwoływał się do miłości bliźniego.

– Tak, zemsta... Na poprawę nie zasługujesz. Z chytrości i przezorności wyrabiałeś alibi, ale to numer nieudany.

– Za dużo ja tobie gadał. Za dużo wiesz. Zawsze gad nieubity konsa śmiertelnie. – Szaulis desperacko tarzał się po ziemi. – Ukatrupcie mnie na miejscu – z rezygnacją walił głową – moja pomyłka... A tak jeszcze pożyć by chciało sie.

– Zdechniesz i śladu po twojej mogile. W rowie padło zgnije... Nie było gdzie się skryć przed tobą – Żmogus wygarniał wszystkie zadawnione pretensje – jakże chełpliwie opowiadałeś o swoich okrucieństwach. Nie pamiętasz. Użmirszau... Doskonale wiedziałeś, że mnie zadręczasz. To ci sprawiało przyjemność. Oczywiście, na wszelki wypadek celowałeś we mnie z pistoletu, żebym nie zechciał przegryźć ci gardła, tak?

Wiedziałeś, że mógłbym nie wytrzymać. Z jakąż rozbrajającą lubością przypierałeś do muru...

– Ale za cyngiel nie pociongnoł. Oszczendził. – Już nic w nim nie zostało z niezwyciężonego władcy, z ordynarnej chełpliwości.

– Strach w tobie oszczędził, bydlęcy strach, który maskowałeś brutalnymi wyzwiskami i znęcaniem się nad bezbronnymi. Przyznaj się, iluś pomordował? Wylicz... i wołowej skóry by zabrakło...

Szaulis otworzył szeroko usta i wyrzucił z siebie jakieś ledwo wyartykułowane, bełkotliwe zdanie.

– Nie fatyguj się, szkoda...

– Zakatrupcie mnie na miejscu... Ot, i tyle mojej prośby.

Wyparowała gdzieś bezpowrotnie chamska pyszność, buta. Kiedy przegrywa złoczyńca, nic i nikt za nim nie stoi. Żadna idea, żadna wyższa konieczność. Stąd natychmiastowe zeszmacenie... Jedynie śmierć za słuszną sprawę pozwala nieść wysoko czoło. Partyzanci tłoczyli się zwartym kołem nad klęczącym i tarzającym się w kleistej mazi szaulisem. Nikt z siebie współczucia nie wykrzesał.

Wreszcie, żeby skrócić żałosny widok, skamlącego, z twarzą utytłaną niby gipsowy odlew złapano pod pachy i przytroczono do hołobli. Pędzono go tak ponad pięć kilometrów, za młyn Pryszmontowy, na krzyżówkę dróg z Korklin do Montwiliszek i Bartowtów.

– Wio, paszli koni – i chlaśnięcie lejców. Gromkie popędzanie i suche uderzenia biczem przez obnażone, podrygujące plecy szaulisa. Brak powietrza w płucach. Pieczenie pod językiem nie do zniesienia. Zmętniała świadomość. Aż wreszcie ulga: mokre plaśnięcie ciała o piaszczysty gościniec, o szorstki, kaleczący żwir.

Na zaparzonych końskich kłębach również czerniały wyraziste pręgi... Poderwanie w śmiertelnym zrywie ciała i znów ten straszliwy wysiłek, by dorównać galopowi, i ponowne soczyste chlaśnięcie, i upadek poprzedzony ni to stęknięciem, ni to jękiem, a raczej rzężeniem. Przegięcie w krzyżu, aż do znieruchomienia, wyprężenia, ustało przebieranie nogami, chwytanie się przydrożnych kamieni. Tylko wycie nie do zniesienia, jednostajne, świdrujące w uszach. Wreszcie nad ciałem zaległa wieczna cisza.

Zatrzymano konie.

– No, już chyba wyzionął ducha. – Któryś trącił czubkiem buta ciało. – Przyszła kryska...

Odwiązano bezkształtną bryłę i rzucono na pobocze, do rowu, zostawiono na widoku, ku przestrodze innym nadgorliwcom. Leżało w rdzawej, gliniastej bryi, przy skrzyżowaniu dróg, kilka kilometrów od młyna, na skraju karłowatego lasku.

– Dalej robaki nim się zaopiekują. Niechaj gnije w spokoju. W spokoju, jak nigdy za życia, ludziom na otuchę, cierpiącym na pomstę, na pociechę krukom, których tak się bał...

– Ze zdrajcami tak zawsze – dokończył krótką przemowę dowódcy Żmogus.

Litościwi zaś, wyzbyci wszelkiej nienawiści, co chodzą z Ewangelią pod pachą, powodowani miłością bliźniego i zasadą odpuszczania win i zmazywania grzechów, na pewno pochylą się i nad tym bydlakiem... Owiną porzucone truchło, wsadzą do trumny i bez księdza, bez ostatniej posługi, nieopatrzone Przenajświętszym Sakramentem ani nienamaszczone świętymi olejami zakopią nieopodal.

Długo będzie można jeszcze oglądać pagórek niewiadomego imienia, bo czas zaciera ślady złego i dobrego. Aż z latami i ten smutny znak ludzkiej hańby zapadnie się i wszelki słuch o nim zaginie...

Niektórzy powiadali, a nawet przysięgali, że tu nocą straszy, że widać dziwne słupy świetliste niby salwy karabinowe, że proszalne jęki się spod darni dobywają, błagają o wsparcie modlitwą. Tylko że nikt modlić się nie odważy.

Długo potem i Raby omijał to przeklęte miejsce. A milkliwy Żmogus niechętnie o nim wspominał. Nie lubił tędy przechodzić... Nie lubił przywodzić na pamięć okrutnych i tragicznie zagmatwanych dni ani tego nieszczęsnego Miszkinia, co to za wszelką cenę Miszkinisem pragnął zostać, co się tak zaprzedał za garść srebrników krwawych, zaparł wszystkiego, służąc złej sprawie, i musiał podle skończyć, jak podle żył.

* * *

O roku ów.

Gdy już ostatecznie dogadano się w Jałcie, zapadła klamka i nasze granice wschodnie przesunięto na Bug, a właściwie na odcinek dolnego Bugu i Narwi, należało wybierać: sprawiedliwe granice wymagały sprawiedliwego samookreślenia się. Szczęśliwie zatoczyliśmy koło historii i wróciliśmy do granic Królestwa Polskiego z czasu rozbiorów.

Miliony Polaków musiały zakładać nowe gniazda, szukać nowego miejsca na ziemi. Rozpoczęła się mordercza wędrówka ludów: na Zachód, na Zachód. Ci, co nie zdążyli na Zachód – na Wschód, na białe niedźwiedzie.

Kłapały złącza szyn, salutowały semafory i w mrok, w nieznane ciągnęły transporty mrowia ludzkiego.

Odstępował żywioł polski.

– Bystriej, bystriej – ryczeli enkawudziści – sobirajties'...

I ludzie w popłochu, ponaglani kolbami, łapali, co pod rękę trafiło i zbierali się „na zsyłkę".

Trwały wywózki. Aresztowanych wieziono na punkt zborny i etapami za Ural.

Urał nawrał – stukotały koła wagonów – Urał nawrał.

Za kołem podbiegunowym, w wiecznej zmarzlinie tundry łyknąć świeżego powietrza, w towarzystwie białych niedźwiedzi pospacerować. Jeszcze inni, którym udało się zostać, jak choćby Świackiewiczowie ze Świackiewiczów albo Marcinkiewiczowie z Marcinkiszek, czy też Siekluccy z Hornostaiszek i z Emilucji, przymierali głodem, zawszeni, lizali puste garnki na wyziębłych płytach, bo gospodarstwa uległy rekwizycji. Oborywano domy, zakazywano wychodzić, bo podwórko już należało do kołchozu. Nie wasze – ostrzegano groźnie – nie wolno deptać bezkarnie sowieckiej ziemi... Stary Świackiewicz powiesił się na strychu. Poszedł tam na chwilkę, po bieliznę, i znaleziono go na sznurze wśród zmarzniętego na kość prania i furkotu gołębi. Paszkiewicz wymordował całą rodzinę, aby uniknąć sowieckiego szczęścia; stary oficer z armii Dowbora-Muśnickiego, Sieklucki, napił się trucizny. Wyłamywano okienne ramy, pruto strzechy. Dawaj, dawaj! Tłuczono szyby. Bebeszono szafy. Zabierano wszystko: naczynia i koszule nocne. Panią Helenę Wojszwiłło zapędzono do kołchozu. Kołchoz nosił chlubne imię „Oleg Koszewoj". Razem z synem odbywała reedukację w domowym areszcie. Nocą kradła kłosy z własnego pola, upychała do siennika, mełła ziarno na żarnach w piwnicy. Ktoś doniósł. Areszt. Cztery lata obozu, a syn na zesłanie: Półwysep Kolski, gdzie małolaty wyrąbywały las i spławiały kłody. Tam się niemal wynarodowił. Wojna minęła, piekło nadal trwało. Jedni śpiewali *Boże, coś Polskę*. Inni przeklinali: gdzie szukać tej Polski, dokąd mamy za nią gonić? Świat oszalał.

Rok 1946. Oficjalna repatriacja. Kto na piechotę, kto kradzionym koniem. Byle prędzej, prędzej, do nowej granicy, przez Orany, przez Raduń, Bastuny.

– Wyjeżdżamy do Polski.

– Dokąd? Z Polski do Polski? – pytano z niedowierzaniem.

Chłopiec na drążku, czyli na turniku, kręcił beztrosko koziołki.

– Synku, uważaj.

– Nie spadnę – szybował coraz wyżej, wyżej, niczym na huśtawce, ponad drzewami.

– Jezus Maria – denerwowała się matka – kiedyż Ignac wreszcie przyjedzie? Do domu, łobuzie. Trzeba się pakować. Zamiast być pomocą, jesteś utrapieniem. Klękaj, zmów pacierz za pomyślność. Nasze już nie nasze.

Chłopiec niechętnie zeskoczył z drążka, złapał łuk z leszczyny, wbił strzałę w pień brzozy. W kącie odpoczywał koń na biegunach, na ścianie pogięty hełm, szabla, podarta makata z orłem w koronie.

– Dziecko, chcesz to wszystko zabrać?

– Bo nie pojadę – zagroził chłopiec. – Po co tam? Mnie tu dobrze. Nie mam ochoty do twojej Polski – mówił z wyrzutem. – Gdzie Polski szukać? Pamiętasz, jak wyjeżdżaliśmy z Wilna, obiecywałaś, że tu nasz dom.

– Z Wilna musieliśmy uciekać – matka z naciskiem podkreśliła „musieliśmy".

– I znów uciekamy – nie dawał za wygraną chłopiec.

– Wściekłe dziecko – fuknęła.

– A jeżeli znów gdzieś Polskę przeniosą? – spytał poważnie. – Lepiej zostańmy.

– Już nie będziesz Polakiem. Boże, co za raróg...

– Ja nie chcę się modlić. Nie chcę do tej Polski. Polska nie worek kartofli, żeby ją przenosić z miejsca na miejsce.

– Na kolana, durniu! – nieznoszącym sprzeciwu głosem upomniała matka.

– Zapomniałem słowa.

W tym momencie dostał po głowie.

– Nie wytrzymuję. Ignacy, gdzieś się zawieruszył?

– A po jakiemu tam mówią?

– Nie mówi się „po jakiemu". Zostaw w spokoju bagaże, co za dziecko. Z trudem pakowałam, poprzewracasz – marudziła.

– Ja nie chcę wiecznie szukać domu.

Szklany wzrok matki zaczął błądzić po martwych przedmiotach. Własny syn mówi: do twojej Polski. Kim on się czuje, gałgan. Wystarczyłoby kilka lat, i wynarodowienie gotowe. Tu ani książek, ani szkoły. Z ledwością znalazłam *Trylogię* u Songinówien. Trzeba ją zabrać, bo i tam niepewnie. Z Polski do Polski, smyk, wykombinował. Czy się spodziewałam, że kiedyś przyjdzie wyjeżdżać w obce strony? Niby wojna wygrana, a my znowu przegrani. Mniej więcej co sto lat się kurczymy, od bitwy nad Worsklą w 1399, od Iwana Groźnego. Krótka niepodległość, mignęło, śmignęło i znowu klęska, szukamy miejsca, gdzie się przytulić. Z licznej rodziny tylko siostra i syn, przecież jeszcze dziecko. Cóż za sprawiedliwość? Siostra szuka syna, ja siostry, a jej syn z pewnością tu, gdzieś na Ponarach. Siostra nie wierzy, żeby Niemcy zastrzelili. Naród z tradycjami, przecież nie mordercy. Siostrzeniec ledwo zdążył zdać maturę u ojców jezuitów. Należał do harcerstwa. Tak, matki nigdy nie mogą uwierzyć w śmierć dzieci.

Teraz wyprawa z tobołami.

– Mamo, coś mówisz? – z odrętwienia wyrwał ją głos syna. Z niepokojem obserwował matkę. – Mówisz do siebie. – Podbiegł i rzucił się jej na szyję, choć nie lubił czułości.

– Zaraz nadjedzie Ignac. Wyjeżdżamy, synku. Jestem gotowa. – Wstała nieśpiesznie, obciągnęła suknię. – Smarkaczu, nic nie rozumiesz, i dobrze. – Zastanowiła się. – Gdzie nasz zwiastun dobrej nadziei, nasz Ignac? – Wyraźnie zaczęła się niecierpliwić. – Gdyby żył ojciec – szepnęła z nostalgią. – Gdyby żył ojciec – powtórzyła.

– Raz tak, raz inaczej: smarkaty, dorosły. Żeby gdzieś wyjeżdżać, to akurat nie za smarkaty – buntował się, walczył. I nic nie wskórał.

– O, dzięki Bogu, słychać jakiś turkot, pewnie nadjeżdża. Nic, synku, wytrzymamy, jak wyjedziemy, może będzie lepiej.

Przed gankiem zatrzymała się podwoda zaprzężona w dwa mocne konie. Z kozła uniósł się zwalisty mężczyzna w burce, w baranicy, sprawdził uzdę karej, bo to była klaczka, klepnął bułana, postąpił na schody, spojrzał w okna domu.

– Nu, dawaj, paniusia, będziem nosić hramozdy i migiem do Oran na stacja. Pociąg zafyrczy, buchnie para i praszczaj, Polszcza, na wsiegda... na zawsze.

* * *

Turkotały kolumny lichych furek, stukotały wagony. Tobołki z pościelą, z pierzynami. Cały dobytek, worki na plecach. Na Zachód. Starcy wsparci ciężko o kostury, dzieciaki na rękach.

Trwały karne wysiedlania rozmaitych kułaków i wrogów ludu, wrogów mas pracujących wsi i miast. Pod ranek okrążano domostwa – i natychmiastowy załadunek na ciężarówki, z podręcznym bagażem, bez bagażu. Bieganina, rwetes, lamenty: dokąd nas zabieracie, dokąd?

Zapadały kapturowe wyroki. Oddzielano rodziców od dzieci. Zdezorientowani popełniali samobójstwa. Zniszczono niemal dwa miliony ludzi. Ci, co zostali, wegetowali zapędzeni do kołchozów, inni kradli „mienie społeczne", żeby przetrwać, trafiali do więzień, do obozów, na wikt państwowy, otrzymywali nędzne środki, żeby związać koniec z końcem, pracowali na wyjałowionych polach, w tajdze, w tundrze, w kopalniach uranu za Bajkałem. Darli pazurami z wiecznej zmarzliny nikiel w Norylsku.

Dokonało się wielkie Polaków rozproszenie.

Gliwice, 1981–1999

Książki oraz bezpłatny katalog
Wydawnictwa W.A.B.
można zamówić pod adresem:
02-502 Warszawa, ul. Łowicka 31
tel./fax (22) 646 01 74, 646 01 75, 646 05 10, 646 05 11
e-mail: wab@wab.com.pl
www.wab.com.pl

Redakcja: Marianna Sokołowska
Korekta: Magdalena Stajewska, Agata Kurkus-Soja,
Elżbieta Jaroszuk
Redakcja techniczna: Alek Radomski

Projekt okładki i stron tytułowych:
Magdalena Bartkiewicz-Podgórska,
na podstawie koncepcji graficznej Macieja Sadowskiego
Fotografia na I stronie okładki: © Anna Engelking
Fotografia autora: © Grzegorz Klatka

Wydawnictwo W.A.B.
02-502 Warszawa, Łowicka 31
tel./fax (22) 646 01 74, 646 01 75, 646 05 10, 646 05 11
wab@wab.com.pl
www.wab.com.pl

Druk i oprawa:
Drukarnia Wydawnicza im. W.L. Anczyca S.A., Kraków

ISBN 83-7414-218-9
978-83-7414-218-2